Accès d'origine

DU MÊME AUTEUR

Portrait de l'agoniste : Gombrowicz, Montréal, Liber, 2003.

États du polémique (avec Annette Hayward et coll.), Sainte-Foy, Nota Bene, 1998.

La Griffe du polémique. Le conflit entre les régionalistes et les exotiques, Montréal, l'Hexagone, 1989.

DOMINIQUE GARAND

Accès d'origine

ou pourquoi je lis encore Groulx, Basile, Ferron...

Constantes

Catalogage avant publication de Bibliothèque et Archives Canada

Garand, Dominique

Accès d'origine, ou pourquoi je lis encore Groulx, Basile, Ferron...

(Collection Constantes)
Comprend des réf. bibliogr.

ISBN 2-89428-757-7

1. Ethnicité – Québec (Province). 2. Nationalisme – Québec (Province). 3. Régionalisme – Québec (Province). 4. Québec (Province) – Histoire – 20e siècle. 5. Culture populaire – Québec (Province) I. Titre. II. Collection : Collection Constantes.

FC2920.N38G37 2004 305.8'009714 C2004-941015-6

Les Éditions Hurtubise HMH bénéficient du soutien financier des institutions suivantes pour leurs activités d'édition :

- Conseil des Arts du Canada ;
- Gouvernement du Canada par l'entremise du Programme d'aide au développement de l'industrie de l'édition (PADIÉ) ;
- Société de développement des entreprises culturelles au Québec (SODEC) ;
- Programme de crédit d'impôt pour l'édition de livres du gouvernement du Québec.

Maquette de la couverture : Olivier Lasser
Maquette intérieure et mise en page : Andréa Joseph [PageXpress]

Éditions Hurtubise HMH ltée
1815, avenue De Lorimier
Montréal (Québec) H2K 3W6
Tél. : (514) 523-1523

DISTRIBUTION EN FRANCE :
Librairie du Québec / D.N.M.
30, rue Gay-Lussac
75005 Paris FRANCE
liquebec@noos.fr

ISBN 2-89428-757-7

Dépôt légal : 4e trimestre 2004
Bibliothèque nationale du Québec
Bibliothèque nationale du Canada

Imprimé au Canada

www.hurtubisehmh.com

À Isabelle
dans l'allégresse du Temps retrouvé

« Mon grand problème est d'origine : je veux la connaître, l'explorer, l'exorciser ! »

Hubert Aquin, *Journal*

« Ils nous ont donné la vie
Même alors qu'ils perdaient
Et morts
Se meurent encore en nous
Qui déjà avons le mal
De vivre d'eux
Engrossés de ténèbres
Tenus à les porter
Vieux enfants chimériques et gâtés

Ils auraient pu la garder
La vie qui les a perdus
Et dont ils nous ont laissé
La note pour héritage
Créanciers souterrains
Qui ne rient ni ne pleurent
Mais benoîtement attendent
Le retour de leur don
Oncques nous n'aurons quittance
Que nous ne l'allions chercher ».

Jacques Ferron, *La Créance*

Avant-propos

IL EST DEVENU PRESQUE BANAL de dire que la culture québécoise s'est élaborée sur une mise en procès constante de sa fondation. Mais est-on certain que cette banalité, ou lieu commun, ait été suffisamment accueillie par une pensée conséquente et véritablement créatrice ? Les tensions qui habitent la société québécoise tournent autour d'une origine qui ferait Référence commune et qui, heureusement ou malheureusement, ne s'est pas imposée à tous avec la même évidence. Les discours sur l'origine ont pour enjeu l'identité, cela va de soi, mais également – il n'est pas inutile de le rappeler – la *responsabilité* à l'égard des liens que l'histoire a créés au sein d'une communauté. Responsabilité, pour tout dire, à l'égard d'une parole donnée, reçue en héritage.

L'origine est autant une utopie, un pôle d'attraction, qu'un lieu antécédent : elle est cette impulsion initiale dont nous voulons retrouver la motion, elle est l'*ante* cédant sa place au renouveau qui lui donne la réplique. J'ai écrit ce livre dans l'esprit non pas d'une reproduction de l'origine, ou d'une fusion euphorique avec elle, mais plutôt d'une *reprise* et d'un *déplacement* des motifs symboliques qui ont agi, au cours de l'histoire, comme Référence au sein de la culture québécoise, plus particulièrement de la littérature. C'est bien le destin de cette culture qu'interroge mon essai et c'est à partir d'elle que je prends la parole. Cette Référence, toutefois, ne fait pas consensus, même auprès de ceux qui, comme moi, sont des Québécois d'héritage canadien-français (pour reprendre la formulation proposée par Jocelyn Létourneau). Outre le constat courant que le Québec moderne est composé d'individus se réclamant d'origines très diversifiées, on peut observer désormais chez les seuls Québécois d'héritage canadien-français un rapport très imprécis et labile au Récit originaire, imprécision et labilité que signale bien l'ignorance qui sévit chez la plupart en matière d'histoire, mais que trahit surtout le caractère quelque peu débraillé des rites ayant pour fonction de lier les membres de la communauté, d'entretenir le sentiment d'appartenance, de replacer les sujets devant l'exigence spirituelle qu'impose leur Référence.

Ces considérations étonneront peut-être ceux qui ont pris l'habitude de se représenter les Québécois francophones comme un groupe social affecté de « tribalisme ». Bien que cette appellation dépréciative soit parfaitement ridicule, considérant le caractère ethnosociologique d'une tribu, j'ai cru comprendre qu'on cherchait par là à épingler la manière unanime dont les Québécois semblent réagir à certaines situations ou propos qui les discréditent. Peut-être visait-on aussi le climat apparemment consensuel que crée un événement comme la fête de la Saint-Jean-Baptiste, ou encore toute cette série de références et de présupposés communs dont tirent parti les humoristes et les auteurs de feuilletons télévisés ? Ce jugement, déjà rendu suspect par l'hostilité et la mécompréhension qui le déterminent, est de courte vue. En réalité, les phénomènes mentionnés ne sont tout au plus que des *dépôts* d'origine, reproductions de traces désormais privées de substance, soubresauts momentanés d'un sentiment collectif qui n'est le plus souvent qu'une nostalgie du collectif, transmission bâclée de contenus historiques coupés d'une réelle pensée de l'histoire. On entend bien des évocations de la Conquête et des Patriotes, de « Speak white » et du FLQ ; il y a là, dira-t-on, quelque chose qui est de l'ordre d'un Récit collectif. C'est du moins ce que laissent croire de nombreux livres et quelques films. Mais ces ersatz conduisent l'accès aux origines dans un cul-de-sac symbolique, car il est impossible de fonder un sentiment collectif sur une série d'échecs. Sans nier la cristallisation émotive et le climat de fraternité que savent provoquer parfois des événements comme la Saint-Jean, il faut tout de même observer le caractère volatile de telles manifestations.

Dans un recueil d'entretiens, Sherry Simon déclare :

> Je n'ai jamais perdu le contact avec la tradition juive, et cette appartenance partielle au monde juif m'a plu et m'a permis d'élever mes enfants avec un sens fort d'appartenance même si la pratique se limitait à la célébration des fêtes religieuses en famille. [...] Je suis contente de savoir que des institutions existent qui permettront à mes enfants et aux autres membres de leur génération de s'affilier à un mode d'identité juive forte[1].

1. « Sherry Simon », dans *Identités mosaïques. Entretiens sur l'identité culturelle des Québécois juifs*, édité par Julie Châteauvert et Francis Dupuis-Déri, Montréal, Boréal, 2004, p. 24.

Sherry Simon est une théoricienne de l'« hybridité », elle préconise la possibilité pour le sujet de construire sa propre mosaïque en puisant dans l'une et l'autre des traditions disponibles. Le problème avec le concept d'hybridité, comme il est souligné dans la suite de l'entretien, est qu'il peut être le choix seulement de quelques individus et ne peut donc être généralisé puisqu'il nécessite, pour être mis en pratique, la permanence d'identités fortes et exclusives, de rituels stables entretenus par une communauté de croyants qui ne transigent pas sur leur sérieux. Or, en lisant cet entretien, je me suis demandé vers quel type de rituel pourrait se tourner un Québécois d'héritage canadien-français. Le catholicisme ? On sait bien qu'il n'est plus opérant sur le plan collectif et je ne vois pas comment sa puissance symbolique pourrait être rétablie. Encore là, le catholicisme ne se manifeste à la conscience de la plupart des Québécois que sous forme d'*accès* épisodiques, à Noël, à l'occasion du décès d'un proche ou sur le terrain de la psychologie, dans l'idée qu'on se fait, par exemple, de l'amour ou du pardon. L'origine, pour le Québécois francophone moyen, est quelque chose qui s'est perdu : il a d'abord dû faire son deuil de la France, ensuite de son identité de Canadien (qu'il a partagée avec les colons anglophones après la Conquête), ensuite du mode de vie rural dans lequel il se reconnaissait, ce qui implique le deuil d'un certain nombre de traditions, enfin du catholicisme et, ultimement, il lui est demandé aujourd'hui de faire le deuil de la notion même de « Québécois », étant donné qu'il est politiquement et civiquement obligé de partager ce statut avec des citoyens originaires d'autres cultures qui parlent souvent des langues autres que le français. Ce qui est demandé au Québec d'aujourd'hui, ce n'est plus d'être, à l'exemple de ce que sont pour les Juifs montréalais les cultes qu'évoquait Sherry Simon, l'espace d'expression exclusif de la culture québécoise francophone, mais bien ce lieu politique où peuvent cohabiter à loisir les cultures les plus diverses. Je n'ai rien contre et, de toutes manières, ce destin est inévitable. Encore m'importe-t-il de réfléchir à ce qu'il en résulte pour ma communauté, après tant d'efforts pour affirmer sa spécificité.

Curieusement et à l'inverse de ce que disait Durham, il ne reste au Québécois d'héritage canadien-français, pour tout rituel ou pour tout monument, que son histoire et sa littérature (la langue n'étant pas quelque chose qui lui soit exclusif). Mais histoire et littérature n'ont pas la force d'impact du symbole religieux, qui réussit mieux à impressionner les enfants et les gens privés d'instruction. Histoire et littérature supposent aussi regard critique, réévaluation constante des présupposés, déconstruction des mythes, attributs que certaines factions idéologiques, justement informées par une vision religieuse du social, ont cherché à embrigader dans le sens de la reproduction de convictions jugées par elles éternellement vraies. Au Québec, l'histoire et la littérature ont eu pour fonction première de restaurer l'origine de la communauté, de la sauver de l'oubli pour ensuite en perpétuer la commémoration. Pendant longtemps, l'activité de l'historien s'est concrétisée en une force de résistance contre la marche de l'Histoire ou, pour être plus précis, contre des récits beaucoup plus attrayants importés, par exemple, des États-Unis. La démarche a fonctionné, en un sens, mais jamais au point de former un référentiel partagé par l'ensemble de la population et capable de concurrencer longtemps lesdits récits importés.

Cette aventure de la Référence québécoise-canadienne-française telle qu'elle s'est construite principalement en littérature, est ce qui retient mon attention dans ce livre. Je visite l'histoire, je me laisse interpeller par certains textes et je réfléchis, je commente, je discute. Telle est ma méthode personnelle. J'ai parlé plus haut de *reprise* et de *déplacement* : ces deux notions résument mon rapport à la culture dont j'assume l'héritage. Je n'aspire pas tant à la reproduire qu'à remettre en jeu avec le maximum de liberté certaines de ses figures et configurations, en vue bien sûr de dénouer des impasses et d'inventer une nouvelle manière de me la raconter. Je ne prétends pas offrir un récit qui sera valable pour tous. À vrai dire, j'en ai assez d'un certain ton programmatique employé depuis toujours par maints de nos intellectuels, comme si la lecture de l'Histoire devait toujours déboucher sur des positions politiques ou des modèles de comportement confinés dans l'abstrait. Je préfère éprouver au maximum ma liberté de penser et de parler, mettre sur table en mon nom propre l'état actuel de mes réflexions en ne cachant pas cependant que j'écris dans la perspective de cette figure théorique que représente le sujet-historique-québécois-francophone. Cette figure théorique, je l'aborde du reste à partir de ces incarnations très concrètes que sont Lionel Groulx, Jacques Ferron et bien d'autres qui ouvrent pour moi des accès à l'origine autrement valables que les sursauts évoqués plus haut, lesquels ne sont pas à dédaigner non plus étant donné qu'un symptôme peut constituer, s'il est analysé, une voie d'accès privilégiée au dire-vrai. On verra que je m'intéresse moins aux « idées » des auteurs que j'aborde qu'à leur posture, qu'à la manière dont ils ont mis en jeu leur désir et transigé leur rapport à la communauté, au territoire, à l'histoire comme origine ou comme trace, et aussi à l'autre.

L'origine, je me dois de le préciser, n'est pas l'unique thématique de ce livre. Mon analyse de *L'Appel de la race*, par exemple (chapitre deux), visait au départ une élucidation de la structure polémique d'un texte de fiction. Or, l'un des arguments de mon étude est que cette structure polémique s'élabore à partir d'une situation *agonique* (entendez « d'agonie », de combat contre la mort) qui met précisément en jeu le rapport à l'origine de soi, du lien collectif, du sens. Mis à part le polémique et l'agonique, d'autres motifs se sont noués au thème central de l'origine, des notions pour la plupart métaphoriques comme le *foyer*, l'*entre-deux* ou l'*aller-retour*. Elles reparaissent de manière obstinée d'un chapitre à l'autre, qu'il soit question de Groulx, de Ferron, de Basile ou des récits de Québécois en Europe. Si je devais faire état de la logique interne de cet essai, je dirais d'abord qu'il prolonge la réflexion amorcée aux chapitres deux, trois et quatre de *La Griffe du polémique*[2]. Globalement, il explore trois états de la pensée québécoise sur l'origine : le régionalisme (avec pour figure centrale Lionel Groulx), la révolution tranquille (en insistant sur Jacques Ferron) et l'époque contemporaine (notamment le phénomène des littératures migrantes). Ce parcours soulève inévitablement des enjeux liés à notre compréhension du destin du nationalisme culturel, c'est-à-dire de ses fondements et de ses fins (sinon de *sa* fin, de son terme).

À la vérité, cette question de l'origine ne s'est imposée à moi que tout récemment, au moment où j'ai

---

2. Dominique Garand, *La Griffe du polémique. Le conflit entre les régionalistes et les exotiques*, Montréal, l'Hexagone, coll. « Essais littéraires », 1989, 238 p.

entrepris de rassembler quelques-uns de mes textes traitant du Québec. Au départ, elle n'avait été que le thème d'un colloque tenu en Italie, à la préparation duquel j'avais prêté mon concours. À l'époque, je jugeais ce thème un peu convenu, mais à force de m'y frotter, j'ai compris qu'au delà du thème s'agitait une véritable question philosophique à portée idéologique. Cela dit, on ne trouvera pas ici de mise en perspective théorique ou abstraite de l'origine envisagée comme question métaphysique. Je propose plutôt un travail d'essayiste, c'est-à-dire que je mets en scène mes pérégrinations de lecteur à travers divers moments de l'histoire littéraire du Québec. De cette histoire, je ne retiens d'ailleurs que des bribes qui me sont apparues signifiantes au moment où je m'y arrêtais. On trouvera peut-être étrange que je me penche sur des auteurs mineurs comme Adjutor Rivard et que je ne dise rien de Michel Tremblay, de Réjean Ducharme ou des Herbes rouges. D'ailleurs, il n'est pratiquement pas question de poésie ou de théâtre dans ce livre. J'y parle aussi très peu des textes de femmes. Cela montre assez bien que je n'ai pas voulu vider la question, que l'essentiel pour moi ne se jouait pas là, que je n'ai aucunement l'ambition de dresser un panorama complet du sujet. Cela n'empêche pas mon point de vue, je crois, d'être large, cohérent et de toucher des questions essentielles méritant d'être discutées.

Qu'on me permette d'insister sur le fait que les chapitres de cet essai, bien qu'ils aient été pour la plupart l'objet de publications antérieures, sont présentés ici dans une organisation d'ensemble qui les rend *inédits*[3].

---

3. La moitié d'entre eux, de plus, ont paru en Italie, ce qui les a rendus peu accessibles au lectorat québécois. Voir les références aux premières versions à la page 445.

Non seulement ont-ils été retravaillés et augmentés de nouveaux développements mais, réorientés en fonction des questions centrales que j'ai évoquées plus haut, ils forment désormais les jalons d'une réflexion qui ne trouve que maintenant sa cohérence. Au moment de les rassembler, j'ai été sollicité par la pensée latente qui les traversait, comme si quelque chose de l'un à l'autre insistait dans leurs marges, attendant d'être abordé frontalement. Dans un article ou une communication, on n'est pas tenu d'aller au fond des choses, on peut se contenter d'ouvrir des questions et de formuler quelques pistes. Il est aussi de bon ton d'évoquer le manque d'espace disponible pour se tirer élégamment de situations périlleuses, pour se dédouaner de présupposés dont la rationalisation critique serait par trop onéreuse, ou encore pour éviter les écueils que dressent devant nous des contradictions particulièrement retorses. Mais du moment que j'écrivais un livre, j'ai perçu l'occasion d'approfondir ma pensée sur certains points, non pour la clore mais pour en suivre le plus loin possible la logique sous-jacente.

Occasion intéressante, mais particulièrement éprouvante ! En suivant le fil de l'*origine* dans le contexte d'une réflexion sur la culture québécoise, je me suis buté à de nombreux nœuds. Mon livre est devenu un lieu d'affrontement entre discours divers, les impératifs se bousculaient, des voix surgissaient, des affects dont il fallait repérer la source. Étais-je guidé par un désir de clarification ou par d'obscures motivations ? Sur quoi reposaient *au juste* mes jugements et les quelques prises de position qui émergent ici et là ? Résistance ou passion ? Inimitié personnelle ou conviction profonde ? Surmoi parental ou désir assumé malgré tous les risques ? Il ne s'agit pas pour autant d'une autoanalyse, qu'on se rassure, mais bien d'un exercice de raison mené avec le plus de rigueur possible et dans l'esprit d'une transmission de « moi » au « lecteur » depuis un horizon de réflexion qui nous est commun. La rigueur à laquelle je prétends ne se limite pas à celle que préconise la recherche universitaire. Il me fallait au contraire, pour être vraiment rigoureux, me compromettre de diverses manières et exploiter des ressources stylistiques variées. C'est ainsi que je me montre tour à tour théoricien, critique, analyste et polémiste. Toutes ces postures participent d'un même mouvement d'ensemble et il me plaît assez de les mettre également à profit. Du premier chapitre au dernier, une sorte d'aller-retour s'effectue entre la réflexion objectivante et la parole engagée. C'est sur un mode nettement dialogique que se termine l'essai et je puis témoigner que ce dernier chapitre, le seul du livre à être tout entier inédit, est celui qui a exigé de moi le plus d'efforts, tant sur le plan éthique qu'esthétique.

Par delà la défense argumentée de certaines positions intellectuelles, en effet, j'ai désiré définir mon *attitude* à l'égard de la culture québécoise et en discuter ouvertement avec les concitoyens de bonne ou de mauvaise volonté. Plutôt que d'avancer avec précautions en cherchant à donner l'impression d'une vision imprenable et au-dessus de la mêlée, il m'a paru moins stérile, plus stimulant et plus honnête envers l'autre de me « mouiller », de m'exposer. Ce n'est pas une chose si simple, pour certaines matières délicates, que d'arriver à dire ce que l'on pense vraiment, à rendre intelligible ce que l'on a dans le cœur. La tension vers ce lieu forme la trame de fond de ce livre. Le sentiment de libération et les accès de parole vraie ont été mes seuls aiguillons.

Première partie

L'INSTRUCTION DE L'ORIGINE

Chapitre premier

L'aller-retour du foyer

Dans cette étude sont posés les paramètres de ce que représente à mes yeux le complexe des origines dans la production littéraire du Québec. J'ai articulé la réflexion à partir du conflit structurant entre le régionalisme et l'exotisme, qui influence encore une bonne part de nos pratiques culturelles (l'opposition entre nationalisme et cosmopolitisme en est un exemple). Il s'agissait aussi de mettre en relief le geste par lequel Jacques Ferron ouvrait la voie d'une écriture et d'une pensée de l'origine par delà cette opposition devenue stérile.

En ouverture, je reprends la distinction que propose Jean-Luc Nancy entre l'être-commun et l'être-en-commun. Opposition éclairante mais à laquelle ne se réduit pas la complexité de la situation québécoise et le choix éthique qu'elle impose. Pour certains groupes sociaux, en effet, la sortie du fantasme de l'être-commun (ou comme un) ne conduit nullement au projet politique de l'être-en-commun. Mais ces réflexions viendront plus tard dans le livre, l'attention étant concentrée dans ce premier chapitre sur les contradictions internes de la tradition québécoise d'héritage canadien-français au cours du XXe siècle.

Prémisse : mythe(s), origine, fondation

LES TROIS TERMES que je place ici côte à côte sont intimement liés : le mythe par excellence concerne les origines, à un point tel qu'il est difficile de penser une origine du mythe qui ne soit elle-même mythique. La fondation, elle, se présente comme le socle d'une identité prenant appui sur un récit de l'origine. Cette *origine fondée et légitimée*, je l'appellerai aussi Référence. Mais n'y a-t-il, dans l'univers culturel et politique, qu'un seul mythe des origines ? Les études sur le sujet laissent croire en une concurrence, sinon une cohabitation, entre plusieurs mythes[1]. Au Québec, par exemple, le récit mythique des Amérindiens ne fusionne pas avec la Référence qui s'impose dans le récit historico-mythique des Québécois francophones, elle-même distincte de celle des citoyens d'origine anglo-saxonne. D'autres mythes, par ailleurs, sont introduits par les immigrants qui proposent un récit des origines marqué par la rupture et/ou la continuité entre un ici et un ailleurs. Cette multiplicité

---

1. Je prends à témoin le titre du colloque où ce chapitre a trouvé sa première élaboration : « Mythes et mythologies des origines dans la littérature québécoise » (voir en fin de volume les références aux versions antérieures des textes colligés dans cet essai).

entraîne des répercussions que l'on peut mesurer à la difficulté que l'on éprouve depuis quelque temps à surmonter le défi que représenterait l'établissement d'une Référence commune, d'un récit historique capable de rassembler tous ces récits originaires[2].

Cette interrogation qui relie le civique, l'historique et le culturel, traversera en filigrane plusieurs passage du présent essai. C'est néanmoins vers une autre dimension (davantage *historiale* qu'historique) du problème relié à la parcellisation du mythe que je désire pour l'instant orienter la réflexion. Il importe en effet de souligner que l'utilisation du pluriel pour traiter de récits mythiques variés est déjà le signe d'une sortie hors du temps mythique, d'une pensée critique sur le mythe qui en relativise la fonction : parlant *du* mythe, la pensée est convoquée devant une essence du mythique, mais s'il est question *des* mythes, voire des mythologies, nous voici engagés dans un processus de fragmentation de cette essence et, tendancieusement, vers une acception toute moderne du mythe qui en signe (dans la prolifération) l'impossibilité performative : le mythe est dès lors conçu comme *fiction*, hallucination, croyance préscientifique, fantaisie archétypée ou stéréotypée, bref, quelque chose que l'on observe de l'extérieur. Le penseur qui établit l'existence *de* mythes ne peut prétendre le faire qu'à l'aide d'un savoir et de techniques qui ne sont plus mythiques mais d'un autre ordre. Cette nouvelle approche serait-elle, à son corps défendant, elle aussi mythique ? En un sens, oui : des Romantiques aux ethnologues, en passant par Nietzsche et Freud,

---

2. Ce problème est pensé par Jocelyn Létourneau dans son *Passer à l'avenir. Histoire, mémoire, identité dans le Québec d'aujourd'hui*, Montréal, Boréal, 2000, p. 79-107.

s'élabore ce que l'on pourrait appeler un « mythe du mythe ». La pensée sur le mythe, rendue possible par le déclin de celui-ci, voire par le constat de son absence, pourra se doubler d'une nostalgie du mythe dans sa plénitude, d'une tentative d'en capturer l'essence pour en proposer la réinvention au bénéfice d'une *communauté* donnée (chez les Romantiques, par exemple, ce sera la communauté réunie autour du « mythe de la Littérature » comme relève du religieux en décomposition).

Voilà lancé le terme qui constitue le dénominateur commun entre le mythe et son ironie moderne donnée dans le « mythe du mythe » (formule ironique parce que s'y installe la confusion sémantique entre le mythe comme récit structurant et performatif d'une communauté, et le mythe comme fantasme ou limite de la rationalité critique) : pour parler de l'essence du mythe et aborder son destin historial, pour ne pas en faire un simple *objet* susceptible d'être catalogué, typologisé ou inventorié, il importe en effet de le penser dans son rapport originaire à la *communauté* :

> Le mythe communique le commun, l'*être-commun* de ce qu'il révèle ou de ce qu'il récite. En même temps, par conséquent, que chacune de ses révélations, il révèle la communauté à elle-même, et il la fonde. Il est toujours mythe de la communauté, c'est-à-dire qu'il est toujours mythe de la communion – voix unique de plusieurs – capable d'inventer et de partager le mythe[3].

S'il est une nostalgie du mythe, on peut la lire dans le désir de faire « Un », dans le désir d'une totalité

---

3. Jean-Luc Nancy, *La Communauté désœuvrée*, Paris, Christian Bourgois, 1990, p. 128.

rassemblée autour d'un signifiant transcendantal : Patrie, Église, Race, Littérature, État, et même Individu, si l'on conçoit ce dernier comme entité *indivise* et *en-soi*. Or, par l'effet d'un écart entre l'être et la pensée de l'être, la communauté moderne n'arrive plus tout à fait à se fonder sur la base du mythe. Quand elle persiste à y croire, le mythe se transforme en idéologie, devient mensonge et violence, comme en témoigne dans l'histoire moderne cette tentative de restauration du mythe qui fut justement appelée « totalitarisme ». Ce dernier ne peut être qu'une caricature de la totalité mythique, puisque la parcellisation de l'Être (ou même du social) donnée par la vision panoramique du monde et de l'histoire (composée d'une pluralité de récits originaires) interdit désormais l'élection d'une origine commune et d'une immanence. L'affirmation de celles-ci ne pourrait être obtenue que par l'usage de la force, par la guerre d'une immanence contre toutes les autres possibles, donc au constat incontournable de sa non-totalité.

Voilà ce qui fait dire à Nancy que le mythe est aujourd'hui « interrompu » et qu'il a accompli son destin historial (la métaphysique qui le portait), ce qui ne veut pas dire qu'il soit mort ou irréel... Toutefois, c'est maintenant dans son interruption qu'il se manifeste, qu'il se fait sentir et qu'il peut aussi devenir à nouveau facteur de communication (mais non plus de communion). Car si la communauté mythique est devenue improbable, voire dangereuse en tant que rêve de l'humanité, la communauté ne résiste pas moins à sa dissolution, elle-même impossible par ailleurs. L'expérience de l'être dans la communication persiste comme une attente et une *passion*. Ainsi, l'agonie même du mythe peut-elle devenir le lieu inimaginable d'une forme autre de communauté, plus encore que sa mise à mort ou son rejet catégorique, qui procèdent eux-mêmes d'un mythique dénié (la structure sacrificielle du bouc-émissaire).

Nancy appelle « littérature », ou « écriture », l'exercice qui permet aujourd'hui d'interrompre le mythe, ou plutôt d'en raconter l'interruption. La littérature est issue du mythe et y est sans cesse reconduite, mais elle est aussi un champ où peut s'élaborer une critique du mythe. Entre le mythe et la littérature, une tension s'établit, un va-et-vient s'effectue. Il existe certes un mythe de la communion par la littérature, mais les expériences littéraires les plus significatives la rompent à tout instant, tout comme elles contestent le mythe de la Littérature pour mettre de l'avant une communication privée de transcendance, une fin de la communion, un être posé dans sa finitude et qui se trouve à partager avec autrui ce qu'il ne saurait avoir en propre, que Nancy appelle « l'être-*en*-commun ».

La littérature recherche avidement le mythe, mais ce qui l'inaugure n'est pas le mythe, c'est le trait venant l'interrompre. Lorsqu'elle feint d'oublier la rupture d'où elle est issue pour prétendre retrouver ce qui aurait eu lieu avant le trait, elle devient *spectacle*, idéologie : elle impose des représentations et sollicite l'identification des individus à un modèle commun. L'être que transmet la littérature est au contraire irreprésentable, il est la limite qui sépare les sujets singuliers : ces sujets ont en commun leur propre finitude, le lieu où ils s'exposent à autrui et à leur propre mort. Le sujet de la littérature dit :

> [Qu']il n'y a pas de héros, c'est-à-dire qu'il n'y a aucune figure qui assume et présente à elle seule l'héroïsme de la vie et de la mort des êtres communément singuliers. Il dit la vérité de l'interruption de

> son mythe, la vérité de l'interruption de toutes les paroles fondatrices, des paroles créatrices et poétiques, de la parole qui schématise un monde et qui fictionne une origine et une fin[4].

Aussi, examinant la littérature, c'est moins la présence de traces mythiques qu'il convient de repérer, que le traitement que lui réserve l'écriture, plus particulièrement le mode par lequel le mythe est convoqué dans la formation d'un lien communautaire – ici, le rapport entre l'écriture et la lecture. Le texte mythique aura tendance à se vouloir complet, compact : au lecteur alors de s'y identifier ou non, d'y adhérer ou de le rejeter. Au contraire, le texte qui se propose non comme fondement mais comme articulation d'une parole singulière, s'ouvrira, se fracturera pour convoquer le lecteur devant sa finitude, là où commence sa propre singularité. Ce n'est qu'à ce prix que peut s'instaurer le partage d'un être qui se forme *entre* les sujets, contraire à toute incarnation.

Le mythe est une tentation de tous les instants ; les sociétés y ont sans cesse recours pour se souder. S'il n'est pas reconduit à son origine tragique, le mythe est un instrument donné aux ensembles pour combattre la subjectivité, c'est-à-dire l'inscription d'un nom dans l'histoire. La littérature québécoise a aussi été le siège d'une telle tension. Venue tard au monde, elle a cherché le mythe qui la fonderait et lui conférerait une originalité. Dès ses débuts, elle se mit à désirer son héros, son « grand écrivain », mouvement qui lui permettait de le censurer au principe puisque la littérature ne produit de « grandeur » que dans le rejet de l'être-commun. De

4. *Ibid.*, p. 195.

fait, au milieu de cette hystérie, apparaissent quelques îlots de résistance, par exemple Ferron qui écrivait que « sans l'assentiment de chacun, la réunion de tous ne forme pas une communauté cohérente », et qui ajoute : « Sous aucun prétexte il ne faut se laisser se confisquer sa mort »[5]. Or, qu'est-ce que le mythe sinon la voix de l'être-commun prétendant gérer dans son récit la naissance et la mort de chacun ?

Foyer de la littérature québécoise

Il n'y a qu'un mythe essentiel pour une communauté : celui des origines. Les grands mythes antiques ou primitifs lient l'origine du groupe et le fondement de ses liens sociaux à une cosmologie. Le Québec, pour sa part, surgissant dans l'histoire à une époque déjà marquée par le déclin du mythe, a vite donné de l'origine une version *domestique* : le foyer. Certains diraient : la *terre*, mais cette terre, entendons-nous, n'a plus rien de cosmique : c'est le lopin, la propriété. Le rapport au foyer n'a pas cessé de faire resurgir, au Québec, le problème identitaire, donc la manière dont un sujet dit « Québécois » ressent son corps et sa voix, fonde sa parole et établit des contacts avec autrui. Sur ce point, le Québec n'est pas vraiment un cas isolé, mais il *a cru l'être* pendant longtemps, ce qui a donné une couleur particulière aux affects que ses sujets entretiennent à l'égard d'eux-mêmes. Aux sentiments coutumiers de l'exilé se trouve associé, chez nombre d'écrivains québécois, le motif de la *honte des origines*. Un tel affect rend problématique le

---

5. Jacques Ferron, *Du fond de mon arrière-cuisine*, Montréal, Éditions du Jour, 1973, p. 136-137.

foyer, qu'on y reste ou qu'on le quitte. Il n'est pas rare, dans l'histoire de la littérature québécoise, de trouver des romans où s'énonce un malaise devant l'étroitesse de la vie au foyer. Se manifestent alors l'ennui, un sentiment d'étouffement, le projet de partir, moins pour découvrir le monde que pour se sauver, s'enfuir, aller au delà de limites trop vivement ressenties. D'autre part, rarement l'ailleurs se trouve vraiment investi par les sujets qui s'enfuient. Bien que méprisé au départ, le lieu natal revient en force chez celui qui est parti et qui commence à souffrir de déperdition, de nostalgie, d'une perte du sens du concret. Le foyer acquiert alors un caractère mythique : se sauver, ce n'est plus s'enfuir, mais au contraire rentrer, pour se retrouver, reprendre contact avec son centre. À la honte de l'origine, est donc souvent associée, chez le sujet québécois, la culpabilité d'avoir quitté le foyer : il va et il vient entre ces deux tendances. Comment s'opère le travail imaginaire et symbolique qui accompagne le désir de partir et le fait de rentrer, voilà ce que je tenterai d'établir en visitant quelques textes qui, dans l'histoire littéraire du Québec, se sont présentés comme exploration de ce problème.

Précisons d'abord la notion de « foyer ». Il s'agit, bien sûr, de la maison, du pays, du territoire parental ou conjugal : en un mot, du point de référence stable, dans l'espace, de l'identité. Corollairement, en exploitant cette fois la métaphore optique, le foyer est ce par quoi s'opère la focalisation du regard du sujet, le point de fuite et d'engendrement de sa représentation du monde. Le foyer est aussi le feu autour duquel on se rassemble : l'âtre de l'être qui fait naître les chants entonnés en chœur, mais parfois aussi bûcher du sacrifice. Le foyer, c'est plus précisément *là où ça brûle*. Si le foyer est un lieu originaire, il convient d'ajouter, en s'opposant dès maintenant à ceux qui voudraient présenter cette origine comme un éden, que ce lieu est nécessairement porteur d'un défaut, qu'il se manifeste, pour tout dire, comme le lieu d'une agonie où se consume l'identité du sujet. Ce que j'avance ici peut être vérifié, sous forme de traces, dans les romans qui tentent de donner du foyer une image idyllique : c'est dans l'*après-coup* que le foyer est présenté comme espace mythique, souvent pour dénier le lieu brûlant de sa perte ou de son impuissance à satisfaire pleinement les aspirations du sujet.

Parler d'*aller-retour* du foyer permettra de sonder les modalités du déplacement des sujets par rapport à ce point originaire, mais aussi les déplacements du foyer lui-même, son effacement, ses refocalisations et redéfinitions, la gestion de son *trafic* comme on peut en suivre les configurations dans la littérature québécoise. Deux mouvements pourront être étudiés. D'abord, la sortie hors du foyer et ses mobiles. Cette sortie peut être occasionnée par la nécessité, mais aussi par la haine du pays, ou encore par la curiosité devant ce que le monde a à offrir de différent. On quitte son point d'origine pour fantasmer l'origine de l'autre. L'exemple le plus fameux de ce mouvement désirant est Stendhal qui, ennuyé par son propre pays, va chercher en Italie une corporalité qui lui sied davantage. Stendhal expérimente un nouveau foyer, mais une action de retour s'opère aussi chez lui, puisque c'est encore dans sa langue qu'il récupère son expérience de l'étranger. D'autre voyageurs comme Gœthe ou Hippolyte Taine, par exemple, ne quittent jamais leur foyer : ils le transportent avec eux au cours de leurs pérégrinations qui sont autant de moyens d'approfondir leur science, allant même, pionniers de l'ethnologie, jusqu'à en faire cadeau aux peuples qu'ils observent. Le Québec a connu de ces écrivains fascinés par l'ailleurs (il en sera question au chapitre quatre), mais peu ont accepté de réinscrire cette expérience dans la subjectivité de leur langage[6].

Le deuxième mouvement est celui du retour : qu'est-ce que l'expérience de l'ailleurs entraîne du côté du rapport d'un écrivain avec son foyer ? Le sentiment d'une rupture et l'impossibilité de faire passer dans l'origine l'épreuve de l'autre, ou bien un point de vue nouveau sur soi-même qui entraînera un renouvellement, une redéfinition de l'originaire ? Transposés sur le plan littéraire, de tels problèmes auront des répercussions sur les représentations, certes, mais aussi sur les formes du récit, si l'on admet que le foyer de l'écrivain est en premier lieu son langage. En fait, la réflexion que je propose interroge principalement le

6. Un passage du roman de Louis Dantin, *Les Enfances de Fanny*, traduit bien ce moment du fantasme dans le rapport à l'étranger. Ici, ce sont précisément les origines de l'autre (en l'occurrence, une noire américaine) qui sont fantasmées : « Mais à d'autres instants elle lui semblait une créature lointaine différente de lui-même, qu'il avait fallu un miracle pour rapprocher de lui. Était-il sûr que leurs deux races eussent eu une origine commune et dussent partager le même nom ? [...] Son attraction pour elle devenait un élan anormal et désespéré, celui qui pousserait l'un vers l'autre deux atomes d'essence étrangère. [...] Il aimait encore à la voir comme une enfant sauvage, à peine échappée de la jungle et gardant encore le parfum de sa nature vierge. Il se figurait ses ancêtres errant, la sagaie à la main, aux dédales de leurs brousses, il y avait moins de deux siècles ». (Louis Dantin, *Les Enfances de Fanny*, Montréal, Chantecler, 1951, p. 217-218). Je mentionne ce roman parce qu'il se distingue des productions de son époque (publié la première fois en 1951, l'ouvrage était déjà achevé en 1946) : sans être exotique (il est plutôt réaliste), le roman de Dantin présente une version très positive et dynamique du rapport à l'autre.

point de vue de la narration, c'est-à-dire le point de jonction entre le sujet et ses représentations. Aussi, *déplacer* un foyer ne signifiera pas nécessairement abandonner des figures pour en élire d'autres, mais avant tout transformer le point de vue que l'on a sur lui, régler autrement sa focalisation et sa diffraction.

Au problème épineux du passage entre le foyer et l'ailleurs, la littérature peut apporter une réponse *mythique*. On n'y échappe guère puisque le regard sur l'ailleurs, ou sur le « chez-soi » vu de l'ailleurs, comporte une dimension utopique. Mais s'y confronter peut être aussi l'occasion d'un déplacement et d'une subversion du mythe, une manière de le traverser pour créer une *historicité*, c'est-à-dire une subjectivation de l'histoire, opération par laquelle un individu devient sujet en se libérant du poids de la répétition. Car le mythe est une parole, un sens sédimenté, un point d'appui qui est aussi un boulet : c'est depuis l'enchaînement à l'héritage reçu que le sujet doit penser l'enchaînement signifiant qu'instaurera sa propre prise de parole. Lorsqu'il concerne l'origine, le mythe est un « je suis » que l'individu prononce malgré lui, *en deçà* de lui-même. Le narrateur des *Confitures de coings* de Ferron note : « J'étais de nationalité québécoise, assurément, un peu comme je me serais nommé Ducharme ou Lachance, captif de mon origine, participant à un discours commencé avant moi[7]. » Mais à la fin du récit, il peut affirmer qu'à ce discours, il sait ajouter son mot, sa phrase, sa virgule et que cet ajout, rétrospectivement, transforme ce qui précédait, l'éclairant d'un point de vue nouveau.

---

7. Jacques Ferron, *Les Confitures de coings*, Montréal, l'Hexagone, coll. « Typo », 1990, p. 117.

Le poids du discours mythique, Ferron l'a par ailleurs illustré dans son conte exemplaire « La vache morte du canyon[8]. » François veut poursuivre l'héritage de ses pères, être cultivateur, pour répondre à l'injonction du curé. Cadet de la famille, il ne peut s'établir sur la terre paternelle et décide donc, toujours sur le conseil du curé, de partir vers le Farouest. Il s'implante à Calgary, mais sans considérer la réalité de ce nouveau pays, désireux seulement de reproduire la tradition de ses ancêtres. Il refuse par exemple un troupeau de bisons qu'on lui offre, tenant mordicus à la possession d'une vache. Sa terre devient une caricature de la terre paternelle, comme sa vache qui, mourant, ne cessera de chercher son squelette (je rappelle l'aspect *fantastique* du texte ferronien). De retour au foyer, après moult aventures, il rencontre le curé qui lui fait voir des photos, témoignages de la conquête du Farouest par les francophones : François reconnaît amèrement sa propre maison, abandonnée. Le conte se conclut sur l'image de la vache morte, qui, de la fenêtre de la maison vide, meugle en direction de l'impossible village originaire.

Ce conte est une critique sarcastique du discours régionaliste, longtemps discours littéraire dominant au Québec, critique énoncée non à partir d'une idéologie contraire (par exemple, l'exotisme ou la littérature urbaine), mais bien plutôt par le biais d'une reprise ironique des signifiants du régionalisme élaborés depuis une autre perspective. On ne saurait dire, par exemple, si Ferron est oui ou non en faveur de l'abandon du foyer et de la colonisation ; le motif du départ du foyer et du retour lui permet par contre de mettre en évidence la

---

8. Jacques Ferron, *Contes*, Montréal, Hurtubise HMH, coll. « Bibliothèque québécoise », 1993, p. 101-135.

difficulté pour un discours aussi rigide que le régionalisme, d'opérer une véritable conquête de l'ailleurs et, par conséquent, de renouveler ses propres formes : à la fin, il se vide de lui-même et n'est plus qu'une vache morte, maintenu en un semblant de vie par la seule force de l'idéologie, beuglant derrière son squelette.

Solidarité de l'exotisme et du régionalisme

Pour comprendre historiquement Ferron, il faut revenir un peu en aval vers ce qui serait l'opposition constitutive dans l'histoire de la littérature québécoise à l'égard du foyer. Deux attitudes se sont toujours opposées, que l'on pourrait circonscrire dans le cadre du système polémique entre le régionalisme et l'exotisme. Ces positions opposées partagent, comme j'essayerai de le démontrer plus loin, un foyer commun, qui n'est rien d'autre qu'un malaise devant l'origine, plus précisément devant la figure paternelle humiliée. Chez les régionalistes, ce malaise donne lieu à une *dénégation de la faute originaire* et à une idéalisation mythique du foyer, du Soi, du Père (vaincu mais supérieur moralement). On trouve un indice de cette mythification dans la difficulté à donner à ce père un statut autre qu'imaginaire ou compensatoire. Chez les exotiques, on assiste plutôt à une dénégation de l'origine, *à cause de la faute*. L'exotique ne se reconnaît pas de sa communauté indigène, dont l'origine ne lui offre pas la caution dont il a besoin pour se présenter devant son père modèle, la France. Ainsi, l'idéalisation de l'Autre, mythique elle aussi, va de pair avec le reniement du père natif, à ses yeux inconsistant. L'élection, par l'exotique, d'un père adoptif plus glorieux transporte ailleurs le foyer, loin de la honte originaire.

Bref, aucun de ces deux discours n'assume la faute : les régionalistes la falsifient et veulent montrer qu'elle n'existe pas (et pour y arriver, ils inventent une origine mythique) ; les exotiques ne la reconnaissent que trop et pour cela en renient le sujet, cherchant ailleurs une *autre origine*, du côté d'un mythe plus moderne, celui de la Littérature ou de l'Art.

Si l'on convoque un instant les catégories établies par Marthe Robert pour parler du « roman des origines[9] », on note que le personnage du bâtard est à peu près absent des lettres canadiennes-françaises qui précèdent la seconde guerre, et qu'il est même très rare par la suite. Par contre, le mythe de l'« enfant trouvé » fleurit on ne peut plus. Pour l'idéologie régionaliste et la théologie qui lui sert d'assise, l'origine ne saurait être marquée par le péché ou la trivialité. La sémantique du discours régionaliste est incapable d'intégrer la notion de « rupture » : tout est vu, sur le plan temporel, en termes de continuité et de conservation. Ce discours répond en effet au sème générateur de « reproduction » : ce qui ne se reproduit pas est nécessairement voué à l'« entropie »[10]. Rêver d'une nation souveraine oblige donc à lui supposer une origine royale : le peuple est noble dans la mesure où les pères sont rois et les rois élus par Dieu. Le père par excellence sera donc le prêtre, comme en témoigne ce passage de *Restons chez nous !* :

---

9. Marthe Robert, *Roman des origines et origines du roman*, Paris, Gallimard, 1983.
10. Je donne une vue d'ensemble de la sémantique régionaliste au chapitre deux du présent essai. Voir aussi mon ouvrage *La Griffe du polémique. Le conflit entre les régionalistes et les exotiques*, Montréal, l'Hexagone, coll. « Essais littéraires », 1989, 244 p.

> Plus tard, lorsque les colons du Saint-Laurent pleureront leur séparation d'avec la France, pour eux une mère ; lorsque l'aristocratie même, qui présidait à la défense de la colonie, aura repassé la mer et les aura laissés seuls, en disant à leurs prêtres : « Désormais vous serez les nobles du pays », ils se serreront autour de ces chefs spirituels et leur diront à leur tour : « Vous êtes notre roi et notre noblesse ». Et désormais, en effet, le prêtre devint, en ce pays, le roi et le noble ; désormais les pauvres abandonnés lui transportent l'affection qu'ils témoignaient au roi, la considération qu'ils avaient pour le noble… Ajoutons que le prêtre devient en outre le père du peuple, et qu'il l'est encore aujourd'hui…[11]

Nous avons ici l'amorce d'un mythe puisque « roi » et « noble » cessent d'être des attributs sociaux réels pour revêtir un sens strictement métaphorique. Le mythe est celui d'une origine royale du peuple canadien-français : le principe fondateur est rapporté à une antécédence qui dénie la réalité du peuple et lui interdit donc de s'inventer comme sujet historique.

Ce fantasme de noblesse originaire se retrouve aussi dans *L'Appel de la race* de Lionel Groulx[12]. Lorsqu'on parle de ce livre, on mentionne le plus souvent son antagonisme à l'égard de l'Anglais et son nationalisme militant. On néglige le fait, plus capital à mon sens, que ce roman est l'histoire de la reconquête d'un nom perdu – un nom à particule, bien sûr. Il est raconté dès les premières pages que l'ancêtre du héros, arrivé en 1748, appartenait à la petite noblesse militaire et

11. Damase Potvin, *Restons chez-nous !*, Montréal, Granger, 1945.
12. Lionel Groulx, *L'Appel de la race*, Montréal, Fides, coll. « Nénuphar », 1956, 252 p.

portait le nom de Lantagnac. Par la suite, la famille est tombée en roture, s'est mêlée aux paysans et a vu son nom se muer en Lamontagne. C'est le héros qui, se convertissant à la cause française, rétablit le nom des Lantagnac. Et le roman se termine par une déclaration du fils aîné, baptisé Wolfred-André : « Ah ! mon père, ne m'appelez plus qu'André. Pour vous et pour tous, je ne suis plus désormais qu'André de Lantagnac[13]. » Le sujet groulxien se satisfait d'une telle résolution des contradictions posées par le roman.

On aurait tort de s'imaginer que les exotiques diffèrent essentiellement des régionalistes sur cette question. Ils sont, eux aussi, des « enfants trouvés », au sens où ils ne sont pas nés là où ils auraient dû l'être : en France. Ils sont d'un autre lignage que les « nobles laboureurs » évoqués par Groulx dans la dédicace de son roman. En fait, ils ne sont pas les fils de leur peuple, mais de la grande culture française ; des élus, non pas messianiques et collectifs comme les régionalistes, mais artistiques et individuels : des êtres d'une caste supérieure. À la limite, leur mythe à eux est de se supposer sans origine, ou plutôt parcelles d'un divin pris en otage par la réalité triviale. Leur rejet de l'histoire et du peuple canadiens-français est lié à la honte : si les régionalistes veulent libérer leurs pères d'une humiliation, les exotiques, eux, se déclarent tout simplement apatrides. Leur patrie, c'est l'Art. Issus pour la plupart de la bourgeoisie montréalaise, ils y arrivent mieux que les fils de paysans. Engagés dans une aventure d'emblée symbolique, ils inaugurent donc au Québec une écriture de la modernité, comme on aime à le dire, mais il faut

13. *Ibid.*, p. 252. J'effectue une analyse détaillée de ce roman au chapitre suivant.

ajouter que cela s'accomplit au prix d'une certaine schizophrénie, comme si leur être contredisait et refoulait leur *être-là*, comme si leur désir de dépasser les limites imposées par leur contexte natal les poussait à déménager leur parole dans un *ailleurs* et un *au-delà*, privant l'*ici* de toute symbolisation possible.

Le régionalisme sur son quant-à-soi

Méprisant leur foyer natal, les exotiques en ont négligé la symbolisation. Il revenait donc aux régionalistes de le faire, eux qui professaient l'amour de ce foyer. Mais l'ont-ils fait ? Tel est le problème. Le foyer ne pouvait être magnifié par les régionalistes que par le recours au mythe ; un mythe, entendons-nous, non pas renouvelé, reconduit à son origine tragique, mais assigné à une idéologie, rendu fixe comme une figure métaphorique réduite à l'état de cliché.

Examinons un roman comme *Restons chez nous !* de Damase Potvin. D'abord, dans ce livre qui ne vise aucunement le fantastique mais prétend traduire la réalité, le réalisme le plus patent n'est pas respecté : le héros, Paul Pelletier et sa petite fiancée, Jeanne, sont enfants uniques, chose extrêmement rare chez les agriculteurs québécois au début du siècle, mais qui contribue, dans l'économie narrative du texte, à rendre plus dramatique le départ de Paul vers les États-Unis. Cette liberté prise avec le réalisme vient gommer en fait un autre élément d'importance dans l'explication historique de l'exode rural : les jeunes quittaient la terre parce que, issus de familles trop nombreuses, ils ne pouvaient espérer recevoir un lot en héritage. Mais le cas du héros de Potvin est rendu, de ce fait, intéressant : il ne quitte pas par nécessité mais par goût de l'aventure, tout simplement parce que la vie sur la terre l'ennuie. Toutefois, cet ennui ne reçoit aucune analyse : la morale du roman le présente comme un défaut du héros, attribuable à sa jeunesse. Ainsi, Paul ne sait apprécier la valeur de ce qui l'entoure, il est subjugué par les illusions qu'offre l'ailleurs, poussé, dit l'auteur, « par l'impitoyable démon de la curiosité et des voyages[14]. » Même le grand amour entre Jeanne et lui ne réussit pas à le retenir. De cet amour, il n'est rien dit non plus ; il va de soi, Jeanne étant belle comme Ève avant le péché. Antoine Sirois s'est attaché à montrer l'abondance des références au paradis terrestre dans la description de la terre paternelle, présentée en outre comme une mère nourricière. En ce lieu, tout devrait se reproduire dans la félicité, n'était le démon qui tenaille Paul. L'ancrage mythique du texte est évident, malgré sa volonté de présenter comme un roman descriptif.

Sirois note un autre archétype à l'œuvre dans le roman, qui retiendra davantage mon attention, celui justement du voyage, dont le prototype est l'odyssée et qui comporte trois volets : « – séparation du milieu familier, après un appel au nouveau, à l'inconnu ; – initiation proprement dite après diverses épreuves en zone étrangère ; – retour ou non-retour à l'espace de vie traditionnel[15]. » À la phase intermédiaire se joint un autre mythe, celui de la « descente aux Enfers ». Et Sirois de conclure : « *Restons chez nous !*, en dépit de son souffle agriculturiste, réussit à traduire le parcours initiatique, à la fois intérieur et extérieur, du héros

14. Damase Potvin, *Restons chez nous !*, *op. cit.*, p. 45.

15. Antoine Sirois, *Mythes et symboles dans la littérature québécoise*, Montréal, Triptyque, 1992, p. 44.

antique, en particulier dans la phase de la descente aux Enfers, figurée ici par New York[16]. » Je me permettrai ici de contester le mythocritique sur un ou deux points.

D'abord, il faut observer qu'il s'agit d'un roman faussement initiatique. L'initiation, en effet, devrait transformer le héros, le tremper, l'ouvrir – serait-ce à travers la souffrance – à une dimension plus profonde de l'existence. Or, le héros, parti de chez lui, semble-t-il, avide de curiosité, reste complètement imperméable à ce que New York peut lui offrir. En fait, son périple ne sert qu'à démontrer que tout est parfait « chez nous » et que l'exil ne peut entraîner que souffrances et privations. Nous sommes loin d'Ulysse, comme on voit ! À New York, Paul ne rencontre personne, il ne lui vient même pas à l'idée de sonner à la porte d'une Canadienne qu'il entend chanter le fameux *Un Canadien errant* de Gérin-Lajoie, leitmotiv structurel du roman. Ainsi, le choix de Jeanne, par exemple, n'est jamais mis en question par la confrontation à d'autres femmes. Tout au long du récit, pèse sur le héros (et sur le lecteur) le surmoi parental (les pleurs des parents et de Jeanne, les remontrances du curé, le discours tendancieux du narrateur, etc.). Mais la transgression de ces attaches sentimentales n'est pas poussée jusqu'au bout par Paul, qui restera donc imprégné par la parole parentale sans jamais trouver sa propre voix de sujet. L'auteur le fait mourir avant son retour (il faut bien user de tous les moyens pour dissuader !), mais même s'il l'avait fait rentrer au foyer, l'expérience de Paul n'aurait eu aucun poids, il aurait tout simplement réintégré son poste, amer d'avoir donné, comme le dit le curé, ses plus belles années à l'étranger[17].

---

16. *Ibid.*, p. 50.
17. Voir Damase Potvin, *op. cit.*, p. 62.

Ainsi, le foyer ne subit aucun déplacement, aucune redéfinition. Le foyer est mythifié en un lieu éternel et immuable, séparé du reste du monde par une cloison étanche. Il devrait brûler mythiquement de son propre feu. C'est donc bien dans son travail sur le mythe que le texte est pauvre et non, comme le suggère Sirois, par son allégeance agriculturiste. L'agriculturisme aurait fort bien pu donner de grands textes littéraires, tout comme le modernisme nous en offre une pochetée de mauvais. Là n'est pas la question. C'est le refus, par le régionalisme, d'accepter une véritable lutte agonistique avec son Ennemi, qui en fait une idéologie mythifiante et l'*empêche*, en réalité, de se fonder sur autre chose que sur du mensonge. Une remarque du curé, avant le départ de Paul, est significative à l'égard de l'angoisse qui détermine le régionalisme comme idéologie : « Tu reviendras, soit ; mais aimeras-tu plus la terre à ton retour ?[18] » Ce qui signifie : ne regarde pas autour de peur d'aimer mieux ce qui est ailleurs : interdiction donc de *choisir* en connaissance de cause et, de ce fait, de renouveler par un apport personnel la réalité du foyer et l'identité nationale. Autant ce discours a magnifié la « race des pionniers », ceux qui justement avaient pris l'initiative de se déplacer et d'ouvrir l'espace, autant il empêchait aux fils toute initiative tant soit peu étrangère au programme narratif fixé une fois pour toutes. Voilà bien ce que dénonce Ferron dans son conte « La vache morte du canyon », lorsqu'il dit de son personnage :

> Il savait qu'on ne l'avait jamais aimé. Il savait aussi qu'une patrie qui se préfère à ses enfants, qui n'hésite pas, pour s'en débarrasser, à les chasser au loin,

18. *Ibid.*, p. 64.

> dans les villes, dans les mines, partout en Amérique, sans souci de leur sort, par souci de ses vieilles nippes, que cette patrie ne mérite pas qu'on l'aime[19].

Ce jugement semble ne pas toucher un roman comme *Restons chez nous !*, dont le héros justement n'est pas chassé au loin, mais que l'on cherche au contraire à garder près du foyer. C'est que pour Ferron, retenir et chasser au loin sont deux effets d'une même cause, c'est-à-dire le fait que cette « patrie se préfère à ses enfants », qu'elle s'oppose, pour préserver son homogénéité et sa pérennité, à toute forme d'initiative. Le foyer, ou encore la parole parentale, ne profite pas de l'expérience du fils. Sortir d'elle-même, c'est aussitôt pour la patrie tomber dans le non-sens et la (dé)perdition. Ainsi n'offre-t-elle pas d'alternative ; « Reste chez toi », cela signifie concrètement : « Tu seras agriculteur ou rien du tout ». Les mines passeront de la sorte entre les mains des étrangers et les villes se développeront à l'américaine, puisque le discours dominant ne les peut prévoir dans son programme.

Avatars du régionalisme dans la critique littéraire

Critiquer ce discours n'a de sens aujourd'hui que si l'on considère ses catégories encore agissantes, présentes. Or, il est loin d'être mort. Transformé bien sûr, mis au goût du jour. Personne ne dira plus : « Sois agriculteur ou rien du tout », mais on dira volontiers : « Sois Québécois ou rien du tout », faisant de ce terme, « Québécois », un déjà-là essentialisé et non une fonction en cours de définition. C'est avant tout dans les études

---

19. Jacques Ferron, *Contes*, *op. cit.*, p. 134.

littéraires que le discours « régionaliste » a laissé sa trace, celles qui ont pour objet la littérature québécoise. Tout comme la terre paternelle chez les régionalistes, cette littérature est souvent abordée comme une valeur allant de soi, territoire se suffisant à lui-même et que l'on se garde bien de confronter avec l'extérieur. On passe en revue les courants d'idées québécois, mais sans trop les mettre en parallèle avec les philosophies occidentales qui leur sont contemporaines. Les Québécois sont à l'aise pour parler de leur littérature *entre eux*, en famille. Mais dès qu'il s'agit de proposer leur bien à l'étranger naît un malaise : ils ont peine à se croire « universalisables » parce que leur pensée sur eux-mêmes n'a jamais risqué la confrontation agonistique avec l'étranger, avec l'autre culture, sinon sur le mode de l'analogie (surtout avec les littératures colonisées). Cette peur, quelle est-elle ? N'est-ce pas celle d'être « violé » par la lecture d'autrui, que l'autre tienne sur soi un discours autre que celui que l'on est habitué à tenir sur soi-même ? Ou la peur que son provincialisme n'éclate au grand jour ? Ainsi, le Québécois souvent veut bien être reconnu par l'autre, mais à partir de ses propres critères et en refusant toute lutte. « Il faut me prendre comme je suis », telle est sa formule : ne pas être mis en discussion. On comprend alors que la sociologie, qui élimine d'emblée les jugements sur la valeur littéraire des œuvres, soit sa discipline privilégiée : « Pour comprendre, il faut connaître le contexte », etc. C'est faire peu confiance à la contextualisation que porte avec lui tout texte littéraire réussi, contextualisation intrinsèque au texte qui permet justement sa transposition dans le contexte culturel du lecteur.

L'exotisme en phase de non-retour

Maintenant, faisons un pas en avant. On croira que si le mouvement d'aller-retour du foyer est manqué par le régionalisme, le retour sur soi étant rendu impossible par le refus préalable de se quitter, on croira que ce mouvement a alors été expérimenté du côté des exotiques. Disons préalablement qu'il n'y a jamais vraiment eu un discours exotique institutionnalisé, mais il a très certainement existé une tendance de ce genre qui, elle aussi, a créé une filiation encore vivace aujourd'hui. On peut en suivre les développements jusque chez Pierre Elliott Trudeau lorsqu'il préconise un humanisme civique hostile à toute forme de nationalisme ethnique. Et, après lui, chez les tenants du cosmopolitisme.

On remarque en premier lieu que cette tendance manifeste un mépris ouvert pour les origines historiques du Québec et, d'un autre côté, une grande admiration pour les cultures fortes, dominantes. Le Québec doit sortir de son étroitesse pour se rendre égal à ces modèles. L'origine véritable n'est pas le terroir mais l'Homme, seule réalité universelle. Là où l'on est né, ça n'a pas d'importance. Il faut adopter le langage des plus grands, s'inscrire dans la culture universelle. Pour ce, oublier la paysannerie, la culture populaire, la Conquête et les Patriotes : arriver en ville !

On le voit, l'accent est mis ici sur la sortie hors de soi, mais il ne s'agit pas d'emporter son foyer avec soi et de l'expérimenter à l'étranger ; il s'agit plutôt de le délaisser pour en choisir un autre mieux présentable. Ainsi, chez les exotiques, le retour n'est jamais l'occasion d'une réappropriation significative du foyer originaire. Au contraire, c'est en étranger qu'ils reviennent, nostalgiques de leur foyer d'adoption situé en Europe (surtout en France). On lira à ce sujet le texte de Jean Larose sur les « retour-d'Europe[20] ». Les retour-d'Europe s'en prennent à leur foyer d'origine, trop étroit pour eux. Mais ces récriminations traduisent une impuissance à réintégrer et à réinscrire dans l'*ici* ce qu'ils sont allés chercher *là-bas*. Ils voudraient que l'ici soit comme le là-bas, tel quel. L'expérience vécue à l'étranger reste prisonnière en leur mémoire individuelle et n'arrive pas à se traduire dans les termes de la collectivité autrement que par l'énonciation (et la dénonciation) d'un manque.

Chez les Dugas, Morin, Chopin, Hertel, etc., on trouve difficilement le témoignage d'une confrontation entre le foyer d'origine et le foyer d'accueil. L'exotique se contente de hausser sa personne jusqu'aux hauteurs de l'Autre fascinant ; les deux mondes restent étanches. Cette expérience par quelques-uns de l'Europe a permis bien sûr le passage au Québec de certains mouvements littéraires modernes, de l'existentialisme des années cinquante aux avant-gardes formalistes des années soixante et soixante-dix, mais ces transferts occasionnèrent justement des ruptures, non une redéfinition du donné[21]. Bref, l'intégration n'est pas symbolisée ; on a tout simplement changé de registre.

---

20. Jean Larose, *L'Amour du pauvre*, Montréal, Boréal, coll. « Papiers collés », 1991, p. 127-144.

21. J'apporterai des nuances à ce jugement un peu catégorique au chapitre quatre, le but étant ici de circonscrire des tendances de fond.

Faire le pont : Jacques Ferron

Prendre en considération le récit de Ferron intitulé *La Nuit*, devenu par la suite *Les Confitures de coings*, sera l'occasion de théoriser un possible dépassement de la contradiction institutionnelle entre les régionalistes et les exotiques. Cela me permettra également de préciser le rapport qu'entretient le roman avec le mythe. Le roman de Ferron revisite le mythe, et précisément le mythe des origines, mais pour le contester (ce qui ne veut pas dire le détruire), en reprendre le fil narratif dans la perspective d'une aventure singulière. À partir de là, un autre type de lien communautaire est convoqué.

Les Confitures de coings est aussi un roman d'initiation : un résident de la banlieue montréalaise, employé de banque en attente d'une promotion, est réveillé la nuit par un appel téléphonique. On demande Frank, en anglais. Le narrateur-personnage (qui s'appelle François), particulièrement joueur cette nuit-là, déclare à son interlocuteur que Frank est mort. Cette boutade entraîne François dans une aventure cruciale puisque Frank est nul autre que le type qui lui adresse la parole au bout du fil. Frank, agent de police de son métier, est le double abhorré de François, son ennemi depuis que, vingt ans auparavant, il fut assommé par lui d'un coup de poing lors d'une manifestation communiste contre le pacte de l'Atlantique Nord. Surpris de s'entendre déclaré mort, Frank invite François à lui porter ses cendres ; le rendez-vous est pris dans une boîte de nuit située en face de la morgue.

Je ne peux ici me livrer à une analyse systématique de tous les aspects du récit, d'une complexité et d'une richesse symbolique remarquables. Il me faut insister sur le thème qui m'occupe. Or, le récit est compris entre ces deux mouvements : quitter le foyer/rentrer au foyer une fois passée la nuit. L'intérêt ici est qu'une transformation s'opère et que le narrateur n'est plus le même lorsqu'il rentre chez lui.

L'agonique et l'antagonique

Il ne fait aucun doute que sous le couvert d'une narration individuelle, Ferron tente de symboliser le vieil antagonisme entre le Québécois et le Canadien anglais. Plus précisément, l'auteur remonte au foyer du malaise, jusqu'à une honte initiale, liée à l'humiliation et à la sujétion de son peuple. Cette honte, quelle est-elle chez le personnage ? Elle est d'avoir trahi, vingt ans auparavant, l'idéal auquel il s'était consacré (le communisme), le souffle coupé par le coup de poing de Frank. Au tribunal devant un juge affable, François avait renié ses convictions, pour recevoir ainsi une punition indéfinie qui l'avait plongé dans les « limbes », faisant de lui ni un criminel ni un innocent, mais un être médiocre : « Coupable avec sentence suspendue ». Et le narrateur de commenter :

> J'avais commencé ma carrière par une tache énorme derrière laquelle disparaissaient mes horizons passés [...]. Ce fut mon péché originel, le péché que par moi-même je ne pouvais pas expier. [...] J'aurais voulu changer de nom [...]. Quant à mon âme, je l'aurais volontiers donnée à piétiner. Frank m'en empêcha, la ramassant et la mettant dans sa poche[22].

Voici donc défini un premier foyer originel : une tache, un péché, que viendra visiter la fiction. Or, on

22. Jacques Ferron, *Les Confitures de coings*, *op. cit.*, p. 73-74.

peut voir dans ce « je », au delà de François, le sujet historique québécois dans ce qui le lie à l'Anglais dominant.

Par la suite, le narrateur, rangé, était devenu comptable dans une banque et avait grimpé tous les échelons. Il avait épousé Marguerite et formé avec elle un mariage routinier. Il dit de son âme : « Je ne me souvenais même pas de l'avoir perdue et n'en ressentais guère la privation, disposant de celle de ma femme. [...] C'est elle qui restait privée d'âme, elle qui m'avait donné et moi qui avais reçu[23]. » Double aliénation, donc, celle de l'homme engendrant celle de sa femme. Il est aussi dit de Marguerite qu'elle n'était « pas sortie de son origine », c'est-à-dire pas née à elle-même. Mais le récit s'ouvre sur un début de transformation : s'il a perdu son âme, le narrateur a tout de même grimpé dans l'échelle sociale et le voici capable d'un « retour sur lui-même[24] ».

La rencontre avec Frank entraîne un retour sur leurs origines communes. À ce sujet, il faut spécifier que le récit ferronien subvertit de manière significative le traitement de l'opposition avec l'Ennemi, tel qu'on le retrouve traditionnellement dans la littérature

---

23. *Ibid.*, p. 63.
24. *Idem.* On pourrait voir là aussi une métaphore du Québec qui, après s'être engagé dans un processus de modernisation qui l'a conduit à s'éloigner de son « âme » (son identité liée au catholicisme et à un mode de vie traditionnel), ne sait plus très bien, au moment où il est appelé à se *choisir* (au sens sartrien de l'expression), ce qu'il en est de sa singularité. Comme l'écrivait Gilles Leclerc en 1959 : « Le Québec devient maître de ses propres moyens de corruption interne, c'est un adulte ! À lui seul désormais il revient de juger de l'usage qu'il fera de cette nouvelle arme de volupté » (*Journal d'un inquisiteur*, Montréal, éd. Lux, 2002, p. 54).

québécoise d'inspiration nationaliste. Frank est détesté, on désire même sa mort, mais la narration qui relate la confrontation avec lui ne répond pas à une structure strictement polémique : Frank n'est jamais complètement l'étranger du narrateur, ou son pur rival-ennemi ; au contraire, François ne cesse d'indiquer ce qui le lie étroitement à Frank, le complexe qu'ils ont en commun, là où ils sont semblables. Frank est le double du narrateur, le rappel incessant de sa soumission à l'autorité (ce « quelque chose au-dessus de sa tête » qui le contrôle, le prend au piège de sa veulerie). Quand François aura liquidé Frank (avec l'aide des fameuses confitures de coings), c'est de cette part de lui-même dont il se sera défait : congédier Frank Archibald Campbell, cela signifie dénouer le lien complexe et pervers qui les unissait et les aliénait réciproquement. Ce « meurtre » a une valeur onirique (tout le récit baigne dans un climat de rêve) et conduit, non pas à une négation de l'autre mais à l'adoption d'un nouveau contrat : « Cessant d'être un conseiller de police, un vil procédurier, Frank peut devenir un des nôtres, rien ne l'en empêche, mais qu'il sache que mon père ne tolère personne au-dessus de sa tête[25]. »

Ainsi le rival, au début du roman, est comme dans *L'Appel de la race*, l'Autre structurel du narrateur, le point d'opposition de son identité. L'Autre, spécifions-le, est *structurel* dans la mesure où il est nécessaire au sujet pour la formation de son identité. Cette

---

25. Jacques Ferron, *Les Confitures de coings*, *op. cit.*, p. 190. Ce sont les derniers mots de *L'Appendice aux Confitures de coings*, texte selon moi d'une grande importance, qui redouble pour ainsi dire le roman pour le faire entrer en résonance avec la biographie de Ferron.

dynamique, méconnue et déniée par le sujet, est paradoxale puisque celui-ci n'a de cesse de rejeter hors de lui cet Autre qui lui est pourtant consubstantiel. Mais alors que cette différence s'accentue dans le roman de Groulx, elle est, chez Ferron, déplacée : Frank cesse de tenir la place de l'Autre pour devenir un autre, un vis-à-vis. Après s'être réapproprié le carnet où Frank consignait ses observations sur son compte, François redevient maître de son récit : il a compris la position qu'il occupait dans les yeux de l'autre, celle d'un être dupe et inféodé, et peut désormais s'en dégager[26]. Mais c'est d'abord de l'image qu'il se faisait de lui-même qu'il aura dû se libérer.

On le voit, Ferron, au contraire du Aquin de *Prochain épisode*, par exemple, ne confère pas à son Ennemi la Toute-puissance, un narcissisme à toute épreuve, un plein contrôle de la situation, une perversité qui pourrait être assimilée à celle du Diable. Ferron signale cette tentation, mais se rend compte qu'il s'abuserait ainsi sur le compte de son ennemi, le prenant « pour tout sauf ce qu'il était : l'artisan habile et le témoin malicieux de mon reniement[27] ». Le roman

26. Cette réappropriation ressemble beaucoup à ce qui s'est produit à la suite du rapport Durham, regard posé sur les Canadiens français qui permit à ceux-ci d'objectiver leur situation et de réagir en conséquence. Je signale au passage que Ferron admirait Durham et ne se serait pas opposé à ce qu'on lui élevât un monument. L'idée qui commande cette attitude (visible dans *Les Confitures de coings*) est que la question n'est pas tant de mépriser l'« ennemi » en dénonçant son « impérialisme » (donc de lui demander d'être « gentil ») que de refuser de se plier à cet impérialisme et d'y opposer sa propre intégrité.
27. Jacques Ferron, *Les Confitures de coings*, *op. cit.*, p. 64.

abandonne alors la logique du polémique en évitant de rendre l'adversaire responsable de la faute originelle. À la fin, l'Ennemi peut finalement être *congédié* (ce qu'expose *L'Appendice*), parce que le narrateur en a compris le discours, reprenant le fil de leurs récits entremêlés, pour ensuite s'absenter de Frank (lui laissant entre les mains le pot de confitures de coings qui l'empoisonnera) et tenter la reprise de sa propre origine, ouvrant le récit à une dimension qui n'est plus celle de l'antagonisme, mais qui reporte le sujet vers le lieu de sa naissance et de sa mort. Cette passibilité du sujet qui perce une trouée dans la structure antagonique d'un récit de fondation pour en visiter la dimension agonique, signale pour moi le processus d'individuation à l'œuvre dans le texte et sa valeur d'expérience singulière apte à redéfinir le lien communautaire. L'antagonisme structurel fixe l'être dans un rapport duel et spéculaire à l'autre, qui devient donc pour le sujet une fonction nécessaire à la constitution de sa propre identité. Si la structure antagonique est une réaction de défense à un trauma, une douleur, une humiliation devenus impensés, c'est précisément vers cet impensé que reconduit l'écriture agonique, ce qui oblige le sujet à crever l'écran de l'imaginaire social pour affronter dans l'angoisse et le sentiment de sa finitude ce réel de la douleur et de la mort que le symbole n'arrive jamais à rendre objectif.

Reprenons donc systématiquement les deux moments de la marche du récit, celui de l'antagonique et celui de l'agonique. Le narrateur accepte de se confronter à son ennemi : pour le rencontrer, il quitte son foyer et se rend dans un lieu désigné par l'autre, faisant mine d'apporter avec lui son cadavre (mais ce n'est encore que du bluff). À le faire passer de la rive où il habite à l'autre rive, décrite comme un château, se trouve Alfredo Carone, chauffeur de taxi, que le texte associe de manière évidente à Charon, le passeur des enfers[28]. En s'acheminant vers son ennemi, c'est en effet à travers les limbes que circule François, là où repose son âme honteuse oubliée. Rencontrer l'autre est l'occasion d'un retour sur soi. J'ai signalé aussi qu'il s'agissait pour le narrateur de comprendre le discours de son opposant. Cela s'accomplit de plusieurs manières. D'abord, il le pousse à parler de son passé, de sa propre enfance : à raconter ainsi son propre récit des origines, Frank retrouve une dimension humaine. On apprend qu'enfant, il souffrait d'être isolé des Québécois, qui semblaient se divertir, et qu'il devint flic pour ne pas être assimilé. On apprend aussi que sa mère lui faisait des confitures de coings et qu'il en raffolait.

Le récit reprend aussi le discours de Frank en reproduisant des poèmes écrits par son père, l'archidiacre. Ce passage situe nettement le « combat » dans l'arène symbolique du récit originaire. Les poèmes du père de Frank, qui ont pour thème la nature canadienne, seront ensuite déclassés au profit d'une ébauche de poème laissée par un oncle du narrateur[29]. Le poème commence par des vers qui parodient le récit de la Genèse :

---

28. Voir le commentaire de Simon Harel, *Le Voleur de parcours. Identité et cosmopolitisme dans la littérature québécoise contemporaine*, Montréal, Le Préambule, coll. « L'Univers des discours », 1989, p. 126-141.

29. Le fait qu'il s'agisse d'une ébauche ouvre le roman, ainsi que, par analogie, le récit de la nation québécoise, à l'idée de perfectibilité, récit originaire non pas déjà écrit et achevé, mais à reprendre, à poursuivre.

L'esprit de Dieu reste sur les eaux
Du lac Saint-Pierre
Mais les maringouins montent la garde
En vain[30]

Le poème exploite ensuite le mythe du péché originel, mais en le vidant de son caractère manichéen :

Ô cousine
Il n'y a guère de pommiers en Maskinongé !

Il y a toutefois un fruit défendu au milieu de cette nature envahie par les chasseurs :

Où finit le bien, cousine
Où commence le mal ?
L'orignal à perdre l'âme
Brame pour le combat
Il ne t'aperçoit pas, cousine,
Juchée sur son panache,
Et tu me tends le fruit défendu,
Le fruit déjà piqué
Dont il reste des morceaux
D'innocence
Rendus exquis par la gelée[31]

L'important n'est pas que ces vers supplantent ceux de l'ennemi (même si ces derniers sont passablement ridiculisés à cause de leur perception inadéquate du territoire), mais qu'en eux se profile un autre esprit et que le narrateur les assume enfin comme son bien[32].

30. Jacques Ferron, *Les Confitures de coings*, *op. cit.*, p. 88 ; voir aussi p. 82.
31. *Ibid.*, p. 90.
32. L'auteur de ce poème, dont on dit qu'il s'est suicidé, est peut-être le cousin de la mère de François, qui serait alors celle

Mais c'est sans nul doute à la toute fin du récit que la compréhension du discours de l'autre se fait la plus cruciale. Après avoir rencontré Barbara et à travers elle remonté le cours de son origine, le narrateur retrouve Frank au Club, mort, empoisonné par les confitures de coings. Comprenons : intoxiqué par sa propre enfance. On peut y voir aussi une reprise de la technique guerrière du cheval de Troie : au lieu de combattre frontalement l'ennemi, on le prend au piège de sa propre convoitise, lui offrant un « cadeau *empoisonné* » ! Mais l'important dans cette scène est que le narrateur fait la découverte du carnet (« Gotha of Quebec ») où Frank a consigné ses observations sur les Québécois et exposé les règles à suivre pour les soumettre. Un extrait est transcrit dans le récit, qui contribue à placer le lecteur québécois dans la même position que François, c'est-à-dire devant le miroir que lui renvoie l'autre[33]. Ce

---

que le poème invite à tendre le fruit défendu. De fait, la topographie dépeinte dans le poème est le lieu intime de la mère, là où elle échappe à sa représentation par le fils.

33. Comme je l'ai laissé entendre plus haut (voir note 26), ce « Gotha of Quebec » peut facilement être interprété comme un pastiche du Rapport Durham : « Les Canadiens, avait écrit Frank Archibald Campbell dans son Gotha – et par Canadiens il entendait Québécois – sont complices avant d'être compatriotes ou concitoyens. Ils forment un peuple bizarre, né sous une domination étrangère, un peuple patient et insoumis qui attend son heure et n'obéira jamais de plein gré qu'à lui-même. En attendant ils s'accommodent de nos lois, sans révérence, dans le but d'en tirer le meilleur parti. [...] La partie approche de sa fin. Elle sera gagné *[sic]* si les cartes ne sont pas abattues : il peut encore s'égarer et passer à côté de sa destinée. Il s'agira alors de mettre les cartes dans sa poche et d'emmener ces Canadiens à se considérer comme des immigrants dans un pays qui tire sa force et sa paix de l'immigration. » (*Ibid.*, p. 117). Il y a ici

n'est que par la reconquête de son propre récit que le narrateur arrive en un premier temps à *entendre* le discours que l'autre tient sur lui, ensuite à se réapproprier le rôle de narrateur d'un récit qui, cessant d'être une simple réaction à l'autre, cesse aussi d'être manipulé par lui. Frank passe donc, par le travail d'écriture, d'une position d'opposant à une position d'adjuvant puisque, grâce à son « Gotha », le narrateur est en mesure de comprendre ce qui l'aliénait. Frank Archibald Campbell congédié, cela signifie que le narrateur n'a plus besoin de lui, de son opposition, pour se dire.

Voilà pourquoi je ne peux partager l'opinion d'un critique des années soixante qui voyait dans *La Nuit* (première version des *Confitures*), « le fruit – très peu sain – d'un vieux nationalisme anti-Anglais qui ne cesse pas de mourir...[34] » Ce que Ferron a donné en fait à ses compatriotes, sur un mode à la fois ludique, critique et onirique, c'est la voie d'un dépassement de ce nationalisme-là et la possibilité enfin acquise d'un agir responsable. Ce déplacement, du reste, est clairement exprimé par le narrateur qui pressent le passage imminent des peuples à un autre degré d'humanité : « Frank, que serons-nous aux yeux de cet homme nouveau sur le point d'apparaître ? Verra-t-il une différence entre un Écossais et un Canadien français ? J'en doute, et si j'ai

---

une nette jonction entre François transformant l'ennemi en adjuvant de sa propre libération et Ferron rejouant Durham au profit d'une prise de conscience, par les Québécois, de ce qui les attend s'ils ne deviennent pas protagonistes de leur propre récit. D'ailleurs, la dernière phrase de l'extrait que je viens de citer annonce avec exactitude un état de fait actuel.

34. Gilles Marcotte, cité in Jacques Ferron, *Les Confitures de coings et autres textes*, Montréal, Parti pris, coll. « Projections libérantes », 1977, p. 262.

peine à te haïr, c'est peut-être que ma haine est déjà périmée...[35] »

Je le répète, un tel déplacement des données, ce passage de l'aliénation à la responsabilité, n'est rendu possible que par l'oubli momentané de l'antagonisme et l'exploration du foyer originaire du narrateur, là où il se consume comme sujet. En ce lieu, la lutte continue, non plus entre le narrateur et son opposant, mais bien plutôt entre le narrateur et lui-même, entre sa naissance et sa mort. Le narrateur redécouvre ce qui, pour lui, a constitué l'origine du sens : les figures parentales, la géographie du pays. Il tente d'établir la carte de son identité, de sa naissance comme sujet[36]. Il dessine le pays de son enfance, développé autour d'une rivière sinueuse, la rivière du Loup. Elle est décrite comme un mystère perpétuel ; derrière chaque coude qu'elle forme, on ne sait ce qui nous attend. Son extrémité s'appelle Bout-du-Monde, endroit fuyant que la mère du narrateur aimait dessiner. Il dit trouver là sa genèse[37].

Métaphore et métonymie ou les contours de l'origine

À ce point, il serait facile de tomber dans le mythe : idéalisation de la mère morte très jeune, fondation sur un territoire, lyrisme de la nomination, etc. C'est ici que la notion d'origine, telle que symbolisée par Ferron, demande à être interprétée. Tout se joue en fait sur cette question : à partir de quel récit de l'origine se

35. Jacques Ferron, *Les Confitures de coings*, *op. cit.*, p. 80.
36. Voir Pierre L'Hérault, *Jacques Ferron, cartographe de l'imaginaire*, Montréal, PUM, coll. « Lignes québécoises », 1980.
37. Jacques Ferron, *Les Confitures de coings*, *op. cit.*, p. 82-83.

structure le sujet, autant le sujet individuel qu'un éventuel « sujet québécois » ? Le roman n'apporte évidemment pas de réponse collective à cette question ; j'ajouterais par contre que les décisions collectives (projet de constitution, système juridique) ne répondent pas non plus à la question de l'origine. Celle-ci est du ressort des entreprises symboliques, qui ne résolvent rien sur le plan directement politique, mais donnent au moins la possibilité de *penser* une question. Tout au long de ce livre, j'insisterai sur le fait qu'une telle entreprise, menée par un sujet individuel rendu disponible à la parole collective qui se dit en lui, nécessite une mise entre parenthèses du moralisme idéologique. Le sujet politique de Ferron, qui s'affirme avec force à la fin de *L'Appendice*, n'est possible que d'avoir préalablement visité ce qui le constitue, ce discours qui s'est inscrit en lui avant même qu'il soit en âge de choisir quoi que ce soit : « J'étais [...] captif de mon origine, participant à un discours commencé avant moi, y ajoutant mon mot, ma phrase, un point, c'est tout[38]. » Une éthique du politique doit nécessairement passer par là. Cette origine échappe au regard, à la préhension ; plus que saisie (ce ne serait de toutes façons qu'une saisie imaginaire), elle demande à être articulée autour de son foyer inaccessible, trop brûlant pour être empoigné. En refaisant son parcours à rebours, le sujet tente de se dire, mais il n'en touche jamais le fond. La rivière, voie d'accès à l'origine, plus particulièrement à la mère, ne devient à aucun moment un refuge pour le narcissisme du héros. Au contraire, elle est comparée à deux reprises à une *épine* : « La rivière me faisait mal, me touchant d'une si

38. *Ibid.*, p. 117.

fine épine que je ne la pouvais voir[39]. » Le narrateur relate que pour résoudre le mystère, il essaya un jour de la « pénétrer », mais que ne trouvant rien, il abandonna : « Mon exploration n'avait rien donné en somme. Le détour de la rivière continuait de cacher un mystère, une épine, une beauté inconcevable, le sourire de ma mère cadette[40]. » Le narrateur renonce en quelque sorte à l'inceste, il renonce à métaphoriser la rivière : elle ne viendra pas représenter la mère mais lui sera attachée *métonymiquement*, à travers son sourire et le plaisir qu'elle prenait à peindre ce paysage.

Au fil de cette remémoration, le narrateur retrouve l'instant de la révélation qui avait marqué sa naissance comme sujet et l'avait simultanément guéri de la maladie de la mère (la tuberculose) : « LA VIE EST UNE FOI. SAINTE-AGATHE EXISTE. LA RÉALITÉ SE DISSIMULE DERRIÈRE LA RÉALITÉ. Et je signai : François Ménard[41]. » Cet extrait nous amène à nous questionner sur le rapport dans l'œuvre de Ferron entre métaphore et métonymie[42]. L'idée générale, ou structurante, des romans de Ferron, paraît bien souvent fondée sur la métaphore, parfois même sur l'allégorie. Par exemple, les tribulations de François Ménard dans *Les Confitures de coings*, comme je l'ai déjà laissé entendre, peuvent représenter symboliquement le devenir du

---

39. *Ibid.*, p. 92.
40. *Ibid.*, p. 93.
41. *Ibid.*, p. 50.
42. Cette question a déjà été brillamment discutée par Reinhart Hosch, « Jacques Ferron ou la présence réelle », dans *Cahiers Francophones d'Europe Centro-Orientale*, 1, Pécs-Vienne, 1991. Mon argumentation, bien qu'appuyée sur d'autres critères que la sienne, va à peu près dans le même sens.

peuple québécois, et ses rapports avec Frank, l'éternel conflit avec le pouvoir anglophone. De même, l'image de « l'aller-retour » qu'exploite la présente réflexion est elle aussi métaphorique et vient doubler la figure ferronnienne de la traversée du pont, dans un sens et dans l'autre, sous les auspices d'Alfredo Carone (Charon). Une phrase comme : « La réalité se dissimule derrière la réalité » ouvre d'ailleurs le champ à une vaste entreprise métaphorique. Mais il suffit d'approfondir quelque peu le roman pour apercevoir les limites d'une telle interprétation qui, du reste, prête flanc à la réduction idéologique. Combien de romans québécois, en effet, ont métaphorisé le conflit anglo-français ? Mais combien peu l'ont fait avec la subtilité de Ferron ! Cette subtilité, lieu de résistance à l'interprétation idéologique, situons-la dans la déconstruction métonymique de la métaphore.

Reprenons cette phrase : « La réalité se dissimule derrière la réalité ». Elle ne définit le processus métaphorique que si l'on confond le premier « réalité » avec une « vérité » (ou « vraie réalité » de type platonicien) qu'il viendrait suggérer implicitement : « La vérité se dissimule derrière la réalité ». On aurait alors un terme de départ, la réalité, et un terme d'arrivée, une réalité seconde qui serait la vérité de la première, sa métaphore. La réalité première serait discréditée par la réalité seconde, dissimulée, que la métaphore viendrait révéler. Mais tel n'est pas le cas dans le texte de Ferron : il existe un constant aller-retour entre les deux réalités, mais aucune n'a préséance sur l'autre. Cette phrase est extrêmement simple et concrète : elle dit en bref que la vie est infiniment plus riche que les représentations que l'on peut s'en faire et que derrière chaque représentation, qui définit l'univers d'un sujet, existent d'autres mondes possibles. La phrase est aussi centrale dans le texte parce qu'à sa suite, apparaît pour la première fois le nom du narrateur, sa signature. Par ailleurs, le lecteur avisé de la biographie de Ferron sait qu'elle fait référence à l'époque où, jeune médecin, il avait été soigné dans un sanatorium anglais de Sainte-Agathe. Ce lieu est pour Ferron, comme la prison ou l'asile, un endroit où loin de le guérir, l'institution s'efforce de maintenir le patient dans sa maladie. De son lit, le malade perçoit le son d'un clocher. Jetant un regard par la fenêtre, il n'aperçoit aucune église, jusqu'au jour où, à la faveur d'une randonnée, il découvre qu'elle était cachée derrière la colline. Tel est le motif de la « révélation ». Le texte, malgré le déni de toute influence dans un autre passage, évoque aussi la madeleine de Proust[43] : ici encore, la madeleine actuelle n'est pas la métaphore d'une première madeleine oubliée, elle n'en est que le signal sensible, elle est un pont, un joint entre deux récits qui n'offrent par ailleurs aucune similitude. Le texte de Ferron fourmille de tels rapports de contiguïté partielle, qui sont autant de passages permettant au discontinu (le temps émotif) de faire irruption dans le continu (le temps de la durée). Cette suite d'associations, où une réalité (un récit) renvoie à une autre, finissent par forger un tiers récit, qui est la forme même du roman. Ce dernier n'est donc pas la métaphore générale d'un référent qui serait situé hors de lui. Il raconte le va-et-vient entre différents niveaux de réalité ; comment, par exemple, l'expérience de la nuit contribue à transformer les jours du narrateur. Bref, l'enchaînement des signifiants provoque un

---

43. « Moi, penser à Proust ? Et pourquoi donc aurais-je pensé à lui ? » (Jacques Ferron, *Les Confitures de coings*, *op. cit.*, p. 75).

déplacement des signifiés chez Ferron, mieux que ne l'aurait fait leur condensation ou leur expression figurative.

Si la « réalité se dissimule derrière la réalité », alors aucun lieu et aucune métaphore d'un lieu ne peut en être le représentant ou le signifiant ultime : le sens échappe à notre prise, il faut enchaîner, il faut métonymiser la quête. De même, l'origine est définitivement perdue, comme la mère. Pour cette raison, elle est le signifiant doublement fuyant à la fois de la naissance et de la mort. Quand la rivière cesse de se dérober et monte « droit devant elle comme si elle était la mer » (entendons : la mère), c'est que l'heure de la mort est arrivée : Ferron évoque ce moment mais n'en fait pas le point d'appui de son récit ; il en serait plutôt le point de fuite : « Il faudrait que la mort soit comme la nuit, l'occasion d'une belle fugue. Moi, je partirai du Bout-du-Monde sur une rivière lente qui m'attend depuis mon origine ; elle ne se dérobera plus, cette fois, détour après détour, visage après visage, mais montera droit devant elle comme si elle était la mer[44]. »

Finitude et responsabilité

C'est dans son refus de mythifier les origines en une figure compacte, solide, que *Les Confitures de coings* diffère essentiellement d'un roman comme *L'Appel de la race*. Comment réussit-il à effectuer ce déplacement ? C'est là toute la valeur initiatique du roman de Ferron. Dans le roman de Groulx, comme dans à peu près tous les romans régionalistes jusqu'à Ringuet, l'origine a la

44. *Ibid.*, p. 119.

solidité de la pierre tombale : sur les morts se fonde le dire du héros. Corollairement, il ne saurait y avoir d'initiation, même pour un sujet qui a quitté le foyer, puisque le point d'arrivée est déterminé à l'avance : à son retour d'exil, ce sujet régionaliste ne réinvente pas le lieu originaire, il le *retrouve*. Il n'y importe pas non plus le fruit de son expérience en pays étranger, tout ce qu'il aura connu d'excentrique est ravalé sur le plan des « accidents de parcours ». Le personnage de Ferron, au contraire, rentre au foyer transformé : il a visité la mort, il a traversé sa part d'ombre, il a fait certaines rencontres qui lui ont permis de faire le deuil, entre autres, de la mère. Celui qui rentre n'est plus l'assujetti du début mais bel et bien un sujet, il a mis au clair la filiation qu'il revendique, il connaît sa place dans le monde et se montre capable de faire des choix qui témoignent de son intégrité. Ferron, lui, établit avec les morts (ou ancêtres) et l'origine une mise à distance qui n'est pas non plus le dénigrement des exotiques :

> J'ai remis en cause mon héritage, sous l'impression qu'il me mystifiait ; je ne l'ai pas accepté, je ne l'ai pas non plus refusé. C'était assez offensant pour ceux qui me l'avaient légué. J'ai dit à ces morts : « Soyez patients. Vous n'avez d'ailleurs rien d'autre à faire. Attendez, je me donne grand mal à vivre. Je finirai bien par me réconcilier avec vous »[45].

Ce passage traduit bien la dialectique ferronienne de l'aller-retour du foyer, ainsi que son rapport au mythe. Le mythe de l'origine proposé par Ferron

45. Jacques Ferron, *Du fond de mon arrière-cuisine*, *op. cit.*, p. 143.

échappe à la figuration : c'est bien lui qui aiguillonne le narrateur et l'entraîne vers un retour sur soi, vers le pays oublié, mais en suivant l'enchaînement des signifiants qu'il rencontre, le narrateur arrive à quitter les rives du mythe pour se définir comme solitude responsable. Il n'a pas trouvé l'« être-commun » dans l'élargissement de son narcissisme à l'échelle d'une communauté ; il trouve plutôt ce qui l'a engendré comme nom singulier *et* communautaire (c'est-à-dire non isolé), il fait une expérience de l'être que son récit vient proposer à autrui, pour la mettre *en* commun. « On écrit, note ailleurs Ferron, à un niveau qui n'est pas sujet aux lois de la société pour la bonne raison qu'on écrit en dehors de toute société et qu'on sera lu par un solitaire de même acabit, non par un citoyen : par un complice[46]. » Une écriture où s'élabore une singularité convoque le lecteur, mais pour le poser devant sa propre finitude, car le sujet d'une telle écriture, s'éloignant du commun, ne peut être adopté, ni imité, ni reproduit. C'est dans ce rapport entre l'écriture et la lecture que se vérifie ultimement le pouvoir qu'a un texte d'effectuer un déplacement critique du foyer : ce dernier passe du texte au lecteur, pour revenir au texte tel que réélaboré par le lecteur, et ainsi de suite. Hubert Aquin parle justement à ce propos d'un *aller-retour* : « Le lecteur opère une sorte de réversion de l'écriture. L'écriture va vers une direction, vers le lecteur, et le lecteur va dans l'autre direction, vers le cœur du livre. C'est comme un mouvement d'aller et retour : moi je vais et lui vient[47]. »

46. *Ibid.*, p. 175.
47. Hubert Aquin, dans le collectif *Romanciers du Québec*, Montréal, Québec français, 1980, p. 6-7.

Il n'y a de communication avec l'autre que par l'exercice de cette finitude, qui s'oppose à la communion. Ce mouvement est suggéré dans *Les Confitures de coings* par la transformation que subit la relation entre François Ménard et Marguerite, sa femme. On s'en souviendra, celle-ci n'avait plus d'âme, l'ayant donnée à son mari qui l'avait perdue aux mains de Frank. Mais après s'être reconquis comme sujet, une fois rentré au foyer, François constate aussitôt une transformation : « En lui rendant son âme, je ne la dépossédais pas de mon amour ; je le revigorais[48]. » Le couple, ici, devient le lieu minimal de la communauté désirée et élaborée par le texte ferronien, mais qui ne peut trouver forme qu'au prix d'un processus agonique qui pousse le sujet au pied de sa finitude. Ce que le narrateur obtient au bout de la nuit n'est en rien le « noyau de son être » donné dans une métaphore qui transcenderait son immanence, mais bien plutôt l'énergie suffisante pour transformer son programme narratif initial (la logique de son aliénation). Ce déplacement dans la perspective du récit est justement l'œuvre du processus métonymique.

Dans le récit de Ferron, les personnages n'ont pas une seule identité, stable et compacte. On l'a vu pour la pseudo-métaphore maternelle (la rivière), qui échoue comme stabilisateur d'une origine, puisque sa source se perd derrière une suite sans fin de méandres. Les êtres ferroniens restent des mystères qui viennent à l'occasion faire signe au narrateur, le plus souvent malgré eux. Comme Barbara, la prostituée noire qui, malgré sa couleur et son métier, est « hallucinée » par le narrateur successivement comme sa mère et son épouse. Le salut

48. Jacques Ferron, *Les Confitures de coings*, *op. cit.*, p. 119.

qu'elle lui fait du haut de l'escalier rappelle à François un récit archaïque, le récit de l'enterrement de sa mère, alors qu'il était encore enfant. Ainsi, Barbara n'est nullement la métaphore de la mère, elle ne l'évoque un instant que par des signes spécifiques : le geste de la main, la balustrade où elle s'appuie, etc. Le désir de fusion est déjoué ici par le régime figural en opération dans cette association Barbara-la mère, au sens où cette association s'effectue par transfert métonymique et non par métaphore. En régime métaphorique, Barbara serait un signe mis à la place d'un autre signe, la mère, la faisant renaître tout en la recouvrant. Or, l'identification n'est pas totale : seuls quelques signes partiels permettent de créer l'association, et permettent qu'il y ait non pas transposition mais *déplacement*, transfert. En d'autres termes, le corps de Barbara, son signe de la main ne paraissent pas *à la place* de la mère disparue, mais c'est à travers eux que peut s'effectuer le *passage* de signes évoquant la mère vers autre chose qui n'est plus du domaine de celle-ci. C'est ainsi que le Même trace la voie vers l'Autre quand le sujet cesse de s'y raccrocher éperdument. D'autres signes évoquent la mère pour s'en éloigner aussitôt, en présentant un rapport de contiguïté, mais négatif : « Barbara, ta peau noire n'est pas l'uniforme des Ursulines de Trois-Rivières ![49] » Auprès de Barbara, ce n'est pas tant la mère, en fait, que retrouve le narrateur, mais l'instant de la coupure entre elle et lui : « Tu me regardais avec le sourire d'une mère que son grand garçon quitte. C'était fini. [...] J'aurais voulu rester mais tu me dis avec le sourire de la femme : "Va, va, tu n'es plus un enfant." Et tu avais bien raison,

49. *Ibid.*, p. 97. La mère a étudié chez ces religieuses, dit auparavant le roman.

ma foi ![50] » Le corps de Barbara présente des signes qui rappellent la mère et obligent donc à un retour sur elle, mais devient simultanément le lieu où se manifestent des signes autres (la nudité, la sueur, la jouissance), qui permettent au sujet de quitter la mère.

Le signifiant maternel est d'ailleurs disséminé dans tout le texte. Ainsi du nom d'Alfredo Carone qui figure, nous l'avons rappelé, le passeur Caronte, Charon. C'est négliger une autre donnée, extérieure au texte proprement dit mais lisible dans *L'Appendice aux « Confitures de coings »*, texte dans lequel est longuement discutée la généalogie du nom de la mère, qui portait le nom de *Caron*. Et il est intéressant de noter que l'héritage de ce matronyme est précisément visité pour être au bout du compte rejeté au profit du patronyme. L'intervention de Barbara aide le narrateur à prendre congé de la mère, mais c'est dans *L'Appendice*, sous-titré « Le congédiement de Frank Archibald Campbell », que la mère, plus encore que Frank, est congédiée : « Ma mère cadette s'en va dans son chariot lugubre de la maison à l'église par la grand-rue de Louiseville, suivie par deux médecins redingotards, qu'elle aille, qu'elle aille ![51] » Les dernières pages de ce texte sont parmi les plus courageuses que j'aie jamais lues : elles sont celles d'un sujet adulte revenu de son origine et capable de se situer par rapport à elle. Le roman accomplissait le deuil de la mère (autant dire de la fusion avec l'origine), mais la mère y gardait encore son aura aux yeux du fils amoureux. *L'Appendice*, toutefois, amène le sujet-Ferron à réévaluer l'héritage symbolique (social) de cette même mère, en refaisant le parcours de son nom

50. *Idem.*
51. *Ibid.*, p. 189.

(Caron) et en réinterprétant la maladie qui l'a emportée (la tuberculose, maladie psychosomatique pour Ferron, symptôme d'une aliénation). Faisant le récit de l'enterrement de sa mère, Ferron contresigne le deuil en choisissant de laisser aller celle qu'il a le plus aimée :

> Qu'elle aille ! d'une famille ridicule qui se croyait de sang royal parce qu'elle était dominée-dominatrice, d'une race de marchands impitoyables envers les pauvres gens, qui croyait se racheter par ses Ursulines et ses Ursulinettes alors qu'elle ne perpétrait ainsi que sa sous-domination dans le comté de Maskinongé ; qu'elle aille seule même si sa perte m'a été immense et que j'ai tout fait par amour pour la retrouver ; qu'elle aille, elle et sa tuberculose, maladie des Sénégalais en France, minée par les contraintes et la contention, restée captive même si aux belles années de ses cheveux dorés elle a fait de son mieux et lutté pour sa libération ! Je suivrai désormais le corbillard de mon père qui est parti de rien et s'est voulu au-dessus de tout [...] ne m'ayant laissé en héritage qu'un peu d'argent et mille ruses pour rester à la hauteur de son orgueil...[52]

Rejetant le monde de la mère (après l'avoir beaucoup aimée et après avoir tenté de la libérer) pour celui du père, Ferron assume une origine qui n'a plus rien de mythique, qui renvoie à sa responsabilité de sujet devant l'histoire et la communauté. Revenu de la honte, Ferron n'a plus d'autre foyer que la souveraineté de son dire.

---

52. *Idem.*

Bibliographie sélective

FERRON, Jacques, *Du fond de mon arrière-cuisine*, Montréal, Éditions du Jour, 1973, 292 p.

—, *Les Confitures de coings*, suivi de *L'Appendice aux Confitures de coings ou le congédiement de Frank Archibald Campbell*, Montréal, l'Hexagone, coll. « Typo », 1990, 208 p.

—, *Contes*, Montréal, Hurtubise HMH, coll. « Bibliothèque québécoise », 1993, 304 p.

GARAND, Dominique, *La Griffe du polémique. Le conflit entre les régionalistes et les exotiques*, Montréal, l'Hexagone, coll. « Essais littéraires », 1989, 244 p.

GROULX, Lionel, *L'Appel de la race*, Montréal, Fides, coll. « Nénuphar », 1956, 252 p.

HAREL, Simon, *Le Voleur de parcours. Identité et cosmopolitisme dans la littérature québécoise contemporaine*, Montréal, Le Préambule, coll. « L'Univers des discours », 1989, 320 p.

LÉTOURNEAU, Jocelyn, *Passer à l'avenir. Histoire, mémoire, identité dans le Québec d'aujourd'hui*, Montréal, Boréal, 2000, 198 p.

NANCY, Jean-Luc, *La Communauté désœuvrée*, Paris, Christian Bourgois, 1990, 284 p.

POTVIN, Damase, *Restons chez-nous !*, Montréal, Granger, 1945, 221 p.

SIROIS, Antoine, *Mythes et symboles dans la littérature québécoise*, Montréal, Triptyque, 1992, 154 p.

Chapitre 2

The Appeal of the Race

Quand l'antagonisme se fait vérité de l'être

Certains livres semblent définitivement perdus au regard des intérêts qu'entend défendre la critique littéraire lorsqu'elle se veut « porteuse de renouveau ». Un roman tel que L'Appel de la race *de Lionel Groulx peut encore, à la limite, susciter une glose de caractère socio-historique ou idéologique, mais qui oserait s'aventurer à le rendre « actuel » ? Il m'a semblé pourtant que l'on pouvait entraîner ce texte du côté d'interrogations dont les enjeux sont extrêmement présents. Des enjeux qui concernent le Québec, cela va de soi, mais également l'humanité dans la mesure où se posent à elle des questions aussi cruciales que la transmission, l'origine, l'instauration du symbolique à travers la langue et la culture, et aussi des questions relatives à la justice, aux modalités d’un dire et d’un agir qui prétendent suppléer aux défaillances et aux oublis de la loi.*

Premier constat : ce roman transmet un legs qu’il importe de soumettre à la critique. Le titre de l’étude suggère, par son ironie, comment, dans le système polémique qu’instaure L’Appel de la race, *le désir du sujet trouve parfois sa vérité impensée traduite improprement dans la langue de l’antagoniste. L’épigraphe, autre adaptation mimétique d’un air connu mettant en vedette un militaire anglais, suggère que pour qui part en guerre, l’épreuve ultime consiste à assurer son retour. Enfin, de manière à écarter de trop faciles critiques idéologiques de* L’Appel de la race, *cette étude propose que soit adoptée la méthode de Jacques Ferron, qui consiste à reprendre les signifiants de Groulx pour les déplacer sous l’impulsion d’un autre sujet d’écriture.*

Un certain militantisme intellectuel parcourt l’analyse de ce roman selon moi mal lu et mal jugé. J’entends mettre en relief la passion récitative qui traverse l’énonciation du récit, passion dont le cœur serait le désir du Nom propre et d’une Loi qui l’instituerait. À ce désir, L’Appel de la race *réserve certes une satisfaction mythique, sacrificielle et narcissique. Encore convient-il d’accueillir le désir si l’on refuse le texte qui le met en jeu. Voilà le geste éthique que je propose.*

L. Groulx s'en va-t-en guerre,
Ne sait quand reviendra...

POUR JETER UN REGARD NEUF SUR *L'Appel de la race*, écartons d'emblée deux types d'attitudes qui, à l'égard de Groulx, ont fait leur temps et ne servent plus qu'à engendrer de la méconnaissance : l'admiration filiale défensive et le rejet hostile catégorique. Ces deux attitudes ont en commun de s'arrêter à la dimension idéologique ou pédagogique de l'œuvre, lui déniant (à la suite de Groulx, du reste) son caractère littéraire. Il faut déplacer résolument la question : *L'Appel de la race* n'est pas un texte à défendre ou à rejeter mais, vu son caractère significatif dans l'histoire du Québec, à *prendre en charge dans ses signifiants*. Ce travail, d'ailleurs, a déjà été accompli par au moins un écrivain : Jacques Ferron. C'est du moins l'idée que j'ai défendue dans le chapitre précédent. Mais si je me suis longuement penché sur *Les Confitures de coings*, j'ai été plus expéditif en ce qui concerne *L'Appel de la race*. Je propose donc qu'on en fasse le tour de manière plus systématique. Quant à l'espèce de filiation subversive qui s'établit entre Ferron et son prédécesseur, une petite idée nous en est donnée dans *L'Appendice aux « Confitures de coings »* où Ferron raconte avec humour un incident qui, dès l'enfance, détermina sa « vocation » d'écrivain :

> Un jour, j'eus bien le malheur de copier un passage de l'abbé Groulx et me trouvai affligé du don d'écrire. Il fallut donc écrire et je le fais encore, quitte à me venger de ce pauvre abbé qui n'y était pour rien, l'épouillant pour crier à la puce et m'érigeant contre lui par un système seul connu de moi[1].

Le roman de Groulx offre une cristallisation pour ainsi dire *exemplaire* de désirs et passions qui traversent la collectivité québécoise : chaque Québécois francophone a, un jour ou l'autre dans sa vie, « recopié » du Groulx, repris à son compte ses configurations. La décision, par un écrivain comme Ferron, de prendre en charge ce discours commencé avant lui pour en déplacer les signifiants, est l'unique moyen accordé à une subjectivité d'historiciser un langage qui le mystifie et, l'historicisant, de le subvertir.

On aura compris que je n'entends pas statuer sur la qualité littéraire du roman de Groulx, ce qui ne m'empêchera pas d'en analyser la facture narrative et énonciative. Cette œuvre attire mon attention parce qu'elle a été depuis sa parution un texte controversé, modèle pour les uns, scandale pour les autres, réactions qui, comme on le sait, ont débordé largement la sphère littéraire. Ce fait procure justement une occasion de se pencher sur le mode de transmission d'un roman qui dénie ouvertement sa littérarité (« Je n'ai jamais fait de roman », écrivait Groulx en guise de préface à la première édition) pour prétendre exercer une influence sur la réalité, choix dont il faudra évaluer les conséquences. Voilà ce qui fait de *L'Appel de la race* un livre à relire : il offre un exemple particulièrement révélateur

1. Jacques Ferron, *Les Confitures de coings*, Montréal, l'Hexagone, coll. « Typo », 1990, p. 175.

de ce que j'appelerais un « complexe généalogique » récurrent dans l'histoire du roman québécois. Et, dans l'orbe de ce complexe, il est l'un des rares à s'être proposé comme récit de fondation. En élucider la forme, c'est donc passer à la critique d'un héritage, d'une parole, d'une douleur qui continuent de travailler les sujets de parole québécois.

L'étude qui suit s'appuie sur la narratologie ainsi que sur la sémiotique actantielle et la sémantique du discours pour aller au delà, vers l'analyse de ce que l'on pourrait appeler la *signature* du roman, sa voix, son énonciation, la forme de son désir. Le tout sera articulé à l'aide de deux concepts complémentaires : le polémique et l'agonique. Le polémique permet de définir la structure sémiotique du roman, sa dominante antagoniste, typique d'ailleurs de la tradition du roman à thèse dans laquelle il s'inscrit. Le polémique, en effet, agit comme un principe dynamique structurant dans ce récit qui oppose antagoniquement un sujet et un antisujet. La situation présentée est celle d'un conflit entre Canadiens et *Canadians* autour du problème de la langue enseignée dans les écoles d'Ontario, conflit historique doublé d'une « guerre de religions » (catholiques contre protestants) et qui entraîne sur le plan privé la séparation du héros et de son épouse. Cette « structure polémique de confrontation » est ponctuée dans le récit par plusieurs micro-séquences (ou scènes) polémiques : joutes verbales entre le héros et ses rivaux. La narration elle-même, surtout à la faveur de descriptions de personnages, se montre tendancieuse, discrédite ou magnifie, dénonce ou fait l'apologie dans le but d'interpeller le lecteur en vue d'une adhésion ou d'une conversion de sa part aux thèses soutenues par le roman.

La dimension polémique du roman s'est aussi propagée dans la réception critique qu'il a reçue : ces querelles littéraires, théologiques, politiques et idéologiques poursuivent en quelques sorte l'écriture du texte. Il en va de même des différentes rééditions du roman, au fil desquelles on peut parcourir son destin institutionnel et qui pourvoient, à l'aide de l'apparat du livre et de l'appareil critique d'accompagnement, à l'insertion du texte au sein des contextes ultérieurs à celui de sa création. À témoin, cette longue préface de Bruno Lafleur dans l'édition de 1956[2] qui, par divers procédés, tente d'accréditer le roman aux yeux d'une génération de jeunes susceptibles de le rejeter du revers de la main.

Une fois cette structure exposée, je montrerai comment elle se fonde sur un système sémantique dominant à l'époque, celui du discours régionaliste. C'est à partir de là que se donneront à lire, non seulement la thèse du roman, ses idées et ses prises de position, mais aussi son *affect*, son désir, ses fantasmes, son angoisse, toutes choses qui me conduiront à sa dimension agonique sous-jacente. Ce concept sert à désigner la posture adoptée par un sujet d'écriture dans son combat contre l'angoisse, l'adversité et la mort. Le sujet groulxien se situe devant l'agonie d'un monde, la fin d'un ordre dont le déclin le met en question. Il se perçoit dénaturé et victime d'un tort, mais aucun appareil juridique n'est officiellement mandaté qui pourrait les défendre, lui et son désir. Le processus fictionnel répond à ce manque : la fiction devient un relais du Droit, elle est le Droit « poursuivi par d'autres moyens ».

---

2. Bruno Lafleur, « Introduction », dans *L'Appel de la race*, Montréal et Paris, Fides, coll. « Nénuphar », 1956, p. 9-93. À moins d'indication contraire, les pages notées après les citations renvoient à cette édition.

L'agonique est donc agonie, angoisse et combat, mais elle est aussi *jeu*, aspect que libère l'entreprise fictionnelle. Car tout aussi rigide, monologique et autoritaire qu'il soit, *L'Appel de la race* demeure un *roman*. Or, lorsque le polémique adopte la forme d'une fiction, il faut prêter l'oreille doublement. Un sujet particulier s'y manifeste, qui cherche à se définir et à se dire à l'aide de représentations, autant, sinon plus, qu'à l'aide d'idées ou d'opinions argumentées. Une écriture entre en jeu et avec elle un inconscient, une zone trouble de sensations liées à une mobilité et une équivocité des signifiants, plus grandes dans la fiction que dans le discours argumentatif. Dans un roman à thèse comme *L'Appel de la race*, une bonne part est faite aux apartés discursifs, à l'énoncé de principes idéologiques, mais cette tendance, quoique marquée, ne fait pas pour autant du roman un essai : *L'Appel de la race* se sert également de l'*exemplum* et de la *mimesis* pour élaborer un univers de fiction qui conduit en certains passages l'écriture au lyrisme et permet, à supposer que le but de ce roman soit de convaincre d'une thèse, d'illustrer des opinions à l'aide d'une *mise en scène*. Même dans un roman aussi idéologique que *L'Appel de la race*, l'exposé doctrinal est débordé par la mise en jeu d'une jouissance qui, sans l'artifice de la fiction, ne pourrait s'élaborer. Chez d'autres écrivains – prenons Céline pour exemple – l'affect vient s'inscrire directement comme pulsion dans l'écriture, le rythme, la syntaxe. L'écriture policée de Groulx permet peu ce type d'inscription ; le « plaisir du texte », chez lui, ne peut qu'être porté au niveau du représenté, par la figuration d'un moi idéal (le héros), dans l'évocation « poétique » de paysages, voire dans le portrait sarcastique des « figures ennemies » (l'univers de la fiction permet le portrait-charge qui synthétise l'objet de haine sans porter atteinte à quiconque dans la réalité). Mais un aspect de l'écriture de Groulx vient faire trou dans la fiction pour ouvrir à l'inconscient du texte : c'est le Nom et, dans son sillon, toute la question généalogique.

Économie narrative d'un roman à thèse

C'est en septembre 1922 que paraît pour la première fois *L'Appel de la race*, sous le pseudonyme d'Alonié de Lestres. L'ouvrage connaît un vif retentissement : on le réédite la même année, puis une troisième fois en 1923, en déclarant en page de couverture que le cap des 10 000 exemplaires est atteint. Ensuite, le rythme des ventes ralentira : réédition par Granger en 1943 et enfin, au seuil du quinzième mille, en 1956, entrée dans le panthéon littéraire par le portique de la collection du Nénuphar, administrée par Fides. Cette fois, Lionel Groulx retire les masques et signe de son nom (il s'agissait en fait, dès la première heure, d'un secret de polichinelle). Le Nénuphar réédite le roman en 1962, en 1970 et en 1976. En 1980, le texte fait son entrée dans l'univers du poche quand Fides l'intègre à sa collection « Bibliothèque québécoise ».

L'histoire des éditions successives de *L'Appel de la race* est significative à plus d'un égard, autant pour le destin réservé à ce livre que pour les transformations de l'architexte institutionnel qui, on ne saurait trop insister, détermine la lecture du texte[3]. Ainsi, de 1922 à 1970,

---

3. Pour tout ce qui concerne la politique éditoriale et le paratexte des différentes éditions de *L'Appel de la race*, je renvoie à mon texte : « La politique éditoriale comme contrat de lecture », publié dans *Préfaces et manifestes littéraires* (Actes du

on assiste à une nette dénégation du texte comme roman à thèse militant, déclin qui s'accompagne de son insertion, difficile mais accomplie, dans le « Trésor » de la littérature québécoise. Institutionnalisation donc, et domination de plus en plus totale de ce qui était refoulé, en partie, dans les premières éditions : la clôture du texte comme « littéraire », qui plus est, un littéraire désormais jugé révolu, d'intérêt strictement documentaire. Par contre, l'édition de 1980 réaffirme la pertinence politique du roman en rapport avec les récents événements nationaux (élection du Parti québécois, référendum, déclaration de l'anticonstitutionnalité du Règlement XVII – qui est l'événement traumatique du roman, etc.). On peut lire sur la quatrième de couverture cet extrait de l'introduction signée Gilles Dorion :

> Le pèlerinage aux sources accompli par Jules de Lantagnac, qui désire se retremper dans le monde francophone, ressemble, à s'y méprendre, à ce retour au patrimoine entrepris depuis quelques années, qui traduit une volonté commune et réfléchie de réaffirmer son appartenance à un monde distinct et de retrouver ses valeurs fondamentales.

Lionel Groulx n'a jamais caché qu'il voulait faire servir *L'Appel de la race* à la propagande de l'Action française. Contrairement à ses modèles littéraires, Bazin, Bourget, Barrès et Bordeaux, qui refusaient pour

---

colloque organisé par l'IRLC de l'Université de l'Alberta, du 12 au 14 novembre 1987), Université de l'Alberta, 1990. Pour un survol des commentaires critiques suscités par le roman, consulter aussi l'introduction de Lafleur, *op. cit.*, intéressante malgré son évidente partialité et sa soumission au système polémique engendré par le roman.

leurs œuvres l'étiquette de « roman à thèse », Groulx n'a jamais prétendu « faire de la littérature ». Disons plutôt, pour être plus nuancé, que pour Groulx la « vraie » littérature, la seule littérature valable, était celle qui transmettait une doctrine (en autant que ce soit la bonne). La forme était pour lui un moyen de rendre agréable, et aussi plus efficace, la transmission du message. « Avoir des Lettres » pour s'adresser à la population, lui envoyer des messages !

Il y a dans le roman à thèse, selon Susan S. Suleiman[4], une tension entre le projet réaliste et le didactisme visé, entre le texte de la représentation et le texte de la prescription. Cette tension fut sentie par le critique Olivar Asselin, qui a reproché à Groulx d'avoir négligé la « véritable tragédie », le drame conjugal vécu par Lantagnac et Maud, au profit d'un exposé sur le conflit scolaire en Ontario. En effet, une étude psychologique des réactions de Maud et de Jules eût compromis la thèse ; analyser dans le détail les sentiments de Maud, lui donner son droit de parole aurait pu la rendre trop sympathique au lecteur. Trop de subtilité nuit à l'univocité, trop de nuance dilue le message. L'auteur ne présente jamais Maud de l'intérieur, il la juge du point de vue de Lantagnac et du père Fabien (pour qui Maud n'est guère plus qu'un obstacle légal à l'action de Jules). Cela dit, un tel choix narratif est déterminé par le discours qui soutient le roman, non par l'effet d'une impuissance littéraire à rendre plausibles psychologiquement les actions des personnages. Leurs gestes sont au contraire parfaitement motivés, mais selon une logique qui ne tient pas du psychologisme.

---

4. Susan R. Suleiman, *Le Roman à thèse ou l'autorité fictive*, Paris, PUF, coll. « Écriture », 1983, 320 p.

Contrairement au roman d'apprentissage, dans le roman à thèse, comme le fait remarquer Suleiman, la quête du héros n'est pas soi, mais un Soi collectif (ici, la « race[5] »). Rappelons le résumé du livre dans l'édition princeps : « Ce n'est plus un individu, une famille qu'on voit lutter, souffrir. C'est presque un peuple et cela agrandit singulièrement l'émotion[6]. » Rappelons aussi ce passage du roman : « Nous ne valons ici-bas qu'en fonction d'une tradition et d'une continuité » (p. 108). Le héros n'a donc rien de problématique ; de plus, il n'a aucune épaisseur psychologique. Il n'y a pas de demi-teintes dans *L'Appel de la race* : le héros doit remplir son devoir, suivre la vérité, ou bien le fuir et participer à l'erreur[7]. Les « tourments » de Lantagnac, son indéci-

5. Pour une discussion au sujet de ce que ce terme pouvait représenter dans le lexique de Groulx, voir Gérard Bouchard, *Les Deux Chanoines. Contradiction et ambivalence dans la pensée de Lionel Groulx*, Montréal, Boréal, 2003, p. 133-148.
6. Alonié de Lestres, *L'Appel de la race*, Montréal, Bibliothèque de l'Action française, 1922, p. 184.
7. La même conception du partage entre le Bien et le Mal se retrouve dans ce précurseur de *L'Appel de la race* que représente à bien des niveaux le *Pour la patrie* de Jules-Paul Tardivel (1995) : « Le prédicateur, selon l'habitude des fils de saint Ignace, parle des deux étendards, l'étendard de Jésus-Christ et l'étendard de Satan, sous l'un desquels tout homme doit nécessairement se ranger. Impossible de rester neutre entre les deux armées, simple spectateur du combat ; il faut être d'un côté ou de l'autre ; ou marcher vers le ciel sous le drapeau de Jésus-Christ, ou vers l'enfer sous le drapeau de Lucifer. Il n'y a que deux cités, la cité du bien et la cité du mal. La première renferme tous ceux qui ont la grâce sanctifiante ; la seconde, tous ceux qui n'on pas cette grâce. Il n'y a pas d'état intermédiaire. Il faut être ou l'ami ou l'ennemi de Dieu. » (J.-P. Tardivel, *Pour la patrie*, Montréal, Hurtubise HMH, coll. « Bibliothèque québécoise », 1989,

sion, ne touchent jamais son identité ; son identité au contraire est très claire : en s'identifiant au projet collectif, il a trouvé qui il était. Ses tourments sont plutôt d'ordre cognitif : que dois-je faire pour rester conforme à mon identité, qu'est-ce que la logique de mon discours me dicte comme action ? La suite n'est plus qu'une question de courage.

Suleiman note que le risque des « héros collectifs » est de se transformer en « allégories » : trop emblématiques, ils perdent leur identité, deviennent simplistes et peu crédibles. Le héros créé par Groulx échappe à ce travers pour deux raisons. D'abord, inspiré de personnes « réelles » (et certaines de ses caractéristiques sont même attribuables à Groulx), il est passible d'imitation, même s'il présente, du point de vue moral, un type idéal. Ensuite, et c'est là la raison principale, si Lantagnac est « idéal », la situation qu'il vit ne l'est pas du tout, elle est même dramatique. Lantagnac n'est vainqueur que du point de vue de la conscience morale ; la victoire « matérielle » de sa cause, elle, est loin d'être attestée. Un héros allégorique aurait réduit l'ennemi à néant, tandis qu'ici l'ennemi ne voit pas sa force entamée. On peut observer cette caractéristique dans un autre roman « régionaliste », *Les Engagés du Grand Portage* de Léo-Paul Desrosiers[8]. Le héros, Turenne, est confronté au antihéros, Montour, qui, avec ses manigances, pervertit complètement leur métier, le commerce des fourrures. Le roman retrace comment un

---

p. 185.) La théorie du « coin de fer » exposée au début de *L'Appel de la race* correspond, sous une forme plus psychologique et moins eschatologique, à la théorie de la grâce que défend le père jésuite de Tardivel.

8. Léo-Paul Desrosiers, *Les Engagés du Grand Portage*, Fides, coll. « Nénuphar », 1946.

système de valeurs basé sur le profit et favorisé par le mensonge, en déloge un autre basé sur l'amour de la nature et la confiance entre les hommes. Le « bon » est bien sûr Turenne et le « méchant » Montour, mais c'est ce dernier qui finit par avoir le dessus car Turenne, dégoûté de ces rapports de force, se retire de la partie pour aller vivre sur une ferme une vie plus paisible. Dans *Les Engagés* comme dans *L'Appel*, on le voit, un certain réalisme est respecté (ce n'est pas le cas dans *Pour la patrie*, qui se conclut sur la réalisation d'une utopie) : si les personnages sont idéalisés, la réalité demeure, elle, tragique. Leur victoire est strictement morale. On remarque par ailleurs que les deux romans posent une antinomie entre l'authenticité et la réussite sociale.

Si l'on se tourne maintenant du côté du paratexte et de la *disposition* du texte, qu'observe-t-on ? La page de couverture de l'édition de 1922 était riche en informations. On pouvait y lire une citation, reprise dans le corps du texte. Attribuée à Edmond de Nevers, cette citation inscrit à elle seule une deixis temporelle (l'après-Conquête), une catégorie actantielle (les « descendants des vaincus ») qui indique en même temps le tort à réparer et un programme modalisé par un « devoir-être-un »: «Chacun des descendants des 65 000 vaincus de 1760 doit compter comme un ». La couverture est aussi ornée d'un médaillon représentant Dollard des Ormeaux, accompagné d'une devise qui annonce l'aspect combatif et volontaire du roman : « Jusqu'au bout ». Jusqu'au bout de quoi, c'est ce que le roman devrait enseigner, mais le profil de Dollard est orienté vers la gauche, ce qui suggère un regard tourné vers le passé, vers l'arrière. La première édition était aussi accompagnée d'une dédicace :

À mon père et à ma mère,
à toute la lignée des bons laboureurs,
mes ancêtres qui, par leur
simple et grande vie,
m'ont appris de quoi est faite
la noblesse de notre race.

Au paradigme actantiel (race-lignée-ancêtres-laboureurs-père-mère) répond un paradigme axiologique (bonté-simplicité-grandeur-noblesse, cette dernière valeur formant la synthèse des précédentes).

L'armature du roman s'est transformée entre la quatrième et la cinquième édition. Dans l'édition princeps, le récit est divisé en neuf chapitres de longueur variable (entre 17 et 42 pages). Les chapitres sont ornés de titres qui traduisent tous un certain mouvement, une action : « Le coin s'introduit », «Vers la conquête », «Échec et tristesse », «Le choc sauveur », «L'émancipation d'une âme », «Préparatifs de bataille », «À la recherche du devoir », «Dans la grande arène » et « Le coin tombe ». Dans l'édition de 1943, les titres disparaissent et à partir de 1956, Groulx scinde son cinquième chapitre en deux, ce qui porte le nombre de divisions à dix. Conventionnellement, nous pouvons diviser le roman en deux parties de cinq chapitres, en faisant de la rupture établie par Groulx le centre du roman. Cette division est justifiée par la chronologie du récit : la première partie s'étendrait du 30 juin 1915 au Noël de la même année, la seconde du premier janvier au 2 ou 3 juin 1916. De plus, l'ouverture du sixième chapitre sous-entend clairement qu'une rupture vient d'être consommée par le héros : « Ces ruptures avec de vieilles amitiés apportaient à Jules de Lantagnac quelques souffrances » (p. 166). Les deux parties obéissent à peu près au même schéma progressif : (con)quête --> échec --> salut. Le parcours de la première partie touche principalement la *conversion* (transformation des valeurs) et celui de la seconde partie est concentré sur *l'action* (mise en pratique des nouvelles valeurs). En d'autres termes, une série d'épreuves suit l'acquisition du savoir par le héros.

La *vitesse* de la narration est très variable : certaines périodes de la chronologie établie plus haut couvrent de nombreuses pages tandis que d'autres moments sont entièrement éludés. Ainsi, le 30 juin et le 1er juillet 1915 couvrent à eux seuls 28 pages, alors que les jours entre le 15 juillet et début septembre sont complètement éludés. De même, certains chapitres (le premier et le troisième) ne relatent qu'une seule scène tandis que d'autres sont beaucoup plus mouvementés (une dizaine de scènes pour le chapitre six). En fait, les temps forts sont au nombre de trois. Outre celui que je viens de mentionner, qui couvre le 30 juin et le 1er juillet, sont particulièrement détaillés un certain jour de fin novembre et son lendemain (24 pages), ainsi que la période qui s'étend du 10 mai (17 h) jusqu'au petit matin du 12 mai 1916 (45 pages). Ces passages correspondent aux trois principaux nœuds de l'intrigue, aux trois épreuves antagoniques que traverse le héros.

Le premier nœud tourne autour de la conversion de Jules, ex-anglomane qui réentend en lui « l'appel de sa race », la « voix des ancêtres ». Ainsi, dès l'ouverture du récit une faute est présupposée et le héros reçoit en programme de la réparer. À l'instar de tous les récits traditionnels, c'est un retour à l'ordre originel qui est visé : le « coin de fer » qui se glisse dans l'âme du héros doit faire son œuvre « jusqu'au bout », jusqu'à ce que la dette aux ancêtres soit payée. Au début du roman, Lantagnac est converti : le premier chapitre est l'expression d'une euphorie qui n'attend, pour être complète, que la conversion de la famille du héros. Tel est le mandat que lui confie le père Fabien : devenir un chef, pour la nation canadienne-française, mais en premier lieu dans sa famille. Faire valoir ses droits de « père ». Des obstacles se dressent contre lui : sa femme Maud s'oppose à la francisation du foyer, deux de ses enfants, William et Nellie, la goûtent peu, un troisième, Wolfred, est indécis. Seule la cadette, Virginia, adhère pleinement à ce programme. Jules constate les dégâts causés par son ancienne ferveur anglomane ; c'est le début de son expiation.

Le deuxième nœud tourne autour de l'engagement politique de Jules. Alors qu'il doute des effets de son prosélytisme, un « choc » vient le secouer : la démission du sénateur Landry, dictée par un mouvement de protestation contre l'injustice faite aux francophones ontariens. Encore une fois, Lantagnac s'en va consulter son confesseur et directeur de conscience ; ce dernier et Landry espèrent voir Jules se présenter comme député dans le comté ontarien de Russel, majoritairement francophone. Lantagnac n'est pas encore décidé, quand une provocation de son beau-frère, Duffin, l'incite à se lancer dans la course.

Enfin, l'intrigue décisive concerne la prise de parole de Lantagnac à la Chambre, le 11 mai. Ici, les valeurs du héros doivent être accompagnées, non plus seulement d'un engagement individuel ou symbolique, mais d'un geste social concret, d'une prise de position publique, bref, d'une confrontation avec les opposants. Si le premier nœud confrontait Lantagnac à son propre passé d'anglomane et le deuxième à l'opinion publique anglo-saxonne, le ressort dramatique du troisième nœud est dominé par les conséquences de la prise de parole dans la vie privée du héros : le geste conduit en effet au départ et à l'hostilité de Maud.

La structure antagonique du roman

Comme on peut le remarquer, l'action du sujet est modalisée par un devoir-faire qui entraîne un vouloir-faire. L'action de l'antisujet est plutôt modalisée par un vouloir contraire, favorisé par un pouvoir plus grand. Deux parcours narratifs s'affrontent donc : celui de la fidélité, de l'authenticité et de l'identité, contre celui de la trahison, du mensonge et de l'aliénation. William Duffin apparaît comme l'antipode de Lantagnac, celui en qui se concentrent les qualités du parcours négatif. Duffin est un peu le « double », l'envers de Lantagnac : il est son beau-frère et il est comme lui avocat ; fils d'un immigrant irlandais, il est né au Québec, à Saint-Michel de Bellechasse (alors que Lantagnac est né à Saint-Michel de Vaudreuil) ; ils ont à peu près le même âge. Duffin est en tout point semblable au Lantagnac d'avant la conversion. Voici comment le narrateur nous le décrit :

> Le malheureux Irlandais souffrait au plus haut point du *slave mind* [de « l'état d'âme du vaincu », dit la première édition] qui l'avait jeté, dès les premiers contacts, dans le servage de l'Anglo-saxon, le dominateur séculaire de sa race. Autant Lantagnac avait éprouvé parfois de la sympathie pour son beau-frère, dans le temps où lui-même communiait à la mystique anglo-saxonne ; autant, depuis la chute de son illusion, prenait-il en pitié le pauvre assimilé (p. 140).

Le modèle antagonique du récit se trouve cristallisé en une série de *joutes verbales*, entre Lantagnac et Duffin, Maud ou Davis Fletcher (père de Maud), le sommet de ces joutes étant le chapitre intitulé justement « Dans la grande arène », qui transcrit l'intervention de Lantagnac à la Chambre. Dans ce roman, tout se joue sur le plan du discours, c'est oralement que l'on guerroie : il s'agit, bien avant de vaincre, de convaincre, d'affirmer et de faire accepter un ordre symbolique autre que celui qui domine. Il est très significatif à cet égard que le plus fort point de tension de l'intrigue tourne autour de la *prise de parole* de Lantagnac au Parlement. Et son action semble complète du seul fait qu'il ait parlé. La fonction narrative de ces dialogues est simple : ils servent à rendre la vérité défendue par le roman encore plus forte en la confrontant dialectiquement avec tout ce qui peut la contredire. Que le lecteur, en refermant le livre, n'ait plus l'ombre d'un doute sur sa validité, qu'il soit totalement gagné. Comme l'écrivit un lecteur de la première heure (cité dans les « Jugements critiques » de l'édition de 1980) : « *L'Appel de la race* [...] fournira au lecteur attentif de solides arguments ». Les joutes verbales sont toujours remportées par Lantagnac (sauf lorsqu'il discute avec le père Fabien, mais alors le schéma n'est plus celui de la confrontation et de l'épreuve, plutôt celui de la maïeutique). Lantagnac est toujours maître de lui, tandis que Duffin et Fletcher se laissent emporter par la violence. Duffin et Maud sont présentés comme des tacticiens calculateurs, au contraire de Lantagnac qui obéit à la raison et à la vérité, sans qu'intervienne aucune considération égoïste.

La répartition des « bons » et des « méchants » est facilement repérable dans cette structure, d'autant plus que le roman ne fait pas intervenir de figure complexe, à la fois bonne et mauvaise. Maud aurait pu devenir une figure du genre : le lecteur n'est pas amené à la haïr car le narrateur la traite avec un certain respect, mais il ne la disculpe pas pour autant. La théorie du « volontaire indirect » fait d'elle, en effet, la seule vraie coupable du divorce conjugal, puisque c'est elle qui prend la décision de partir. Lantagnac savait qu'il en irait ainsi s'il s'engageait dans la défense de la minorité francophone, mais selon la théorie, il n'a fait que son devoir, c'est l'intolérance de Maud qui a fait le reste. Maud est en définitive présentée comme victime de son milieu : toutes ses décisions lui sont en effet dictées par son père, Davis Fletcher, qui réveille en elle « l'instinct de race ». Jamais, du côté anglophone, cet instinct n'est présenté comme positif. Plusieurs critiques ont fait la remarque qu'en toute logique, si Lantagnac pouvait se réclamer de l'appel de sa race, Maud pouvait en faire de même. Mais Groulx lui-même est d'accord et c'est ce qui le pousse à honnir le « mariage mixte », ce type d'union devant aboutir inévitablement à une assimilation d'un des conjoints ou à une rupture. Par ailleurs, à plusieurs endroits, le narrateur semble supposer une supériorité de la race française sur l'anglaise. Les descriptions qu'il donne du caractère des deux races sont assez révélatrices, elles laissent entendre que la notion même de « race » recoupe des champs différents d'un côté et de l'autre – question de généalogie ! Les Anglais, tels que présentés par Groulx, n'ont pas le culte des morts ; matérialistes et conquérants, ils se sont emparés d'un pays déjà apprivoisé, ils n'ont pas de racines sur ce sol, leurs racines sont en Grande-Bretagne, etc. Mais le roman n'est pas toujours univoque à ce sujet, et dans un dialogue avec sa femme, Lantagnac dit qu'il ne veut pas affirmer la supériorité du français sur l'anglais, mais seulement rester fidèle à sa race : « Que me parlez-vous de race supérieure ou de race inférieure ? Je crois encore à la supériorité de la vôtre ; en plus, je crois aussi à la supériorité de la mienne ; mais je les crois différentes, voilà tout » (p. 154). Passage significatif qui montre que, chez Groulx, le conflit de races peut être envisagé comme une compétition (*a race*), ce qui nous rapproche d'une des définitions primitives de l'*agôn*[9].

Suleiman parle pour le roman à thèse de *redondance* et de *narration tendancieuse*. Le passage sur Duffin cité plus haut donne un exemple d'une description fortement axiologisée. La présence du narrateur est marquée de la sorte tout le long du récit. Il y a redondance quand la théorie raciale, par exemple, est à la fois présentée par le narrateur et par un ou plusieurs des personnages positifs. Les exemples sont si abondants qu'il est impensable de les citer tous. Je me contenterai de reproduire un passage où Lantagnac étudie le caractère de ses enfants (eux aussi répartis en une logique oppositionnelle). Avant sa conversion, Lantagnac n'avait jamais vu de différence fondamentale entre ses enfants.

> Et maintenant, voici qu'il découvrait chez deux surtout de ses élèves, il ne savait trop quelle imprécision maladive, quel désordre de la pensée, quelle incohérence de la personnalité intellectuelle : une sorte d'impuissance à suivre jusqu'au bout un raisonnement droit, à concentrer des impressions diverses, des idées légèrement complexes autour d'un point central. Il y

---

9. Le *Dictionnaire grec-français* d'A. Bailly (Paris, Hachette, 1950, p. 21) recense les acceptions suivantes parmi les nombreuses du mot : « assemblée, réunion », « assemblée pour des jeux publics », « arène », « les jeux eux-mêmes, jeux, concours, lutte », « jeux gymniques », « concours de musique ou de poésie », « action militaire, combat, bataille », « lutte judiciaire, procès », « débat, question, intérêt en jeu », « lutte pour la vie », « danger, péril », « crainte, anxiété ».

> avait en eux comme deux âmes, deux esprits en lutte et qui dominaient tour à tour. Fait étrange, ce dualisme mental se manifestait surtout en William et en Nellie, les deux en qui s'affichait dominant le type bien caractérisé de la race des Fletcher. Tandis que Wolfred et Virginia accusaient presque exclusivement des traits de race française : les traits fins et bronzés des Lantagnac, l'équilibre de la conformation physique, en revanche l'aînée des filles et le cadet des fils, tous deux de chevelure et de teint blonds, plutôt élancés, quelque peu filiformes, reproduisaient une ressemblance frappante avec leur mère. (p. 129-130)

Ce passage, très riche, ne fait pas que distribuer des rôles actantiels, il le fait selon une « logique » qui mérite d'être analysée (sans parler du « fait étrange », pivot énonciatif du passage, qui est un délice de mauvaise foi). Il donne un excellent exemple de fusion entre la voix du narrateur et la pensée du héros. Qu'est-ce qui est si négatif pour Lantagnac ? Qu'est-ce qui le rebute chez William et Nellie ? La structure sémiotique du récit (comme du reste son énonciation) est elle-même *informée* par un système sémantique que j'appellerai le « discours » du roman.

Système sémantique de *L'Appel de la race*

L'intérêt d'un système sémantique est qu'il privilégie, aux choix idéologiques ou esthétiques d'un discours, les *opérations* qui les ont engendrés. L'articulation d'un discours est ainsi ramenée à des catégories à la fois simples et complexes. Simples parce que, synthétisant le discours en une série de sèmes fondamentaux, elles permettent d'échapper aux confusions du thématisme ;

complexes parce qu'elles reconduisent le discours à son fondement métaphysique et théologique. Ce que j'appelle le « discours » de *L'Appel de la race* correspond en tout point au modèle que j'ai proposé ailleurs pour rendre compte du discours régionaliste. Le fait que le roman de Groulx ne soit pas un roman du terroir me permet en effet de relancer une proposition soutenue dans *La Griffe du polémique* soutenant que le discours régionaliste ne peut être identifié uniquement à ses contenus privilégiés, à ses thèmes, à ses opinions, etc.[10] Le modèle sémantique ainsi construit circonscrit *in nucleo* non seulement une pensée, une vision du monde, un style ou un système axiologique venant départager dans la réalité les facteurs euphoriques et dysphoriques, mais aussi une série de représentations qui touchent le comportement des individus, leur attitude physique, leur environnement, en un mot, leurs pratiques.

Un tel modèle, il faut le souligner, est *abstrait*. Les sèmes du tableau sont applicables aux objets privilégiés par le discours : la race, la littérature, le Canadien français, la structure sociale, la relation à l'autorité, etc. Le pôle positif indique les conditions idéales auxquelles devrait répondre l'objet, le pôle négatif ce qui lui est interdit. En d'autres termes, ce modèle ne dit pas explicitement que le mariage mixte est une mauvaise chose ; par contre, il explique à l'aide de quelle logique un discours plongé dans une situation de contact entre franco-catholiques et anglo-protestants a pu porter pareil jugement. Or, ce discours ne conçoit aucun passage entre l'identié et l'altérité. La cohabitation de deux éléments de nature

10. Dominique Garand, *La Griffe du polémique. Le conflit entre les régionalistes et les exotiques*, Montréal, l'Hexagone, 1989, 244 p.

Axes sémantiques primitifs	Fonction de REPRODUCTION R+	Fonction d'ENTROPIE R-
Relation	Identité/Altérité Assimilation-rejet	Aliénation Contamination
Nombre	Unanimité Homogénéité Ordre	Division Hétérogénéité Désordre
Spatialité	Proximité Direction Détermination	Distance Errance Indétermination
Temporalité	Conservation Continuité Prévision	Dégradation Rupture Imprévision

différente produit au sein de l'identité une « altération », et au sein du sujet une « aliénation ». L'organisme, conçu comme Un, ne peut qu'assimiler ou rejeter ; s'il n'arrive pas à le faire, il s'ensuit une contamination. Dans ce discours, une telle logique est appliquée à n'importe quel objet. Aussi, les précautions de Gilles Dorion pour contextualiser *L'Appel de la race* me semblent au contraire « déshistoriciser » le texte, surtout lorsqu'il soutient que la confusion entre la race française et le catholicisme n'existe plus au sein du nationalisme après 1960[11]. Cette

11. Gilles Dorion, « Présentation », dans *L'Appel de la race*, Montréal, Fides, coll. « Bibliothèque québécoise », 1980, p. 9. Le texte de Groulx dit ceci : « Mes études de ces derniers temps m'ont démontré par-dessus tout les affinités profondes de la race française et du catholicisme » (p. 109).

« confusion » répond chez Groulx à l'exigence d'« homogénéité » qui traverse tout le discours régionaliste, exigence qui est si forte qu'elle fait perdre à l'historien Groulx, pourtant rigoureux, tout sens de l'histoire et l'entraîne du côté d'une explication mythique.

Prenons, dans le traitement du « nombre », l'exigence d'« unanimité » et d'« homogénéité ». Elle se vérifie dans la volonté de Lantagnac de convertir toute sa famille à la tradition française : ce qu'il juge vrai doit l'être nécessairement pour tous ses proches, puisque la vérité est *une* et ne peut tenir plusieurs langages. Le roman, dans son écriture même, comme roman à thèse, veut faire l'« unanimité », convertir et convaincre. Il suffit de voir avec quelle âpreté les régionalistes (dont Groulx) l'ont défendu contre ses détracteurs. À ce sujet, il est intéressant de signaler que les deux principaux adversaires du roman, lors de sa parution, ont attiré sur eux de nombreuses injures conditionnées par les sèmes négatifs d'« aliénation », d'« hétérogénéité » et de « contamination ». À René de Roure, on a reproché d'être étranger (Français de France) et, trahison impardonnable, d'avoir abandonné un poste de professeur à l'Université de Montréal pour en accepter un autre à McGill, chez les Anglais ! À Louvigny de Montigny, on a reproché son mariage avec une Anglaise, Juive de surcroît, et son exil à Ottawa. Cette position aurait pu conférer à de Montigny l'autorité qu'il fallait pour parler du problème ontarien et de la réalité d'un mariage mixte ; pour les régionalistes, elle le discréditait au contraire complètement.

La fonction de Reproduction détermine vraiment toute l'écriture du roman, fondée sur une esthétique de la représentation. Le contrat de lecture qu'il cherche à passer repose sur l'*imitation*. Dans le roman, il est même dit que Lantagnac agit pour donner l'exemple aux chefs francophones ; lui-même suit l'exemple de Landry. Virginia se sacrifie comme son père ; Wolfred change de nom comme son père et s'unit à la même cause. Le phénomène précédemment relevé de la « redondance » généralise dans la narration la fonction de Reproduction. Il serait long de passer chaque sème en revue pour donner des exemples. Enumérons-en tout de même quelques-uns. La « conformité » est visible dans l'obéissance de Lantagnac à la règle qu'il a choisie et que lui rappelle le père Fabien. Le roman aussi est pensé pour rester cohérent et conforme à la doctrine régionaliste (il assume du moins les prises de position dictées dans les publicités qui clôturent l'édition originale). La « prévision » signale le caractère programmatique du régionalisme, axé temporellement sur la « conservation » et la « continuité ». Les choix de Lantagnac sont prévisibles : il n'obéit pas à une impulsion mais à un programme préétabli. Il est tout à fait juste de dire qu'il « obéit », car tout chef qu'il est, il demeure soumis à un autre chef qui lui-même est soumis à un plus grand, dans une hiérarchisation qui aboutit à Dieu. Pour Lantagnac, la route à suivre est claire, le père Fabien la lui dicte : « Nous ne vous demandons qu'une chose : accomplir votre devoir. Mettre d'accord avec vos convictions récentes, votre conduite » (p. 137). Lantagnac doit rassembler, synthétiser les valeurs de ses ancêtres et prolonger leur action. Il est une fonction de la lignée, un maillon de la généalogie : il est *déterminé* dans tous les sens du terme. Quand Jules bénit Virginia, il est écrit : « Il les sentit [ses mains] lourdes de tout le sacerdoce des patriarches, ses pères » (p. 172).

Le roman fait parler des personnages, il les fait aussi agir. Le lecteur est informé de « pratiques discursives » signifiantes. Les œuvres d'art, par exemple, jouent un rôle dans la vie des protagonistes. Le narrateur décrit également les voix, les façons de se tenir, les manières d'aménager un décor, etc. Voyons ce qu'il dit du goût de décoratrice de Maud, tel que jugé par son mari :

> Depuis que tout le ramenait vers l'ordonnance française, il regardait, avec un déplaisir croissant, l'entassement de ces meubles et de ces bibelots dépareillés où des consoles, des fauteuils de vieux style s'appariaient plutôt péniblement à des poufs, à des bergères modernes et d'un goût fort douteux. (p. 141)

Lantagnac n'acceptera pas plus longtemps que sa maison pèche par autant d'« hétérogénéité ».

Le sème d'« identité », opposé à l'« aliénation », n'a plus besoin, il me semble, de démonstration. J'ajouterai, pour confirmer : « Chaque jour, il le confessait au Père Fabien, il sentait plus vivement en soi le recul d'un étranger, d'un intrus qu'il lui tardait d'expulser complètement » (p. 166). Mais le passage où l'« identité » est exprimée le plus explicitement est celui où le père Fabien présente la théorie du « coin de fer »:

> Je me dis que la personnalité psychologique, morale, la vraie, *ne saurait être composite*, faite de morceaux disparates. Sa nature, sa loi, c'est l'unité. Des couches hétérogènes peuvent s'y opposer, s'y adapter pour un temps. Un principe intérieur, une force incoercible pousse l'être humain *à devenir uniquement soi-même*, comme une même loi incline l'érable à n'être que l'érable, l'aigle à n'être que l'aigle. (p. 110; je souligne)[12]

---

12. On observera au passage le sophisme : en toute logique, si l'érable ne peut être qu'érable et l'aigle ne peut être qu'aigle, l'être humain ne peut être qu'être humain, ce qui n'équivaut

Le père Fabien est *directeur* de conscience. La transmission ne peut s'opérer de manière optimale entre deux interlocuteurs que grâce à l'identité de leurs origines : « Père, vous êtes un fils de la terre comme moi », dit Lantagnac à Fabien. Plus l'autre est semblable, plus il est possible de s'y fier. La relation à l'autre se pense uniquement sur le mode spéculaire : « On a beau dire : la disparité de race entre époux limite l'intimité. Si l'on veut que les âmes se mêlent, se reflètent vraiment l'une l'autre, il faut que d'abord existent entre elles des affinités spirituelles parfaites, des façons identiques, connaturelles de penser et de sentir » (p. 128). Dans cette optique, l'autre devient nécessairement, ou bien un adjuvant, ou bien un opposant : comme moi ou pas comme moi, telle est la question. En cas de réponse négative, la cohabitation est jugée impossible. Ainsi, l'autre différent est immédiatement perçu comme un ferment de l'Autre, une Menace. Il peut être respecté, mais en autant qu'il se tienne à « distance respectueuse » justement, en autant que soit évité tout contact avec lui.

Il est tout de même remarquable qu'en aucun moment la possibilité de fusion ou d'échange ne soit envisagée. Elle reste au contraire un interdit majeur et presque chaque page du roman rappelle avec insistance l'impossible fusion de deux entités différenciées. Telle serait selon moi la violence symbolique opérée par le discours, là où l'observation de la réalité s'accompagne

---

pas à *devenir soi-même*. Même si l'humain était entièrement déterminé quant à son comportement (ce qui n'est pas le cas), ce « soi-même » ne saurait être assimilé aux traits culturels, purement accidentels au regard de l'être, qui identifient un individu à sa collectivité.

d'un délire et d'une discrimination. Le discours rejette d'emblée, par exemple, que les enfants puissent bénéficier de l'apport égal de deux cultures. Aucun de ces enfants n'est un composé à la fois de la mère et du père : deux d'entre eux ressemblent au père, par leur esprit et par leur corps, et les deux autres ressemblent à leur mère. Lorsque Lantagnac constate chez ces deux derniers les traces d'un « mélange », c'est pour en déplorer la confusion et l'impureté. En fait, Lantagnac a désavoué et renié Nellie et William bien avant que ceux-ci ne décident de suivre leur mère.

La violence d'un discours n'est pas lisible uniquement dans son énonciation *humorale*. Dans *L'Appel de la race*, certaines affirmations ou prises de position idéologiques et épistémologiques renferment implicitement une violence symbolique qui déterminera la structure antagonique du récit. Même lorsqu'il s'agit de décrire le « bien », le discours est renvoyé à son opposé : « On ne fait point de grande œuvre d'art avec des phrases ou des fragments désarticulés ; on ne fait point une grande race avec des familles qui ne se soudent point » (p. 108). Ces paroles, on le voit, répondent parfaitement au sème d'« homogénéité ». Ce sont des paroles sans violence apparente mais qui provoquent tout de même des effets violents de discrimination, de rejet, d'interdiction. Elles constituent la base d'un système qui distingue le permis de l'interdit, le valable du proscrit.

La situation agonique

J'ai exposé synthétiquement la structure du roman et le système sémantique qui en détermine l'élaboration. J'étendrai maintenant cette analyse à des éléments qui échappent au contrôle de la structure proprement dite, mais qui offrent quand même de très sûrs ancrages à l'interpellation. Ces éléments nous conduiront à la *passion du récit*, à sa *liturgie* récitative, élaborée autour d'un trou que la narration cherche à combler mais qui n'en demeure pas moins lisible ça et là. Il s'agira d'exposer ce qui pourrait être appelé le *point de cécité* du roman. Il faudra, pour être plus précis, prendre *L'Appel de la race* au pied de la lettre et le poser devant ses propres ambitions : va-t-il vraiment « jusqu'au bout » comme il se le propose ? Démontre-t-il quelque souveraineté ? Quel type de victoire lui aménage son agonistique ? Et enfin : quel est son legs, au-delà du document historique qu'il restera toujours ?

L'Appel de la race fait état d'une situation agonique : un nouvel ordre tente d'imposer sa loi, tout un univers de représentations et de valeurs est menacé de mort, les règles du jeu sont bouleversées. La politique est pourrie, le droit n'est pas respecté, les autorités manipulent les individus. Voilà quelques éléments du scandale relevé par le roman. Pour le héros également, la situation initiale est agonique. C'est un Lantagnac en état de crise qui nous est d'abord présenté, quelqu'un qui connaît le « démantèlement de son être moral » et qui déclare : « Un être demi-mort se remue en moi et demande à vivre » (p. 101). Mais cette situation n'est pas jugée fatale, elle entraîne au contraire aussitôt une réaction, une conversion : le roman s'écrira sous le signe de la *résolution*, ferme propos qui constitue la solution du problème posé. La situation agonique, quant à elle, demeure celle de « l'entre-deux », de l'indécision, mais la narration ne visitera pas ce champ, elle maintiendra une dichotomie sans tierce position : d'un côté, la mort (l'aliénation, le reniement) et de l'autre, la vie (l'identité, la fidélité à soi). Sous ce traitement, « l'entre-deux » a donc plutôt pour fonction de créer du suspense et de donner au récit une teinte psycho-dramatique.

Il y a une philosophie du combat dans *L'Appel de la race*, et même un léger mépris pour le « pacifisme », ce « goût morbide du repos » (p. 98), qui est, selon Groulx et dans le contexte qu'il présente, le vernis idéologique d'une soumission à l'exploiteur. À l'avant-dernier chapitre, intitulé originellement « Dans la grande arène », le narrateur présente la Chambre comme un « champ de bataille ». Plus tôt, il est écrit de Lantagnac : « Orateur de tempérament, l'approche d'un grand débat, dût-il n'y pas figurer, lui donnait la fièvre oratoire, comme la vue de l'arène fait frissonner le lutteur » (p. 228). Le livre professe un haut respect du combat agonique, réglé par le droit, exempt de haine raciale, comme l'atteste la méditation au pied du monument Baldwin-LaFontaine[13]. Toutefois, dans les faits, le lecteur n'a pas droit à un véritable *agôn* de tradition grecque : il n'entend véritablement qu'une seule des parties en présence et l'être moral de l'adversaire est sans cesse dévalué, couvert de termes dépréciateurs. Ainsi des orangistes, « impuissant[s] à vivre d'autre chose que de haine antifrançaise et anticatholique » (p. 204),

13. «L'artiste, comme l'on sait, a représenté les jumeaux de l'émancipation canadienne, au moment solennel où tous deux, chefs de leur nationalité et de leur province, discutèrent l'alliance de 1840. Baldwin lit un parchemin, la tête un peu penchée, la main gauche appuyée à sa redingote, à la hauteur de la poitrine. C'est l'homme qui soumet loyalement les articles d'un contrat. [...] Ici ni vainqueur, ni vaincu, ni race supérieure ni race inférieure. C'est l'égal qui traite avec un égal». (p. 220)

«grogneurs par conviction et par métier, faces glabres et sèches» (p. 231).

Autre passage qui mérite qu'on s'y arrête pour ce qu'il nous donne à comprendre de la polémicité narrative du roman : la confrontation Duffin-Lantagnac qui éclate lors d'un repas chez ce dernier (p. 141-147). Je laisse de côté le contenu du dialogue, bien qu'il soit très intéressant et donne un aperçu des arguments tenus par chaque parti. J'insiste plutôt sur la façon dont le dialogue est ponctué par le narrateur, qui détermine autoritairement l'interprétation du lecteur. Cette technique romanesque, vue par plusieurs comme la plaie du roman à thèse, va de pair avec une autre stratégie prisée par Groulx, la « description tendancieuse », qui s'apparente parfois à l'injure puisqu'elle fait l'économie d'un procès en confondant le jugement et la qualification. Le dialogue rapporté par le narrateur traduit au moins la sensibilité de Groulx à l'aspect déontologique de toute polémique. Ainsi, la logique argumentative est constamment perturbée par les mouvements d'humeur des protagonistes, au point de faire déraper l'échange hors des limites du débat d'idées et de le conduire en un secteur beaucoup plus trouble, celui des « motivations secrètes »: «Quelle matière inflammable avait donc échauffé l'âme de l'Irlandais ? Comment expliquer cette saillie impétueuse de la part d'un homme qui d'habitude se possédait si merveilleusement, qui avait plutôt la souplesse du félin ?» (p. 148). Par contre, Lantagnac conserve, lui, la « parfaite possession de soi-même, qui faisait le plus absolu contraste avec l'emportement de son beau-frère» (p. 143). Tout au long du débat, il est dit de Duffin qu'il raille, qu'il s'enflamme, qu'il ne répond pas directement aux questions : « À bout de répliques, l'Irlandais ne trouvait plus qu'à railler ou à gambader. Mais l'illusion de Lantagnac fut de courte durée. Tout à coup, il vit la figure de Duffin s'empourprer ; ses yeux s'enflammèrent ; sa voix, voix sourde que l'accent d'une haine à peine cachée rendait tragique, proféra lentement cette menace » (p. 146).

Au fond, ce style pourrait aussi bien être celui d'un chroniqueur impartial. Dans l'économie du récit, il est certain que cette scène dévalorise Duffin au profit de Lantagnac, mais on ne saurait juger déloyale l'exposition d'une violence subie. Les arguments ne suffisent pas, il faut aussi *montrer* comment cette injustice s'incarne en une façon d'être, de parler, en des manières qui révèlent le fond de bassesse. Et il est demandé au lecteur de reconnaître là quelque chose qu'il a déjà éprouvé lui-même, sinon de *croire* en la correspondance qui existerait entre ces attitudes répréhensibles et un discours qui les autorise. En réalité, l'une des questions du roman est celle-ci : pourquoi les Anglo-Saxons refusent-ils leur droit d'exister aux Canadiens français (que Duffin surnomme dans sa colère les *Frenchies*) ? C'est l'une des astuces du récit que de ranger son héros du côté de la légitimité morale, de la victime bafouée par une race oppressive. L'on peut imaginer qu'un roman kurde dirigé contre les oppresseurs turcs, iraniens ou irakiens mettrait à profit les mêmes ressources romanesques[14]. Telle est la stratégie de tout roman qui revendique les droits d'un *groupe*, qui combat au nom d'un groupe, d'une classe ou d'une nation une quelconque injustice sociale. De là à savoir si l'exposé de la situation est fait avec justesse et objectivité, c'est une

14. Je dis bien : « l'on peut imaginer ». Je n'ai jamais vérifié la chose et je prends cet exemple un peu au hasard, dans un esprit purement hypothétique.

autre question, question qui justement formera l'essentiel des débats alimentés ensuite par les lecteurs, interpellés par ce genre de récit pour remplir la fonction de tiers-juges. C'est aussi, il faut le souligner, un débat qui dépasse considérablement l'œuvre qui le suscite, celle-ci ne jouant qu'un rôle d'élément déclencheur, de symptôme d'un conflit qu'elle se montre impuissante à déplacer. Dernier aspect du problème, et certes pas le moindre, un roman comme *L'Appel de la race* convoque la représentation précisément en un lieu que ne couvre pas l'institution juridique ou politique, qui est le lieu du désir. Le roman cherche à montrer des phénomènes impossibles à dire dans le langage de la démonstration purement rationnelle. Le roman invite ses lecteurs à partager un modèle de raison que la plus stricte argumentation est impuissante à légitimer et qui se trouve, de ce fait, constamment bafoué.

La question de la légitimité est aussi posée dans la scène du discours de Lantagnac à la Chambre. Ce passage est en tout point écrit dans le style journalistique de l'époque (on se targuait moins d'« objectivité » dans les années vingt et les journalistes se permettaient des envolées lyriques). L'événement puise d'ailleurs dans l'histoire parlementaire du Canada et certains noms, certains extraits du discours sont historiques. L'élément romanesque est constitué par le contrepoint avec le « drame privé » du héros, son dilemme que certains commentateurs du temps qualifièrent de « cornélien ». Ici, et plus encore que dans la séquence précédemment évoquée, la faction ennemie est couverte de termes dépréciateurs. J'ajouterais même qu'elle n'a pas droit à la parole, son intervention étant commentée brièvement par le narrateur :

> Du côté du ministère plusieurs parlèrent à leur tour, quelques-unes avec une mauvaise humeur à peine déguisée, quelques autres avec une colère trop visible, tous butés dans leur résolution d'ignorer les plaintes de la minorité, de les déclarer inopportunes, de laisser la force exercer ses rigueurs tyranniques contre la faiblesse du droit. (p. 233)

La revue des personnalités présentes à la Chambre offre un prisme des sympathies et des antipathies de Groulx, du négatif au positif. Il commence par décrire les orangistes, ou « jaunes », loyalistes fidèles à la couronne britannique, présentés dans le roman comme un groupe de « persécuteurs » (p. 204). Viennent ensuite les « profiteurs de la politique, les grands félins de l'intrigue et de la finance ». Enfin, la galerie positive : le chef de l'opposition (Laurier, « belle tête d'un modelé si pur »), Ernest Lapointe (« géant à la face intelligente et débonnaire »), Paul-Émile Lamarche (« rayonnant de jeunesse et de courage ») et enfin, Lantagnac.

Devant la faiblesse du droit, le roman propose une autre loi, fondée sur les valeurs de loyauté, d'honneur, de noblesse et de fidélité. La justice n'est pas une valeur de l'être, pour ce discours, mais une valeur secondaire, sociale, permettant aux races de cohabiter dans le respect et l'accomplissement de leur être propre. Elle constitue cependant la première valeur dont l'absence chez l'Ennemi sera dénoncée. L'objet principal du discours de Lantagnac est en effet l'injustice commise par les Anglo-Saxons et la rupture du pacte confédératif qui devait donner des droits égaux à chaque nation. La stratégie de Lantagnac est de rappeler à ses adversaires que les Canadiens français ne sont plus une force négligeable et qu'un abus d'injustice pourrait conduire à la rupture complète de l'alliance. L'inacceptable est de ne pas se sentir traité en sujet par l'autre. Le discours s'ouvre d'ailleurs sur une interpellation : « Quel but veulent donc atteindre les persécuteurs du français au Canada ? » (p. 234). Et, de fait, il s'agit véritablement d'un *plaidoyer*, autour d'une question de droit. Mais ce discours de défense reste tactique et circonstanciel, il ne traduit pas nécessairement la pensée du roman sur la question constitutionnelle. Personne n'a encore noté incidemment à quel point ce roman à thèse, allégé au maximum de toute ambiguïté, reste pourtant assez obscur et indéterminé au sujet de la légitimité du pacte confédératif. Cette question n'est pas vraiment symbolisée : au moment crucial, la tension du roman est transférée sur le drame intime de Lantagnac. Par contre, le roman pointe très bien du doigt le nœud du problème : la Référence. L'ordre social est troublé par le manque de consistance et de clarté de la Loi qui fonde la société canadienne, comme si le texte constitutionnel était complètement infondé. Si Lantagnac s'appuie sur la Référence pour défendre les droits des francophones catholiques, le narrateur, lui, pose dès le début du roman de sérieux doutes sur la validité de ce pacte. Le texte des Pères serait un cadeau empoisonné ! D'ailleurs, Lantagnac lui-même n'est pas loin de déclarer la Confédération une utopie irréalisable, pour des raisons géopolitiques. En d'autres passages, le tort est reporté sur ceux qui ne respectent pas la charte : « Ce pays se meurt parce que le droit y est mort » (p. 219). Ailleurs, le narrateur présente les représentants du ministère comme des êtres « butés dans leur résolution d'ignorer les plaintes de la minorité, de les déclarer inopportunes, de *laisser la force exercer ses rigueurs tyranniques contre la faiblesse du droit* » (p. 233 ; je souligne). N'y a-t-il pas là la perception d'une situation agonique ?

Mais le roman élude le problème et tente de sauvegarder le droit comme les Pères de la Confédération. Au lieu d'explorer par l'écriture le scandale qu'entraîne le mensonge de la loi, Groulx décide de réparer les bris, de construire un personnage idéal qui viendrait rendre sa grandeur à ce qui a été dénaturé. Ce faisant, il se condamne à une solution imaginaire et s'empêche de sonder véritablement le mal en question.

Le discours du roman oscille ainsi entre la soumission à une loi imparfaite mais réalisable, moyennant certains compromis et le respect de part et d'autre, et la fondation d'une *autre loi*, qui signifierait rupture avec le Canada anglais, indépendance politique des francophones. Par égard aux minorités francophones disséminées dans les provinces anglaises, le nationalisme de Groulx a toujours reculé devant cette alternative radicale. Sa lutte a donc porté sur le respect de la charte et l'espoir que l'idéal des Pères soit enfin réalisé. Dans une conversation de Lantagnac avec son beau-père qui parle de bonne entente et d'amitié entre les peuples, le héros de Groulx répond :

> Vous voulez mettre de l'amitié entre les races ? Si vous commenciez par y mettre de la justice. Entre vos compatriotes et les miens, M. Fletcher, subsiste, je le crains, une grande équivoque de fond. Les vôtres, en ce pays, rêvent d'un accord dans l'uniformité ; les miens veulent le maintien de la diversité. Voilà, si vous m'en croyez, la cause profonde de tous nos dissentiments, de tous nos malentendus, de toutes nos querelles. (p. 164)

Ce passage devrait nuancer les accusations portées contre *L'Appel de la race* d'être un roman qui encourage la guerre raciale. Ici, le combat est réponse à une spoliation. Il existe toutefois un « racisme » chez Groulx, un refus de l'autre, mais contrairement aux apparences, ce n'est pas au niveau politique qu'il se joue. J'y reviendrai.

Certains autres passages laissent entrevoir des aspirations moins pragmatiques, comme dans ces réflexions de Lantagnac après son allocution :

> Et puisque l'aube des espérances grandioses se levait, Lantagnac voyait poindre le jour, où pleinement émancipée, maîtresse d'un territoire qui aurait l'unité géographique, administrant elle-même ses forces morales et matérielles, sa race reprendrait, dans la pleine possession de ses destinées, le rêve ancien de la Nouvelle-France. (p. 240)

Cela prouve assez que pour Groulx, le pacte confédératif n'est qu'un compromis, conséquence de l'échec de 1760. Entre-temps, la guerre est inévitable. L'Histoire devient une parenthèse, un purgatoire entre une origine heureuse et son retour eschatologique.

À maintes reprises, une opposition est établie entre les valeurs spirituelles-chevaleresques et celles matérialistes-impérialistes. La « loi » du monde étant devenue celle du commerce, de la puissance économique et l'Anglo-Saxon étant le maître de cet ordre, le roman, par l'entremise de Lantagnac, lui oppose un autre système de valeurs : « La supériorité est d'une autre essence » (p. 115). « L'appel de la race » est la voix de cette Loi intérieure qui transcende les contingences et situe le héros dans sa dimension absolue. L'appel est ce qui pousse Lantagnac à la conversion, puis à sa prise de parole : « Quelle influence secrète, quel ressort puissant », «quel fluide mystérieux l'avait agité » ? C'est « l'appel des siens, des persécutés de sa race et de sa province », pulsion supra-individuelle attribuée par ailleurs à « l'Esprit » (p. 233-234). À la page 227, Lantagnac est presque assimilé à Dieu, puisque « toutes ces prières d'enfants montées en lignes si droites vers Dieu » ne produiront leur effet que si lui, Lantagnac, décide d'y répondre. « Dieu » joue ici le rôle de la figure parentale idéale, médiatisée en un premier temps par les « morts », puis par le père Fabien et Landry – « Le père Fabien et le sénateur seront contents de moi » (p. 148) –, enfin par Lantagnac après qu'il eut pris sa décision : Lantagnac devient le vrai Père (le « chef », dit-on également) celui que les Pères de la Confédération n'ont pas réussi à être.

Ainsi, la victoire de Lantagnac (« une victoire blessée », est-il spécifié) est avant tout morale ; le roman semble se soucier assez peu des répercussions de la prise de parole et met l'accent sur le geste lui-même. À la fin du roman, le père est ruiné, abandonné par sa femme, renié par deux de ses enfants, mais la conversion du fils aîné à la cause française apparaît alors comme le gage d'une victoire plus essentielle. La scansion du nom propre donne le ton à la jouissance du texte et garantit au sujet le maintien de son intégrité narcissique. La victoire est blessée, soit, mais le Père, lui, ne l'est pas puisque sa blessure est aussitôt transformée en supériorité morale. La cause de la déchéance est donc extérieure, elle est le fait de la méchanceté de l'Autre. Cette protection imaginaire du narcissisme paternel est monnaie courante dans la littérature québécoise, de même que le motif de la *victoire morale*. Loin de moi l'idée de revendiquer un texte où la victoire serait *effective* ; un tel choix aurait fait de *L'Appel de la race* un roman à thèse sur tous les points, et outrancièrement mensonger. La critique de ce motif, on la retrouve plutôt chez des écrivains comme Aquin ou

Ferron, qui l'ont transformé symboliquement en affrontant directement la question de la *honte du Père*, en rompant le contrat narcissique entre le roman et son lecteur[15] et en refusant toute solution imaginaire à un problème situé *hors* du roman. Le seul problème que puisse véritablement résoudre un roman est celui de son propre *raconter* ; la seule loi qu'il puisse subvertir est celle de sa forme. Or, voilà une entreprise que refuse catégoriquement Lionel Groulx et voilà où et comment son roman échoue.

Prenons par exemple la valeur de l'« honneur ». Devant un Duffin qui cherche à le pervertir, Lantagnac pointe du doigt la devise de ses ancêtres : « Plus d'honneur que d'honneurs » (p. 190). On observera que ce mot d'ordre, proposé comme une positivité, s'inscrit au contraire de manière encore une fois oppositionnelle, réactive. Rien de moins souverain que cette devise où la valeur privilégiée ne s'impose pas dans l'affirmation de son autorité, mais intervient comme la dénégation, teintée de ressentiment, d'une valeur qui domine la société. Nous sommes encore dans l'ordre de la victoire morale. La posture du héros reproduit le geste du roman lui-même qui, déniant sa qualité d'*acte d'écriture* pour viser un type d'efficacité extraromanesque, limite son aire d'influence au circonstantiel, à l'événementiel historique (pour cesser alors d'être *cornélien*) et se condamne paradoxalement à n'être *que littérature* : document laissé par une époque et qui, hors du contexte

---

15. Par « contrat narcissique », j'entends ce procédé implicite du roman qui consiste à demander au lecteur son adhésion ou son indulgence bénévole, en lui offrant en échange la possibilité de s'identifier positivement aux représentations mises en valeur par le texte.

qui l'a vu naître, devient difficilement défendable, d'où les constantes mises au point qu'occasionnent ses rééditions. Ce roman ne se défend pas tout seul : pour lui donner de la valeur, on doit sans cesse évoquer la menace contre laquelle il s'est érigé et le présenter comme une « tentative respectable » ou un « effort louable » pour la contrer.

La guerre des généalogies

Quant à l'Autorité structurante et informante, elle est ni conceptuelle ni sémique, elle n'est livrée dans le roman que de manière métonymique : c'est le Nom, le Nom-du-Père. L'Autorité est ce qui informe la quête du sujet et lui indique la marche à suivre pour l'obtention de l'objet. Mais l'Autorité nécessite aussi un Tiers pour se matérialiser. Le Tiers élu par le roman est d'abord la théologie, en tant qu'elle « fait autorité » du point de vue de la morale individuelle, ensuite le droit qui *devrait* faire autorité dans le social mais dont la validité comme Tiers est un peu ébranlée, par manque de consensus au sujet de valeurs comme la justice, la loyauté et l'honneur.

Le premier point d'ancrage de la passion du récit a donc trait au Nom. *L'Appel de la race* est une histoire de destin généalogique, un sursaut d'origine : qu'est-ce qu'entendre un « appel » sinon être interpellé dans et par son nom ? Histoire de nom et histoire de titre(s) : ainsi de la particule nobiliaire dont se dotent et l'auteur (Alonié *de* Lestres) et le héros (Jules *de* Lantagnac) ; ainsi du père Fabien, « Oblat de Marie ! », souligne le texte avec l'emphase de l'exclamation. La passion est perceptible dans « l'émotion sacrée » qui s'empare du narrateur et de ses personnages lorsqu'il est question de la filiation, de la fonction paternelle. La théorie raciale n'est que la réponse idéologique donnée par Groulx à la question du Nom, question fondamentale qui travaille toute écriture. L'Ennemi est cerné et critiqué dans les valeurs qui fondent sa généalogie : « Et quel beau jour, pour le père Davis, si, dans son vénérable fauteuil de comptable, venait s'asseoir, pour y perpétuer la dynastie familiale, quelqu'un de ses petits-fils ! » (p. 151). Valeurs méprisables, sans grandeur. *L'Appel de la race* pousse l'antagonisme jusque dans la filiation : la jouissance du sujet (d'écriture et de lecture) qu'il propose s'articule sur la certitude de participer d'une autre essence. Voilà pourquoi on est tenté d'associer la pensée de Groulx au nazisme. La question de la « supériorité de la race » n'est toutefois pas modalisée de la même manière chez Groulx, où elle acquiert un caractère nettement défensif, compensatoire et très peu phallique. Le sujet groulxien n'a pas l'ambition de conquérir ou de s'imposer aux autres ; il tire au contraire profit d'être un vaincu persuadé *entre soi et soi-même* d'être spirituellement supérieur : cela lui évite de faire l'épreuve du réel.

Qu'est-ce que signer de son propre nom ? Incidemment, la question chatouillait Groulx. Dans *L'Appel de la race*, un remarquable circuit onomastique s'élabore, signe d'une préoccupation constante au sujet de l'identité et de l'identification. Commençons par l'auteur. Lionel Groulx ne signait de son nom de baptême que ses ouvrages « sérieux » d'historien. En tant que critique littéraire, ses pseudonymes abondent ; en tant qu'auteur de fictions, il signe Alonié de Lestres. Le nom en lui-même n'est pas complètement arbitraire : on peut y lire un quasi-anagramme de Lionel. Mais plus encore, Alonié de Lestres est le nom d'un compagnon de Dollard des Ormeaux, dont le profil est reproduit en page de couverture de la première édition. Alonié de Lestres, aliéné des Lettres ou aliéné de l'être, condamné au paraître, au pseudo et à la figuration symbolique... Mais le nom même de Groulx est aussi présent dans le livre de l'édition princeps : les publicités en fin de volume nous informent que Lionel Groulx est le directeur de l'Action française (à la fois revue, mouvement et maison d'édition). Du mouvement, le récit fait par ailleurs mention : Wolfred dit à son père qu'il a participé à « un pèlerinage de *l'Action française* de Montréal au Long-Sault, au pays de Dollard » (p. 251). Remarquable redondance qui fait de l'éditeur de *L'Appel de la race* un adjuvant dans la conversion de Wolfred au français. L'écart entre réalité et fiction s'en trouve diminué : on fait comme s'il n'y avait pas de fiction, illusion référentielle accentuée par la présence, parmi les personnages du roman, de personnalités politiques encore en vie : Genest, le sénateur Landry (prénommé ici Joseph alors que son véritable prénom était Philippe), Ernest Lapointe, Paul-Émile Lamarche, etc.

Ainsi, Groulx multiplie les noms et les fonctions. Il est son éditeur, il est auteur, il va même jusqu'à se cacher sous le nom de Jacques Brassier pour prendre part au débat qui entoure son livre ! Il ne fait pas de doute que pour Groulx, l'usage du pseudonyme était un moyen d'échapper à la censure ecclésiastique : pour les autorités, un prêtre a mieux à faire que d'écrire un roman, même s'il s'agit d'un roman de propagande en tout point moral[16]. Mais voyons de plus près : l'aïeule de

16. Sur l'utilisation que fait Groulx des pseudonymes, voir l'ouvrage de Pierre Hébert, *Lionel Groulx* et *L'Appel de la race*, (avec la collaboration de Marie-Pier Luneau), Montréal, Fides, 1996, p. 81-104.

Lantagnac s'appelle « Mademoiselle de *Lino* », le père de Groulx, *Léon* et sa mère, Phi*lo*mène Pi*lon* ; la devise familiale de Lantagnac est surmontée d'un *lion* d'or... Or, pour les Canadiens français, la figure emblématique du lion n'évoque pas la Sérénissime, mais bien l'Empire Britannique ! Mais sans doute est-ce un lion « d'une autre essence » (normande ?) qui insiste dans l'onomastique groulxienne, aussi subtilement que l'Honneur s'oppose aux honneurs...

Le roman fourmille de noms de lieux, surtout au premier chapitre quand Lantagnac décrit au père Fabien son pèlerinage au pays des ancêtres. Il y a dans ce passage un véritable lyrisme de la nomination, une jouissance à évoquer les lieux et leurs appellations « pittoresques » : Grande-Point, Fer-à-Cheval, Petit-Rigolet, Île-à-Thomas, Ile-aux-Tourtres, Cascades de Quinchien, rang des Chenaux, etc., tout ce que Lantagnac appelle son « petit coin » (son « coin de fer » intime ?), sa « vraie petite patrie » (p. 104)[17]. Nommer est pour le discours régionaliste (celui qui a cautionné sans retenue le roman) une façon privilégiée de s'approprier le territoire géographique autant que linguistique. Un net sentiment de dépossession s'installe quand le nom passe dans la langue de l'étranger. Pensons à cette note infrapaginale de la page 114 où il est mentionné que le « Sandy Hill » dont il est question dans le texte est *encore* nommé « La Côte de Sable » par

17. Fait à noter, dans ce circuit onomastique, Groulx privilégie tous les noms de lieux qui ont échappé à la « sanctification » typique de la toponymie québécoise, à l'exception de Saint-Michel-de-Vaudreuil, lieu de naissance de Lantagnac (et de Groulx lui-même). C'est comme si les marques de francité le séduisaient plus que celles de la catholicité...

les Canadiens français : résistance de la langue à une assimilation définitive.

C'est avant tout par le jeu des citations que le roman bâtit son autorité. Dans *L'Appel de la race*, les noms et les titres agissent comme des symboles, ils endossent parfois même un rôle actantiel. *L'Appel* est un livre qui renvoie à d'autres livres, non seulement dans les pages publicitaires qui le clôturent, mais aussi à l'intérieur du récit. On apprend, entre autres, que Lantagnac néophyte a parcouru les œuvres de Frédéric Le Play, de la Tour du Pin, de Charles Périn, de Charles Gide, du Comte Albert de Mun, etc., qui ont tous en commun, mis à part Gide, d'être des fervents du « catholicisme social », doctrine qui s'est développée au dix-neuvième siècle. Les uns sont monarchistes, tous sont traditionalistes et la plupart œuvrent dans l'action sociale et les syndicats ouvriers catholiques. Lantagnac, qui est présenté comme un homme de grande culture générale, lit également des commentaires du R.P. Pègues sur saint Thomas d'Aquin et fait lire à ses enfants des bouquins de René Bazin, de Paul Bourget, d'Edmond de Nevers (« loué par Brunetière », est-il précisé pour donner de l'autorité à cet auteur canadien), de Racine, de Bossuet et de quelques autres. C'est toute une « bibliothèque idéale » qui nous est présentée – aussi idéales sans doute sont la Bibliothèque de l'Action française et la « Bibliothèque québécoise » qui publient le roman ! Parmi ces auteurs, certains ont le privilège d'être cités : Lamartine, Rivarol, Dante, René Johannet, Barrès, Thomas d'Aquin, Emerson et, en première place on l'a vu, Edmond de Nevers. La citation la plus longue et la plus doctrinale reste celle du docteur Gustave Le Bon (médecin et sociologue qui a développé une théorie sur la psychologie collective des races), citation consciencieusement accompagnée d'une référence complète, titre et page (p. 131). Cet ensemble de référence atteste que le sujet de *L'Appel de la race* ne prend jamais la parole de lui-même, qu'il doit avoir recours à des autorités reconnues pour arriver à s'énoncer.

La ferveur française s'alimente aussi de prières (p. 226) et de chansons : « À Saint-Malo beau port de mer », « En roulant ma boule », « Derrière chez nous y-a-t-un étang », « Perrette est bien malade », « Ô Canada, terre de nos aïeux » (on se rappellera que le premier geste antagonique de Maud à l'égard de Jules, à la suite de leur séparation, est d'encourager, dans une ligue de femmes, le remplacement du « Ô Canada » par le « God save the King »). Mais la « pensée française » s'alimente surtout de portraits, de tableaux ou de sculptures. À trois ou quatre reprises, le héros est réconforté ou mis sur la bonne voie par la contemplation d'images, que ce soit la *Victoire de Samothrace* (p. 237), *La Tricoteuse endormie* de Fanchère (celui-là même qui a illustré le premier texte littéraire de Groulx, *Les Rapaillages*), le monument Baldwin-LaFontaine sur la colline parlementaire, ou *Dollard sonnant la dernière charge* de Delfosse, tableau qui inspire à la fois Jules (p. 227) et son fils Wolfred (p. 251). La valeur symbolique des images est clairement signifiée dans le roman quand Lantagnac décide de substituer aux tableaux qui ornaient depuis toujours sa maison (portraits de Lord Monck, de Lord Durham, de George Washington, un « vague sujet de Reynolds »), des portraits de Papineau, de LaFontaine et de Jeanne d'Arc. Tous ces noms propres sont porteurs d'un programme narratif qui redouble celui du roman. Par exemple Jeanne d'Arc, pour qui par ailleurs les francophones ontariens ont composé une prière (autorisée par Pie X, souligne le narrateur), est le symbole de la résistance catholique et française à l'envahisseur protestant et anglais.

La plus éloquente figure, toutefois, n'est pas picturale, c'est la « pierre tombale », l'épitaphe. Les cimetières sont des messagers et c'est d'eux que surgit en premier lieu « l'appel ». C'est en parlant de son pèlerinage au cimetière de ses ancêtres que Lantagnac se montre le plus emphatique :

> Mon Père, je puis le dire, sur la tombe des miens s'est achevée l'évolution de ma pensée : dans le vieux cimetière, j'ai retrouvé toute mon âme de Français. [...] d'une tombe à l'autre, ces pensées m'assaillirent : nous ne valons ici-bas qu'en fonction d'une tradition et d'une continuité. [...] La voix de mes morts me l'a dit [...]. (p. 107-108)

Le roman en entier est lisible comme une conquête du nom propre, conçu non comme singularité irréductible du sujet mais fonction de la continuité, de la lignée. Jules est à la fois de souche noble et paysanne. Son aïeul Gaspard-Adhémar était chevalier de Saint-Louis, mais après la Conquête, la famille est entrée en roture. Mêlée à la foule paysanne, elle a vu son nom transformé en « Lamontagne ». Jules est celui qui vient réhabiliter le nom de Lantagnac, mais il doit en premier lieu s'affranchir des liens créés avec les milieux anglais et protestant. Lantagnac ne renie pas ses racines paysannes, il cherche plutôt à les ennoblir, comme le suggère la dédicace. Le livre s'ouvre sur la lecture par le père Fabien d'un billet, suivi de cette notation : « C'était signé : Jules de Lantagnac ». De même, les derniers mots du roman sont, de la bouche du fils Wolfred : « Pour vous et pour tous, je ne suis plus désormais qu'André de

Lantagnac » (p. 252). Pour saisir à quel point la voix du roman joue sur l'emphase du nom propre, il suffit de se demander quelle dimension aurait pris le héros de Groulx s'il s'était simplement appelé Lamontagne. Si Wolfred, à la fin, avait déclaré : « Père, désormais pour vous et pour tous je ne suis plus qu'André Lamontagne » ? C'est ici que l'on voit que l'emphase (imaginaire) portée sur le nom dans ce récit ne fait que camoufler une impuissance à nommer (symboliquement, dans la forme) le sujet canadien-français. C'est la noblesse rejouée comme fantasme (avec pour point d'ancrage originaire la France mythique), alors que ce statut est définitivement perdu du point de vue politique.

La nomination devient fétichisation, spectacle, désignation d'objets, de lieux qui seraient du domaine de la propriété. Pour la psychanalyse, le Père est un tiers irreprésentable ; il est l'instance dont la fonction est de couper le sujet des représentations, des idoles (toujours maternelles, identificatoires) afin de lui permettre l'accès au symbolique. C'est par cette déchirure que le sujet trouve son nom. Le processus de nomination est infini, toujours en cours, sans cesse relancé par l'instabilité de la figure. En un sens, une transmission s'opère dans *L'Appel de la race* du Père au Fils, par la parole, mais s'agit-il véritablement d'une ouverture au symbolique ? La satisfaction n'est-elle pas plutôt de type narcissique, le nom venant combler un vide au lieu d'ouvrir à la vérité de la déchirure ? En premier lieu, Lantagnac est-il un Père ? Il est un père maternisé, non le père symbolique (le rôle du père réel, meurtrier, étant tenu dans le roman par les Pères de la Confédération et par l'Anglais) : il fait bonne figure, mais uniquement aux yeux de ses pairs, sans ébranler l'Ennemi. Lantagnac est la figure idéale conçue par Groulx pour panser une blessure narcissique, celle d'être le fils d'un père vaincu et méprisé par l'Ennemi. Ce père est d'abord le fils de sa Mère (la Terre, la Nature, la Patrie, l'Église). À quoi le discerne-t-on ? À la mélancolie qui teinte la narration, à la nostalgie qui forme le fond de la quête du héros : nostalgie des origines, nostalgie de l'objet perdu et que le roman veut croire retrouvé (mais il ne peut que l'évoquer et le réciter, il ne réussit pas à le dire). Nostalgie de la Chose qui se résout dans l'adoption de la Cause. On le discerne également au fait que Lantagnac, loin d'être « castré », est « émasculé », et avec lui tous les « bons » que le roman désigne. Qui sont-ils en effet ? D'abord le père Fabien, homme sans sexualité. Ensuite Virginia, qui porte bien son nom et décide de se faire religieuse, de se sacrifier, *pour sauver ses parents*. Viennent les petits enfants qui prient Dieu (un Dieu domestiqué, au service du nationalisme). Enfin Wolfred qui, devenant André, rompt avec sa fiancée. Et que dit-il à son père ? «Ma fiancée ? Je n'ai plus que la vôtre…» (p. 252; il s'agit de la cause française). *L'Appel de la race*, récit antiœdipien ? Préœdipien plutôt, récit qui donne de l'idéal une représentation asexuée, non marquée par la séparation. Dans ce roman, le Fils ne doit pas avoir de désir qui ne soit déjà inscrit au programme ; c'est dire qu'il lui faut sacrifier sa subjectivité au profit du narcissisme d'un Père lui-même réduit à l'état d'image, de représentant. Et qui jouit de ces sacrifices ? Ce sont les *Morts* !

La seule fidélité admise est la fidélité aux morts. On a beaucoup glosé autour du « volontaire indirect », mais on n'a pas signalé que ce choix entraînait Lantagnac à renier la seule transgression, le seul choix libre de toute sa vie : son mariage avec Maud. C'est sur elle que, casuistiquement, la culpabilité est reportée : le narrateur justifie l'action du héros en accusant Maud, alors que l'action de Lantagnac est une infidélité, une rupture du contrat initial passé entre eux :

> – « Vous savez, mes parents sont morts pour moi, Maud ; vous êtes toute ma parenté et toute ma vie. » Elle lui avait répondu : – « Jules, ma conversion me sépare fatalement des miens. On la tolère, mais au fond on ne me la pardonne pas. Je n'ai plus que vous, mais pour moi vous serez tout. » (p. 197-198)

Jules trompe sa femme en lui préférant autre chose, une « autre fiancée ». Lantagnac expie en partie ce mal (tout en le projetant hors de lui), il paie, mais le sujet énonciateur du roman ne le suit pas sur cette voie de l'expiation, n'est pas solidaire de son personnage qu'il s'emploie au contraire à magnifier, dans la mesure où il l'a auparavant sacrifié. La voix de la race est cette « patrie qui se préfère à ses enfants », que dénoncera plus tard Ferron, ajoutant qu'une telle patrie « ne mérite pas qu'on l'aime »[18].

À bien y regarder, ce n'est que dans l'adversité que le discours du roman parvient à se structurer et à trouver cette « vigueur » dont il veut faire sa marque. Aussitôt qu'il est question de narrer sa jouissance, le symbole s'accroche au folklore et le narrateur ne trouve à évoquer que des formules toutes faites ou des plaisirs puérils. Les envolées lyriques ne peuvent d'ailleurs s'énoncer que précédées de leur contrepartie négative (cf. les récits de conversion de Lantagnac et de Wolfred). *L'Appel de la race* est un roman moins pragmatique qu'il ne paraît : il tire sa « jouissance énonciative » davantage de la

---

18. Jacques Ferron, *Contes* (édition intégrale), Montréal, Hurtubise HMH, coll. « L'Arbre », 1968, p. 98.

représentation du drame que de sa révolte contre l'injustice.

Dans ce roman, le Père est un Maître déguisé. Avec Maud, Jules instaure un rapport de pouvoir ambigu, qui frôle le sado-masochisme : « Homme de cœur, il comprit, à ce moment, comme il se mettrait à l'aimer et d'un amour plus fort si elle devenait vraiment malheureuse » (p. 148). La souffrance prend des accents de jouissance, elle est reconnaissance de la présence de la Loi. Dans la relation Fabien/Jules et Jules/Virginia-Wolfred, l'autorité du Père apporte ses vertus positives. La Loi rend possible une réciprocité confiante : c'est dans le langage de la Loi que les protagonistes se rejoignent, se comprennent. Le seul Maître à part entière est celui qui, par définition, par statut social, est privé de sexualité : le père Fabien, qui dit quoi faire à Jules, qui lui souffle la « vérité implacable » et en fait un célibataire à son image. Là où la castration symbolique (celle qui sépare de l'objet et permet donc de le parler et de se dire par rapport à lui) introduit à la réalité de la « faute » (ou, si l'on veut, de la finitude), l'émasculation opérée dans le roman se veut « gage de pureté ». Le récit est traversé par un fantasme de plénitude, d'éternité, de confiance totale, bienfaits que confère un mode de vie ritualisé et immuable où l'altérité et l'altération n'ont pas accès.

Le point de cécité du sujet de *L'Appel de la race*, on peut le lire dans son indéfectible besoin, pour être et pour se dire, de l'Ennemi, qui fait office de mauvais père, ce qui autorise le sujet à se retrancher sous l'image idéalisée d'un père mort ou émasculé. On l'a vu, la loi sociale, plus précisément le droit, échoue à jouer le rôle de Tiers dans le conflit qui est exposé. Reste la Raison. Mais celle-ci chez Groulx est aussitôt devancée par le mythe, qui finalement emporte tout. Du point de vue de l'agonistique, donc, le legs de Groulx est irrecevable, quelle que soit la cause que l'on ait à défendre. J'en ai discuté ici les fondements et les modalités parce que, malheureusement, cette manière de lutter a fait école au Québec et continue de plonger maintes consciences dans un éternel cul-de-sac argumentatif. À la fin, l'« appel de la race » se traduit caricaturalement par un irrésistible « *appeal of the race* », sauf que dans cette compétition, l'émule du sujet groulxien semble obstinément vouloir se retrouver à la place de la victime vaincue, spoliée et bien à plaindre.

Bruno Lafleur défendait la structure de *L'Appel de la race* en soutenant qu'elle pourrait tout aussi bien servir une autre idéologie, même progressiste. Et Lafleur d'inventer pour les jeunes socialistes de son époque l'histoire, sur le même modèle, d'un ouvrier marié à une bourgeoise et aux prises avec un problème de conscience qui le ramène à la vérité de sa classe[19]. Il me semble pourtant évident que cette flexibilité de la structure à l'égard de contenus différents, voire opposés, loin d'être une force, constitue la faiblesse principale du roman de Groulx et atteste que le sujet n'est pas arrivé à inscrire dans la forme sa propre singularité, ce qui assujettit son discours à l'histoire plutôt que de l'infléchir. Mais que le lecteur ne s'attriste pas trop. S'il juge que, malgré tout, Groulx avait quand même *un peu* raison et que sa lutte n'était pas entièrement vaine, qu'il aille lire *Les Confitures de coings* de Ferron. Il y retrouvera quelques figures connues : un héros aliéné, coupé de ses origines, l'Anglais-ennemi, le retour vers la petite patrie, etc. Mais il percevra aussitôt un déplacement dans le traitement du sujet, une agonistique qui

19. Bruno Lafleur, *op. cit.*, p. 33-34.

ne se laisse plus prendre aux filets du polémique, une origine qui n'a plus la dureté de la pierre tombale mais qui, ouverte au mystère, se perd derrière les méandres d'une rivière et confère la liberté d'entrevoir la « réalité dissimulée derrière la réalité ». Il y trouvera surtout une souveraineté *en acte* dans l'écriture, qui permet au sujet de s'historiciser en délaissant la solution facile du mythique. Voilà comment Groulx méritait d'être copié… et subverti !

Bibliographie sélective

BOUCHARD, Gérard, *Les Deux Chanoines. Contradiction et ambivalence dans la pensée de Lionel Groulx*, Montréal, Boréal, 2003, 320 p.

FERRON, Jacques, *Les Confitures de coings*, suivi de *L'Appendice aux Confitures de coings ou le congédiement de Frank Archibald Campbell*, Montréal, l'Hexagone, coll. « Typo », 1990, 208 p.

GROULX, Lionel, *L'Appel de la race*, Montréal, Fides, coll. « Nénuphar », 1956, 252 p.

GROULX, Lionel [Alonié de Lestres], *L'Appel de la race*, Montréal, Bibliothèque de l'Action française, 1922, 278 p.

HÉBERT, Pierre, *Lionel Groulx et* L'Appel de la race, Montréal, Fides, 1996, 210 p. (avec la collaboration de Marie-Pier Luneau).

SULEIMAN, Susan R., *Le Roman à thèse ou l'autorité fictive*, Paris, Presses universitaires de France, coll. « Écriture », 1983, 320 p.

Chapitre 3

Éléments de réflexion en vue d'une approche non hystérique de Lionel Groulx... et du nationalisme

*Je m'apprête à jeter à nouveau mon regard sur l'héritage intellectuel et symbolique de Lionel Groulx. N'ai-je donc rien de mieux à faire? Côté littérature et pensée, je suis un amateur de Gombrowicz, de Pasolini, de Sollers, de Bernhard, tous des iconoclastes à leur manière. En quoi peut-il m'interpeller, ce Groulx inventeur de titres ronflants dans leur programmatisme volontaire (*Pour bâtir, Directives, Orientations*), titres unanimistes (*Nos luttes constitutionnelles, Notre grande aventure*) ou porteurs d'une philosophie de l'Histoire et de la communauté aux accents déterministes et téléologiques (*Notre maître le passé, L'Appel de la race, La Naissance d'une race, Vers l'émancipation*)? Mais voici : il s'est formé un tel tapage autour de lui, les points de vue à son sujet sont tellement divergents et les enjeux soulevés me paraissent si importants que j'ai résolu d'y* *aller voir d'encore un peu plus près et par moi-même. Je dois dire également que les prises de position à son égard ont souvent eu l'heur de me déplaire ; j'ai voulu m'expliquer cet agacement et tenter à partir de là d'élaborer un autre langage sur la question.*

Si j'aspire à un autre langage, c'est que l'espace discursif québécois me paraît malade d'idéologie. Notre culture médiatique est tout engluée dans les jugements sommaires, les scandales construits de toutes pièces par des arrivistes, les mots d'ordre et les excommunications. On discute jusqu'à la nausée de ce qui est « correct » et de ce qui ne l'est pas, on voudrait tant se retrouver du bon côté de l'Histoire ! Autrefois, la morale catholique servait de censeur à de tels débats ; aujourd'hui, c'est une morale qui n'a pas de nom mais qui tente d'aménager le territoire du « Bien » quelque part à l'écart d'idéologies abominées comme le racisme, le sexisme, le fascisme, le totalitarisme, l'antisémitisme, l'homophobie, etc. Si vous n'êtes pas « ça », vous avez des chances d'être « correct ». Un tel énervement constitue le pire obstacle qui soit à la pensée. Dans la cohue qui entoure la question nationale, le nom de Groulx revient symptomatiquement comme un leitmotiv, on y projette des fantasmes en tous genres. Groulx n'est plus Groulx mais une monnaie d'échange dont on négocie le cours avec âpreté. Je propose qu'on rende à Groulx ce qui est à Groulx et qu'on cesse d'en faire le bouc émissaire de nos manques et de nos peurs.

SITUONS D'ABORD LES ENJEUX DE LA DISCUSSION. Le débat autour de Groulx est avant tout un débat sur les fondements et sur l'avenir du nationalisme québécois. Ce qui ne manque pas d'ironie, c'est que d'illustres promoteurs de l'indépendance se sont vus, du jour au lendemain, pointés du doigt comme des fils héritiers du chanoine alors que ce dernier n'était guère plus pour eux qu'un épouvantail oublié dans un champ en jachère. Certains présumés « Fils » ont réagi pour s'en démarquer et faire valoir le modernisme de leur attitude, étrangère à celle du soi-disant prédécesseur ; d'autres l'ont défendu sans bien le connaître parce qu'ils percevaient avant tout dans cette révision du « Père » incriminé une mise en accusation du nationalisme ; d'autres enfin, plus rares, sont allés le lire pour voir de quoi il s'agissait, même que certains y ont pris goût et ont découvert, grâce à ses détracteurs, un Groulx dont, jusqu'alors, ils n'avaient pas soupçonné les qualités : quelqu'un, certes, dont les idées ont beaucoup vieilli, mais qui mérite tout de même notre admiration, un intellectuel, pour tout dire, comme il s'en fait peu.

Qu'on me permette maintenant d'exposer brièvement ce que la figure de Groulx, d'emblée, a pu représenter dans ma propre famille. Je juge ce détour important dans notre contexte de discussion pour faire comprendre à ceux qui me liront depuis quel arrière-plan sociologique je prends position. Dans la mesure, d'ailleurs, où la présente réflexion s'articule sur des questions comme la mémoire, l'identité, l'origine ou la filiation (questions où s'entrecroisent à loisir les complexes individuels et collectifs), je considère tout à fait pertinent et même souhaitable qu'un intervenant expose d'où il vient. Voilà une façon d'éviter bien des malentendus. C'est aussi une manière de déborder les cadres du strict débat idéologique, ce lieu d'extrémismes et de mensonges, pour retourner à l'élément concret, humain, là où l'on peut questionner ses propres motivations et s'exposer à l'autre au lieu de simplement chercher à jouer au plus intelligent.

On a vu au chapitre précédent que j'ai développé déjà une grande familiarité avec au moins un texte de Groulx, son roman *L'Appel de la race*. J'ai donc eu l'occasion d'expliquer en quoi il m'apparaît important de le « revisiter ». J'ai alors suggéré, avec la complicité de Ferron, que presque tous les Québécois descendants de Canadiens français nés, disons, avant 1960, avaient eu un jour à « copier » du Groulx, qu'ils en soient conscients ou non. Quand je plonge dans ma propre mémoire, je vois en effet que si, jusqu'à mes années d'université, je n'avais pratiquement rien lu de lui, son esprit m'était tout de même assez familier, comme une voix lointaine, associée à celle de mes parents, qui se serait déversée en moi à mon corps défendant. Mon père pratiquait un catholicisme et préconisait un nationalisme tout à fait similaires à ceux de Groulx, ce que je n'ai su qu'*a posteriori*, en parcourant les livres du chanoine, car le nom de Groulx ne revenait pas souvent dans la conversation paternelle. Mais il avait eu l'occasion de l'entendre prêcher dans sa jeunesse et il avait fréquenté un collège classique (Grasset) où l'influence de l'idéologue, je présume, était sensible. Par exemple, mon père a toujours défendu avec conviction les thèses groulxiennes au sujet de Dollard des Ormeaux. Son nationalisme s'est aussi exprimé dans la Société Saint-Jean-Baptiste, dont il fut membre actif et président de section pendant de nombreuses années, et, de manière plus occulte et bien avant ma naissance, dans l'Ordre de Jacques-Cartier (la Patente), auquel il prit part également. Comme plusieurs personnes de sa génération, il faisait entrer le « Ô Canada » dans son sentiment patriotique. Je dois préciser que mon père est né en 1916 et que son entrée dans la vie adulte fut fortement marquée par les retombées de la crise de 1929. Il commença à s'intéresser à la chose politique dans les années trente, ces années où parurent les textes nationalistes à partir desquels les détracteurs de cette idéologie soutiennent qu'elle fut fondamentalement antisémite, voire fasciste. Dans cette dernière assertion, seul le « fondamentalement » me cause problème, mais on reviendra là-dessus un peu plus loin. La famille de ma mère était aussi nationaliste, mais d'une manière totalement différente. Alors que mon père était issu d'un milieu prolétaire montréalais, ma mère, elle, provenait d'une famille passablement illustre du Lac-Saint-Jean, famille issue d'un pionnier nommé François Tremblay qui était venu de Baie-Saint-Paul pour défricher les forêts du Nord et qui avait légué à sa descendance un esprit quasi seigneurial. Ils se plaisaient à appeler leur terre un « fief », vivaient dans une maison immense qui contenait une chapelle construite par le fils de François, Onésime, mon arrière-grand-père, homme de stature considérable qui avait participé dans l'Ouest à la construction de la ligne de chemin de fer avant de rentrer au Lac-Saint-Jean fonder sa famille sur la terre paternelle, la tête remplie des récits de Buffalo Bill. Il eut sept enfants : une fille qui se fit religieuse et six fils dont quatre devinrent prêtres, incluant deux missionnaires et un monseigneur. Ce dernier, Victor Tremblay, se fit connaître comme historien de la région du Saguenay. Physiquement, il ressemblait à Lionel Groulx : même crâne dégarni, mêmes petites lunettes rondes. Plus pétillant du regard, peut-être, et moins mélancolique, donc moins porté sur les constructions idéologiques. Ce Victor, tout comme son frère Raoul mon grand-père, était un merveilleux conteur, spirituel et enthousiaste. Le nationalisme qui s'est développé au sein de cette famille s'est fortement enraciné dans l'amour du coin de pays et de la langue que ces gens-là parlaient, une langue très musicale et riche qui ne correspond en rien à l'idée que l'on se fait aujourd'hui du fameux « parler québécois ». En réalité, la parenté est beaucoup plus grande entre l'esprit de cette famille et celui d'un Félix-Antoine Savard qu'avec celui de Lionel Groulx. D'ailleurs, après trois générations de pionniers conquérants de territoire, le clan Tremblay allait vivre un drame semblable à celui de Menaud, la perte d'une partie de son « fief », inondée à la suite de la construction d'un barrage par la compagnie Price[1]. Dans ce drame, tous les personnages sont présents : l'Anglais capitaliste qui ne pense qu'à son profit au détriment des occupants du territoire où il vient planter son industrie, les politiciens corrompus au service de ces capitalistes, les concitoyens ou bien indifférents ou bien trop peureux pour offrir une résistance, la loi juridique au service des puissants ; enfin, le héros vaincu et dépossédé. Onésime Tremblay, puis son fils Raoul, se

1. Voir Mgr Victor Tremblay, *La Tragédie du lac Saint-Jean*, Chicoutimi, Science moderne, 1979, 231 p.

ruineront pour faire entendre leurs droits jusqu'à Londres, en Cour suprême, pour être finalement déboutés. Ce traumatisme fait partie du récit familial qui m'a été légué et s'associe à la douleur de mon père d'avoir vu le sien malade et maltraité par un contremaître anglophone particulièrement intransigeant.

Cela ne fait pas de moi un anglophobe pour autant, mais très certainement quelqu'un de sensible à ce qu'a pu représenter pour bon nombre de Québécois l'effort de surmonter de telles situations accablantes. Et plus tard, j'ai constaté les dommages que pouvait créer une trop grande identification à un récit d'échec où l'injustice a raison. J'ai vu aussi ce que le culte de la lignée et l'imaginaire d'une descendance « illustre » avait pu créer de dommages dans la famille de ma mère, comme si la volonté des pionniers de se prolonger dans leur descendance avait écrasé cette dernière de ses impératifs, surtout la génération née pendant la crise à un moment où le grand rêve de la conquête et de la possession du territoire se voyait balayé par la vague irrépressible de l'industrialisation. Je continue de méditer sur le fait que ces défricheurs, au bout de deux générations, se sont transformés en prêtres, éducateurs et institutrices, plutôt qu'en ingénieurs ou chefs d'entreprises.

Pour compléter le tableau de mon histoire personnelle, j'ajouterai qu'à la suite de la mort prématurée de ma mère, j'ai été élevé par une seconde mère qui, elle, venait de la Pointe-Saint-Charles, d'une famille de petits commerçants. Son père était né aux États-Unis et il traitait avec les Juifs, les Ukrainiens et les Chinois. Ma mère a toujours professé une très grande admiration pour les Juifs et les Américains ; le côté misérabiliste des Canadiens français l'irritait (il exaspérait Groulx tout autant, cela dit). Elle avait frayé du côté des associations catholiques, de Mgr Charbonneau, du jeune Claude Ryan d'avant *Le Devoir*. Son catholicisme confinait au protestantisme : pragmatisme et rigueur morale avant toutes choses. Et réussite sociale, mais avec un fond d'esprit de sacrifice et d'idéalisme missionnaire qui l'a empêchée de devenir une arriviste (de se réaliser pleinement ? sans doute aussi : telle est la contradiction qui a marqué sa vie). Pour ce qui est du nationalisme, il était chez elle sans lyrisme, à peine identifiable comme tel ; cependant, elle désirait l'épanouissement des Québécois, leur ouverture sur le monde : à ce sujet, les positions de Pierre Elliott Trudeau lui convenaient parfaitement.

Tout le présent livre, au fond, est traversé par le projet à la fois intellectuel et existentiel de questionner cet héritage familial et national pour savoir en disposer librement. Je rends cette démarche publique car je sais cette histoire partagée par un grand nombre de Québécois. Les récits familiaux s'imbriquent avec des récits collectifs ; chacun se promène avec son lot d'anecdotes et d'expériences à partir desquelles il tente d'interpréter ce qui se passe. On a beau relativiser sa propre histoire en s'extrayant du moi pour adopter une perspective plus générale, le fond continue de parler en soi jusqu'à ce qu'on l'ait pleinement *réalisé*, ce qu'un simple processus d'intellectualisation ne réussit pas à faire. L'histoire que je viens de résumer à larges traits n'est toutefois en rien « exemplaire » ; je ne la présente pas non plus comme une « explication » de quoi que ce soit ; je la revendique seulement comme une série de *faits* avec lesquels je dois composer, que je ne peux ignorer si je veux m'inventer. Il est de ma responsabilité, pour ne donner qu'un exemple, de comprendre le lien entre le complexe familial du père (ou de l'ancêtre) humilié ou vaincu et un complexe similaire vécu à l'échelle nationale (qui prendrait pour effigie des êtres de fiction comme Menaud ou des personnages historiques comme René Lévesque ou Lionel Groulx). Quel destin attend le traitement symbolique que je donne à ces complexes, voilà ce qui m'importe, et je suis persuadé que leur « résolution » sur le plan personnel a des incidences sur notre pensée politique, conviction dont l'exemple de Ferron, au premier chapitre, est venu donner une confirmation.

À ces faits désormais imaginaires, qui me propulsent dans une temporalité qui précède ma venue au monde, s'ajoutent d'autres facteurs venant complexifier la donne, le fait par exemple d'avoir grandi au sein d'une modernité qui me confronte à une foule d'autres questions insoupçonnées de mes père et mères. Ainsi, en moi comme en chacun, se côtoient plusieurs temporalités dont aucune n'est à négliger : jamais mon admiration pour un Joyce ou un Gombrowicz ne me dispensera de la nécessité de rencontrer ce que je porte de plus archaïque, voire de honteux, comme ont dû le faire d'ailleurs ces mêmes écrivains pour accéder à cette singularité d'où ils ont tiré leur nom.

Ainsi en va-t-il du rapport à Groulx. Outre la question de la légitimité de la tradition nationaliste, le débat sur lui concerne l'urgence éprouvée par plusieurs, face aux bouleversements que l'on connaît, de réévaluer leur rapport à l'histoire et à ce qu'on appelle le « sentiment d'appartenance ». Questions inévitables dans un contexte où nous sommes régulièrement appelés à nous prononcer sur la validité ou non de la séparation du Québec, ce qui conduit inévitablement à demander ce que nous comptons mettre dans ce nom,

« Québec », et ce que d'autres avant nous y ont mis, quel réseau de désirs l'a fait advenir. Forcément, dans cette série d'interrogations sur les liens entre le passé et le présent, on rencontre Groulx : son discours est-il encore pertinent aujourd'hui ? S'il nous est impossible de l'écarter tout à fait, le prendrons-nous tel quel ou chercherons-nous à le transformer, à le déplacer ? Que faire de cette transmission ?

Quelques-uns avancent déjà une solution radicale : oublions Groulx, effaçons-le, débaptisons les lieux publics qui portent son nom. J'annonce d'emblée mon opposition à ce procédé de la table rase : on ne combat pas un dogmatisme en lui opposant un autre dogmatisme. Je sais que l'histoire est parfois un poids et j'ai souvent regretté de ne pas être né dans un autre contexte, qui m'eut permis de m'occuper plus librement des « choses de la vie » sans devoir affronter la sempiternelle question de l'identité collective, mais ce n'est pas en mettant un bouchon sur le passé qu'on arrive à se libérer de ses contraintes.

Un mot sur Gérard Bouchard qui ne propose pas d'oublier Groulx ou de l'effacer de la mémoire collective, mais en a appelé dans un premier temps à des « réaménagements symboliques » visant à mettre au second plan la figure du chanoine, incompatible avec les exigences du nouveau nationalisme en train de se définir[2]. Plus récemment, Bouchard a approfondi sa lecture de Groulx en conservant néanmoins la même démarche : qu'est-ce qu'on conserve ? qu'est-ce qu'on

---

2. Gérard Bouchard, « Ouvrir le cercle de la nation. Activer la cohésion sociale. Réflexion sur le Québec et la diversité », *L'Action nationale*, vol. LXXXVII, n° 4, avril 1997.

jette ?[3] Les mises au point de Bouchard me paraissent importantes et sensées : elles établissent un seuil critique permettant d'évacuer bon nombre de lectures à la va-vite fondées sur des impressions ou des préjugés. Toutefois, elles participent également de l'esprit de procès, même si l'attitude du juge est plutôt bienveillante et conciliatrice. L'ambition est ici encore de « dire le dernier mot sur », de prononcer le verdict final. Mon approche est fondamentalement différente, même si elle recoupe sur certains points la recherche de Bouchard, en particulier en ce qui a trait à la dénonciation des attaques malhonnêtes portées contre Groulx. Alors que Bouchard veut fonder un jugement et le faire accepter à l'échelle collective, je n'ai personnellement en tête que de visiter un champ de résonnances, de sonder mon rapport à Groulx, de suivre le cours de sa voix, voire même d'en jouer. En ce qui concerne les « contradictions », il me paraît préférable dans une démarche critique de les reconduire du côté d'une situation historique plutôt que de les attribuer à Groulx. Groulx s'est débattu avec des contradictions qui le dépassaient, qui n'étaient pas les siennes mais celles de la collectivité et d'une classe sociale à un moment précis de l'histoire. De là, deux voies critiques s'ouvrent au chercheur : vérifier comment Groulx a lui-même cherché à les résoudre ; voir si ces contradictions sont encore présentes aujourd'hui et de quelle manière nous comptons les affronter si les « solutions groulxiennes » ne sont pas satisfaisantes.

---

3. Gérard Bouchard, *Les Deux Chanoines. Contradiction et ambivalence dans la pensée de Lionel Groulx*, Boréal, 2003, 313 p.

Groulx et le nationalisme

Toute sa vie, Groulx a été un personnage controversé. On s'imagine souvent, parce qu'il jouissait du prestige de l'ecclésiastique, parce que l'univers du discours nous semble avoir été dominé par une idéologie dont il était l'une des figures de proue[4], que Groulx régnait en maître sur toute l'intelligentsia. Rien n'est plus faux. Dans sa jeunesse, Groulx était perçu par les autorités religieuses comme un rebelle. Il s'en est même pris à une attitude de compromis quelque peu servile qu'il observait dans les milieux cléricaux. On n'insiste pas souvent là-dessus, mais certaines pages de *L'Appel de la race* dans lesquelles il critique l'enseignement, tel qu'il se pratiquait au Canada français à la fin du XIXe siècle, ont été jugées à l'époque très offensives par plusieurs membres du clergé. Groulx a transgressé maintes fois les limites imposées à son statut de prêtre, soit pour écrire des romans, soit pour signer des articles polémiques. Il utilisait alors des pseudonymes, mais

---

4. Cette idéologie, je lui donne le nom de « régionalisme », ce qui ne la limite aucunement à la sphère littéraire des discours. J'ai en effet tenté de démontrer, dans *La Griffe du polémique, op. cit.*, le caractère global du régionalisme, qui articule en un même système cohérent, l'esthétique, le politique, le religieux et le moral, secteurs qui se sont séparés en champs autonomes avec l'avènement d'une modernité que le régionalisme refusait en partie (entre autres justement parce qu'elle allait à l'encontre de sa vision globale des phénomènes sociaux). En ce qui concerne la domination de ce discours, elle n'est qu'apparente : le régionalisme a pesé énormément sur les écrivains et les intellectuels, de 1900 à 1930, mais sa place était beaucoup plus limitée dans les sphères politique et économique.

personne n'était dupe[5]. Du côté des laïcs, il a rencontré l'opposition d'esprits plus libéraux, comme Olivar Asselin, Victor Barbeau, Albert Pelletier, ou encore d'écrivains, comme Claude-Henri Grignon, Jean-Charles Harvey, Marcel Dugas. Presque tous ces opposants étaient aussi des nationalistes, du moins des patriotes, des individus qui, au même titre que Groulx, constataient les misères des Canadiens français et cherchaient des voies pour les en libérer. Mais ils différaient d'avec le chanoine quant au chemin qui devait conduire à l'émancipation.

Groulx n'est pas *tout* le nationalisme. On voudrait bien nous le faire croire, surtout du côté de ses détracteurs. Les nationalistes des années soixante ont adopté une lecture de l'histoire sur bien des points opposée à celle de Groulx. Un seul fil demeure qui les relie : la révolte résultant d'une situation d'humiliation. Car Groulx était un révolté, mais un révolté incomplet, honteux de sa violence et de son désir de vivre comme seul sait l'être un catholique, inhibé par le souci de préserver la belle âme. Il craignait tant l'anarchie et la perte de contrôle que sa révolte s'est fixée en un credo rassurant ; il voulait *autre chose*, comme tous les révoltés, mais il n'acceptait son avènement que sous les traits connus de modèles passés. L'extase de l'épiphanie lui était étrangère : il ne jouissait pas de l'objet transfiguré mais n'aspirait qu'à retrouver, *intact*, l'objet perdu. De cette rigidité naît l'idéologie, fixation en un projet

---

5. Voir à ce sujet Pierre Hébert (avec la collaboration de Marie-Pier Luneau), *Lionel Groulx et L'Appel de la race*, Montréal, Fides, 1996, p. 81-102.

d'une volonté de puissance elle-même issue d'un sentiment de faiblesse[6].

Groulx était animé d'une vision. C'était une utopie, un fantasme qu'il a entretenu comme un idéal en grande partie compensatoire. Il avait fait sien le grand projet formulé par les missionnaires du XVIIe siècle, celui qu'inspirait le Nouveau Monde, d'une société modelée dès son principe par le catholicisme. À l'époque de Groulx, et jusqu'en 1960, il était encore possible d'y croire, un animateur social comme l'était l'abbé pouvait espérer orienter la société dans le sens de ses aspirations, mais ce n'est maintenant plus possible. Nous devons dire adieu à ce rêve, comme à celui d'une Amérique française, même s'ils ont séduit. Pourquoi les rêves devraient-ils s'accomplir dans ce que nous appelons la réalité ? Ils sont leur propre réalité qui se suffit à elle-même. L'enfer, c'est de ne pas s'en rendre

---

6. Afin d'éviter tout malentendu, je tiens à préciser que je n'ai rien contre la volonté de puissance et que je ne méprise pas la faiblesse qui en serait la source. Ce serait présupposer que seuls les êtres sains et parfaits, sans complexes, sans contradictions, méritent d'être respectés. Il ne manque pas de critiques qui pensent être forts parce qu'ils ont décelé la faiblesse de l'autre, qui croient *démystifier* Groulx, par exemple, en montrant que toute son œuvre *n'est que* la sublimation d'une tare secrète. Ma fréquentation de la littérature me permet de dire qu'aucune œuvre importante n'est née en dehors d'une certaine volonté de puissance. Analyser, pour moi, consiste à m'approcher au plus près de ce phénomène humain pour en voir la beauté (la beauté d'un combat mené par un sujet pour sa souveraineté), mais aussi les pièges, les écueils. « Rien de ce qui est humain ne m'est étranger », disait le poète latin Térence. De l'analyse découle un jugement, certes, qui me fait acquiescer ou refuser, mais ce jugement est le lieu de ma responsabilité, il ne m'instaure pas en juge de l'autre.

compte et de croire, *parce que ça ne vient pas*, qu'on est toujours à côté de son destin.

La vision de Groulx s'est imposée très jeune à lui et il y est resté fidèle toute sa vie. Je l'admirerais davantage s'il avait eu plus de souplesse et avait moins sacrifié la réalité à ses idéaux, mais je ne peux que saluer celui qui est allé au bout de ses choix avec une entière sincérité. « Je suis de ceux qui croient que les chefs ont des devoirs », fait-il dire à son héros d'*Au Cap Blomidon*[7]. Il incarne parfaitement cette maxime. Il est assez évident que Groulx aimait un certain pouvoir, celui d'exercer son ascendant sur les autres, celui de voir ses idées convertir les indécis et régner sur la communauté. Toutefois, son esprit de meneur était habité du sens très élevé de sa propre responsabilité et il n'exigeait jamais des autres ce qu'il n'avait d'abord exigé de lui-même. Jamais le Québec n'aura produit un intellectuel aussi pleinement engagé dans son œuvre, *dédié* à elle, prêt à s'y sacrifier, aussi cohérent et conséquent. C'est ce que j'appelle personnellement une subjectivité forte. On se méfie aujourd'hui des êtres de cette trempe qu'on a tôt fait de comparer à des dictateurs. L'errance et l'indécision sont tellement généralisées qu'un individu fort et déterminé paraît aussitôt dangereux. Groulx était un bâtisseur, un animateur infatigable, un homme doté d'une volonté indéfectible. Le revers de ces qualités a été l'autoritarisme, la compulsion à tout contrôler, à occuper toute la place. Mais je suis persuadé qu'il a manqué à Groulx, non pas d'être plus pondéré, mais d'être confronté à des volontés aussi fortes que la sienne. L'opposition n'a pas manqué, comme je le rappelais plus

---

7. Lionel Groulx, *Au Cap Blomidon*, Montréal, Granger Frères, 1932, p. 113.

haut, mais elle était toujours ponctuelle, elle ne s'élaborait pas, au contraire de la pensée de Groulx, en un système rigoureux. Je ne vois pas d'autre explication au fait que l'œuvre de Groulx, si désuète soit-elle à bien des égards, continue d'être perçue comme un monument de la pensée nationaliste : je ne connais que l'œuvre de Fernand Dumont, qui, intégrant les remises en question des années soixante, ait réussi à produire une pensée sur le Québec aussi forte que celle de Groulx et capable de la supplanter, mais cela ne s'est pas fait sans que Dumont ait reconnu sa dette envers son prédécesseur. Pour expliquer la pérennité de Groulx et la difficulté qu'éprouvent certains nationalistes à adopter face à lui une posture autre que filiale et protectrice, il entre sans doute en grande partie un effet de culpabilité, comme si le deuil de ce père s'avérait impossible. J'aimerais suggérer ici deux voies de réflexion : d'abord, que cet impossible deuil est déjà inscrit dans l'œuvre de Groulx, d'où sa transmission à ceux qui se sont identifiés à lui ; ensuite, que le deuil, autant chez Groulx que chez ses émules, est rendu difficile par la position précaire occupée par le père en question, que le fils se doit de sauver avant de pouvoir le renverser[8].

---

8. Je ne pousse pas plus loin cette symbologie parentale pour ne pas exaspérer ceux qui n'y verraient qu'une psychanalyse à bon marché. Je n'accorde moi-même aux termes « père » et « mère », dans ce contexte, qu'une valeur métaphorique, le fait à retenir étant celui de la *filiation*. Comme Garneau un siècle auparavant, Groulx a assumé la place de celui qui nomme, qui *fait exister*, qui rend légitime. Il est donc compréhensible qu'il prenne aux yeux de certains nationalistes la figure du parent, de celui qui nous aurait permis d'accéder à l'existence. Au sujet de la contrainte (ou *double* contrainte) exercée par le discours historique au Québec, voir l'excellent article de Jean Marcel, « Écriture et histoire : essai

Caractérologie sommaire

Quelle est cette douleur qui ne trouvera de salut que dans l'idéalisation à outrance d'un passé révolu ? Très jeune, Groulx était déjà vieux. Lire son journal de collège me procure une sensation d'étouffement. Le petit est brillant, certes, il est sommé par quelque chose de plus grand que lui, mais il s'adresse la parole en adoptant la voix de son confesseur (en langage technique : de son surmoi). Quelle tristesse, un adolescent qui disserte avec « philosophie » sur les travers propres à la jeunesse, comme s'il était déjà situé imaginairement en dehors d'elle. Sur cet espace du journal qu'il dit relever de la plus grande intimité, le regard parental ne cesse de planer : « Oui, c'est pour moi ceci, pour moi seul ; c'est de l'intime, c'est de l'âme, c'est du cœur », mais aussitôt après :

> Hier soir, en relisant tes pages [Groulx s'adresse à son journal-confident], je me suis aperçu que je ne disais rien de bien rose sur la vie de collège. Mais il ne faudrait pas croire que le séminaire m'est insupportable. Oh ! non je l'aime mon Ste-Thérèse, je la chéris mon Alma Mater ; comme un fils aime sa mère et elle a tant de charmes pour qui veut la goûter.[9]

Aux yeux de qui se sent-il obligé d'avancer cette précision justificative ? Ne suis-je pas ingrat, semble-t-il se dire, de critiquer ainsi cette éducation dont moi, fils d'humbles cultivateurs, je bénéficie ?

---

d'interprétation du corpus littéraire québécois », dans *Pensées, passions et proses* (l'Hexagone, coll. « Essais littéraires », 1992, p. 143-156).

9. *Journal, 1895-1911*, édition critique par Giselle Huot et Réjean Bergeron, Montréal, Presses de l'Université de Montréal, 1984, tome 1, p. 144.

Dans ce journal, on retrouve un mélancolique, un être envahi par de fréquents accès de tristesse. Dans la chronologie préparée par les éditeurs, on apprend qu'il perdit son père alors qu'il avait à peine un mois. Quelques années plus tard, sa sœur et l'un de ses frères sont aussi emportés par des épidémies. L'ancêtre lui-même, le premier Groulx arrivé au Canada, avait été torturé et tué par les Iroquois. Je n'entends pas faire une psycho-critique de Groulx, mais simplement signaler la prégnance de la mort dans cette enfance. Il compose un poème qui a pour sujet la tombe de son père. Isolé de ses camarades, il se nourrit des catholiques français du XIXe siècle, les Veuillot, Montalembert et autres Lamennais. Il s'enflamme à l'idée de devenir un héraut du catholicisme menacé, qui ne doit pas à ses yeux subir le sort de la monarchie, « cette institution sacrée ». Le père de Groulx, à cette époque, ce n'est pas encore le Héros de la Nouvelle-France, celui qui, de bâtisseur et de conquérant, a dû rendre les armes sur les plaines d'Abraham, mais c'est aussi un *père humilié*, motif central du nationalisme d'hier et d'aujourd'hui et qui le rend si problématiquement inconfortable. Comment, en effet, renier un père humilié sans éprouver de culpabilité ? Des générations de fils, depuis Groulx, s'emploient à sauver le père, à le venger de l'oppresseur, incapables de passer outre son cadavre pour se fonder. Pendant toute la vie de Groulx, l'image de la pierre tombale (du père ou des aïeux) délimitera le champ de ses possibles : la quitter des yeux, ne plus la vénérer serait une trahison insupportable qui lui ferait perdre son identité.

La mélancolie de Groulx s'est vite traduite en volonté de se porter à la défense, de réparer, de sauver ce qui était menacé. Après un passage assez triste où il déplore le caractère éphémère de l'amitié et considère que Dieu est le seul qui n'abandonne point, on le voit se projeter dans l'avenir en ces termes :

> Malgré mes faibles ressources, mes humbles talents, quand je plonge dans l'avenir, j'aime à me voir combattant. La lutte me grise et m'entraîne. Je ne suis pas né lutteur, toutefois c'est l'état de vie qui me sourirait le plus. Qu'il doit y avoir de la joie pour l'âme, du contentement pour le cœur du soldat de la Vérité, ou pour le défenseur de l'opprimé. On aime d'autant plus que l'objet aimé est dans la peine ou dans la souffrance.[10] [...] Quand je vois mon cher Canada envahi de plus en plus par ce torrent qu'on appelle le libéralisme moderne ; quand je vois la persécution menée sans masque contre l'Église canadienne, je me voudrais assez fort pour descendre dans l'arène, me joindre au petit nombre des lutteurs et faire respecter les choses saintes de ma nationalité et de ma religion. Hélas ! je ne puis rien. Mais ce sont là mes illusions, mes rêves à moi que je poursuivrai toute ma vie[11].

Groulx ne croyait pas si bien dire. Comment cela s'est-il traduit par la suite dans sa vie ?

La volonté de surmonter la honte

Tout d'abord, comme bien des jeunes gens, Groulx a attribué le mal qui l'affligeait à son environnement : à la

10. Rappelons cette pensée de Jules envers Maud dans *L'Appel de la race* : « Homme de cœur, il comprit, à ce moment, comme il se mettrait à l'aimer et d'un amour plus fort si elle devenait vraiment malheureuse » (*L'Appel de la race, op. cit.*, p. 148).
11. *Ibid.*, p. 293-294.

déficience de l'éducation reçue, à la veulerie de ses compatriotes. Chez cet amant du passé et de la tradition, entre une bonne part d'insoumission, qui le fait ressembler à son héros Jean Bérubé :

> Au collège, il avait tant gémi sur la médiocrité des rêves des jeunes gens de sa race, résignés, presque tous, aux professions routinières, aux sentiers battus et rebattus, dont si peu s'aventurent vers les hauteurs inexplorées, vers le séduisant inconnu des grands risques[12].

Et plus loin :

> C'est cela, dit-il, si j'avais continué de bûcher du bois aux chantiers du lac Croche ou de la Rivière-à-la-Diable, pour le compte des richards qui spéculent sur nos bras ; surtout, si j'étais parti pour les facteries des États, résigné à tourner toute ma vie, autour d'une machine, comme une bête, oh, alors Jean Bérubé serait un jeune homme d'avenir. [...] Mais bûcher pour soi, être son propre maître, être libre, faire deux cents lieues pour rester fidèle à la terre, pour mener plus loin l'effort des vieux, faire que le travail rebondisse d'une génération à l'autre, non, cela ne peut être que le fait d'un aigrefin et d'un avorton[13].

La plainte au sujet du misérabilisme des Canadiens français est un trait constant chez tous les intellectuels et écrivains de l'époque, sauf peut-être chez le débonnaire Camille Roy. Qu'ils soient traditionnalistes ou libéraux, c'est unanimement que les gens instruits déplorent l'asservissement, le manque de culture, la résignation de leurs compatriotes. Je ne donnerai en exemple que

---

12. *Au Cap Blomidon*, *op. cit.*, p. 18.
13. *Ibid.*, p. 31-32.

l'écrivain le plus éloigné de Groulx, Jean-Charles Harvey, dont le narrateur des *Demi-civilisés*, après avoir vanté les premiers colons canadiens, ajoute :

> Me voici parmi les descendants de ce peuple que je trouve terriblement domestiqué. Une fois la conquête faite par les Anglais et les sauvages exterminés par les vices de l'Europe, nos blancs, vaincus, ignorants et rudes, nullement préparés au repos et à la discipline, n'eurent rien à faire qu'à se grouper en petits clans bourgeois, cancaniers, pour organiser la vie commune[14].

Cette plainte est devenue un lieu commun « crucifiant » (comme dirait Aquin), nous la retrouvons chez Fernand Dumont, chez Aquin, chez Péloquin (la célèbre inscription : « Vous êtes pas tannés de mourir, bande de caves ! ») et tant d'autres jusqu'à aujourd'hui. Seuls Miron et Ferron ont cherché une autre manière d'aborder la question, l'un en descendant de son privilège d'homme instruit pour se faire « pauvre parmi les pauvres », l'autre en inventant une mythologie primesautière et rusée inspirée du « petit peuple » trop souvent rabroué.

Suivre les destins de la honte chez les littérateurs québécois du XIXe siècle à aujourd'hui, est l'une des voies les plus instructives qui soient. La honte dont il est question ici touche à la fois l'être propre et l'origine (le passé, le « père »). À la suite de la « gifle morale » de Durham, une hystérie s'est développée chez les Canadiens français au sujet de leur valeur. L'oscillation sera continuelle entre trois types de réponse à cette situation

---

14. Jean-Charles Harvey, *Les Demi-civilisés*, Montréal, Stanké, coll. « 10/10 », 1982, p. 43.

de base : l'encouragement à la fierté, la déploration abattue, le reniement. Les nationalistes opteront pour la première attitude, ce qui parfois les entraînera du côté de l'idéalisation : « Apprenons à aimer le bois dont nous sommes faits » (le « nous » est de commande ici). Groulx est manifestement de ce côté, avec ses allures de chef *boy scout*, mais il traverse aussi des phases de déploration, quand l'idéal qu'il propose ne trouve pas preneurs. La seconde attitude trouve son plus illustre représentant en Crémazie et on la voit régulièrement affleurer depuis, chez quelqu'un comme Jean Larose par exemple. Elle émane du sentiment de frustration vécu par des individus de qualité, épris de grands projets, mais à qui il manquerait un milieu favorable pour les réaliser ; ces individus se sentent solidaires de leur pays, mais ils en ont honte. La troisième réponse est plus radicale : elle consiste à tourner le dos aux origines, à les renier, pour pouvoir se présenter comme un « enfant trouvé », s'inventer une filiation autre, masquer tout signe d'appartenance à la communauté québécoise (façons de parler, références culturelles, etc.), se considérer « citoyen du monde ». Pas de honte, ici (mais du mépris, oui, beaucoup de mépris), puisque l'individu s'est désolidarisé des individus qui la portent et ne s'y reconnaît plus.

Le cadre minimal que je viens d'esquisser ne suffit pas à définir l'attitude de Groulx, il faut aussi expliquer comment il en vient à transformer la honte en fierté. Ce sera l'occasion pour moi de signaler une différence importante entre lui et les nationalistes des années soixante. C'est le mythe des origines qui permet à Groulx de renverser les apparences et de penser que les Canadiens français, si pitoyables soient-ils en apparence, sont *au fond*, de la trempe des héros. En fait, ce sont des héros déclassés qui, tel le Lantagnac de *L'Appel de la race*, ont oublié la noblesse de leurs origines après une suite de compromis sur leur être essentiel. Car ce mythe des origines va de pair avec une conception essentialiste de l'être (ce qui surprend assez de la part d'un historien, mais Groulx était catholique avant tout). Si l'être est par essence noble, grand et souverain, mais que son incarnation actuelle donne à voir quelque chose de petit, de médiocre et de soumis, cela signifie simplement que l'être s'est *dégradé* ; qu'il existe toujours à l'état de potentialité, mais que celle-ci est cachée, enfouie. Le rôle de l'historien consistera alors, par un déni de l'état actuel de l'objet, à faire le portrait de ce qu'il aurait dû être si les accidents de l'histoire ne l'avaient pas altéré. Par un travail de philologie ou d'herméneutique, on retrouve le vrai moi et on le propose à l'« aliéné » comme un miroir où se dessine son moi idéal ; à force d'imiter celui-ci, l'individu se retrouve en accord avec son être profond, il est lui-même tel que l'éternité l'a toujours fait. Cette conception essentialiste de l'être explique l'importance que revêt pour Groulx la qualité morale, physique et spirituelle des premiers colons : il faut que la source soit pure à l'origine pour qu'elle puisse prétendre l'être encore à son débouché. Inversement, cette qualité à l'origine garantit au Québécois actuel sa qualité intrinsèque.

Dans les années soixante, l'interprétation de l'état d'aliénation est radicalement différente. Leur sujet n'est pas essentiel mais historique. Pour retrouver sa dignité, ce sujet n'a pas besoin de s'inventer un passé merveilleux, il lui suffit de prendre conscience de son état présent. Chez Miron, par exemple, c'est toujours dans sa condition concrète d'existence qu'est saisi le Québécois. Les nationalistes des années soixante pratiquent une lecture volontiers matérialiste qui leur fait rejeter à la fois la perspective idéalisante et l'attitude méprisante : il ne faut pas se culpabiliser de notre pauvreté, mais comprendre plutôt ce qui nous y a conduits et prendre ensuite les moyens pour redevenir maîtres de notre existence. Ce retour à la dignité n'est pas décrit par eux comme des retrouvailles avec un être qui se serait égaré en chemin, mais comme la création d'une forme inédite d'existence (c'était aussi la proposition de *Refus global*). Dans cette perspective, on comprendra que l'événement des plaines d'Abraham ait pour eux moins d'importance qu'il n'en avait pour Groulx. Pour ce dernier, la célèbre bataille représentait le moment de la fracture, de la perte de l'être, l'instant où le Canadien français était entré dans les limbes d'où ne pouvait le sortir qu'un moment contraire capable de le rénover, de le remettre à neuf. Les penseurs des années soixante, en particulier Ferron, ont plutôt choisi comme symbole la révolte des Patriotes, premier moment d'une véritable conscience canadienne-française, c'est-à-dire d'une conscience historique de la part d'individus décidés à se fonder dans un projet. Plutôt que d'une réparation, il s'agit ici d'une affirmation.

Une question demeure, qui constitue tout le mystère de ces mouvements collectifs : où prend racine la conscience d'un « nous » ? Chez Groulx, c'est assez clair : le « nous » est tributaire d'une généalogie, de la langue et de la religion. Chez Aquin, Miron et Ferron, le « nous » est beaucoup plus ouvert, il peut accueillir le métissage avec des individus d'autres peuples venus s'installer ici. Je dirais qu'il s'agit d'un « nous » créé par solidarité historique. Mais le point de ralliement de ce « nous » demeure le français, non seulement la langue mais la culture. Il y a donc un lien avec Groulx dans l'exigence que le fait français soit reconnu en Amérique, qu'il puisse devenir son propre centre et moteur pour l'histoire à venir.

Renversement de quelques préjugés

Si la perspective mythique que je viens de décrire est bien présente chez Groulx, surtout lorsqu'il se penche sur la Nouvelle-France, j'ai quand même été surpris de trouver autre chose dans son œuvre, des réflexions qui le rapprochent d'une pensée matérialiste de l'histoire. Disons pour être plus précis que Groulx descend à l'occasion de son idéalisme et accepte d'envisager la réalité de manière plus concrète. Ce regard concret, et plus politique aussi, on le retrouve en particulier dans les livres qui traitent du Canada après la Conquête ; délaissant tout lyrisme, Groulx cesse alors d'être un fomenteur de mythes et adopte un point de vue plus juridique et politique. On trouvera des exemples de ce que je dis dans *L'Indépendance du Canada*, par exemple, ou dans *La Confédération canadienne*. Dans ces livres, on a aussi la surprise de découvrir un Groulx qui croit au Canada, à l'alliance Baldwin-LaFontaine, puis au pacte confédératif. Dans ces pages où le militantisme passe au second plan, un seul scandale est dénoncé, quand il a lieu : c'est le non-respect de l'alliance. Nous ne sommes plus ici sur le terrain du mythe mais sur le terrain du juridico-politique.

Au sujet du rapport à l'Autre et à l'autre chez Groulx (comme chez tous les régionalistes), une précision s'impose. Ce qui est jugé négatif, ce n'est pas l'altérité en tant que telle, mais l'*aliénation*, et celle-ci, dans l'optique de Groulx, est une conséquence du mélange, de la confusion et de la contamination. Cette peur est en parfait accord avec la vision essentialiste de l'être, qui voit comme une déperdition tout ce qui contribue à « diluer » ou à relativiser l'essence de l'être. En fait, Groulx s'est débattu avec la contradiction de l'identité et de l'altérité, contradiction qu'il posait dans les termes du romantisme, imprégné de la croyance qu'il existe un « génie » propre à chaque peuple. Dans une « Leçon professée à l'École de Vaudreuil » (15 août 1937), il discute du problème en ces termes : « Un peuple ne renonce pas, sans se diminuer, ni même sans se détruire, à son être profond, à son génie natif, à sa personnalité propre ». Rien qui n'étonne ici, sauf que Groulx démontre dans la suite du texte qu'il est conscient des problèmes que crée une définition trop étanche du soi. Il va même jusqu'à dire que « le nationalisme est une limitation », ce qui l'amène à déborder la conception essentialiste que je me suis employé à dénoncer :

> Car le génie d'un peuple n'est pas quelque chose de statique, de figé, d'achevé, de fini, c'est quelque chose d'essentiellement dynamique, en puissance de s'enrichir indéfiniment. Pour que l'on pût se limiter au national, il faudrait que le national contînt tout le bien humain.
>
> La littérature, l'art, la science ne sont pas que d'une nationalité, n'empruntent point qu'une forme unique d'incarnation ou d'expression. Se refuser à d'autres formes de la beauté, à d'autres richesses intellectuelles que les nationales, ce serait folie. Ce serait s'isoler et s'étioler. Non seulement nous ne devons pas nous passer des autres ; nous ne le pouvons pas.

> La solution, c'est de s'assimiler tout ce que l'on peut de la vérité humaine, tout en restant soi-même en son fonds[15].

On voit bien comment il tente de résoudre la contradiction : il y a d'abord l'identité essentielle d'une nation (son « fonds »), mais celle-ci est dynamique et s'enrichit au contact des autres. Toutefois, cet enrichissement ne s'opère pas par le mélange mais par l'assimilation : l'identité forte est un soi qui a intégré l'universel tout en préservant son essence propre.

L'œuvre entière de Groulx est animée par une seule question, qu'il pose à tous les événements relatés et à tous les personnages analysés : est-ce que cela a contribué à l'épanouissement des Canadiens français ? C'est pourquoi on ne peut faire de Groulx un anglophobe : il s'en prend à la culture anglaise quand elle est impérialiste, mais voyez aussi le portrait nuancé qu'il fait de certains personnages, comme Murray par exemple (dans *Lendemains de conquête*), comment il sait reconnaître même chez l'ennemi (ce que fut *objectivement* l'Anglais pendant longtemps) la grandeur et l'intelligence quand elles se présentent.

J'ajouterai que la question de l'épanouissement culturel et politique de ses compatriotes est si importante pour lui qu'il n'hésite pas, lorsqu'elle est en jeu, à remettre en question certains consensus admis par l'Église (ce qui n'est pas peu dire de la part d'un catholique orthodoxe comme Groulx). Plusieurs pensent, par exemple, qu'aux yeux des prêtres canadiens-français, la Conquête fut saluée comme providentielle, parce qu'elle leur permettait d'échapper à la tutelle de la

---

15. Le texte de la causerie se trouve dans le Fonds Lionel-Groulx et m'a été communiqué par Stéphane Stapinsky.

France révolutionnaire. Je croyais Groulx solidaire de cette idée jusqu'au jour où j'en ai lu sous sa plume la déconstruction systématique[16]. On verra d'ailleurs percer dans ces pages l'antipathie à peine dissimulée de Groulx pour certains chefs de l'Église d'après la Conquête.

Attaché non seulement à la survie mais aussi à la qualité humaine des Canadiens français, Groulx a donc pris sur lui d'être un éveilleur de consciences. Son œuvre d'orateur et d'historien puise son dynamisme dans l'urgence qu'il a pressentie que les Canadiens français recouvrent fierté et dignité[17]. Ses conférences utiliseront le mode de l'exhortation tandis que ses travaux d'historien chercheront à mettre en valeur les hauts faits des temps passés. À propos des premières, il m'apparaît opportun de préciser qu'elles ont pour point central la volonté de *devenir protagoniste de sa propre histoire*. Contrairement à ce que l'on croit généralement, Groulx n'est pas un descendant de Mgr Pâquet, il ne crachait pas sur l'industrie :

---

16. Voir *Notre maître le passé*, Montréal, Stanké, coll. « 10/10 », 1978, tome 3, p. 125-178.
17. Parce qu'il décrit comme des moitiés d'hommes certains individus, E. Delisle en conclut que Groulx les exclut de la race humaine (voir le chapitre intitulé « Le traître » de son livre *Le Traître et le Juif*, Outremont, L'Étincelle éditeur, 1992). C'est biaiser complètement l'interprétation de ces passages et faire mine de ne pas comprendre que l'expression « être un homme » dans ces cas est l'équivalent de « se tenir debout », conserver sa dignité. Ailleurs, quand il dénonce l'individualisme des politiciens, Delisle en déduit qu'il n'accepte pas les Droits individuels, alors que Groulx conteste l'opportunisme qui conduit un politicien à ne voir que *son propre bien individuel*. Le livre de Delisle est plein de ces distorsions, comme on le verra plus loin.

> Que d'emplois, que de gains s'offriraient encore à nous si, recouvrant notre âme nationale [j'entends ici : notre dignité, le sens de notre valeur, la confiance en nous, D.G.], nous recouvrions du même coup le sens de la solidarité économique ? S'il nous arrivait de redevenir maîtres de nos institutions de commerce, de finance, de crédit, d'assurance ? [...] Et je n'ai rien dit des formes de productions industrielles qu'il nous serait possible de créer, de mettre sur le marché, si nous étions vraiment nous-mêmes, originaux[18].

Il préconisait une politique favorable à l'agriculture parce qu'une large tranche des Québécois étaient des cultivateurs[19]. Si la ville lui faisait peur, c'est parce que les francophones qui s'y aventuraient y devenaient presque automatiquement des prolétaires. Mais il encourageait aussi ses compatriotes à se mettre au diapason de la nouvelle réalité de la ville :

> Mais, en définitive, ne serions-nous point les victimes d'une évolution trop rapide ? Nous sommes restés des ruraux, les ruraux que nous étions encore en masse, il y a quarante à cinquante ans, alors qu'au fond des campagnes québécoises, un peuple grandissait comme en vase clos. Notre éducation scolaire est faussée, parce qu'en passant en ville, hélas, *nous avons oublié de changer d'éducation* et que, dans nos écoles urbaines, dans nos collèges, dans nos

18. *Orientations*, Montréal, éd. du Zodiaque, 1935, p. 214-215.
19. Pour se convaincre que l'attitude de Groulx à l'égard de l'agriculture s'ancrait sur une lecture concrète des conditions matérielles vécues par cette classe, et non sur un romantisme passéiste, il suffit de lire « La déchéance incessante de notre classe paysanne », *Ibid.*, p. 56-92.

> universités, nous avons transporté et prolongé la belle insouciance d'autrefois[20].

En définitive, Groulx portait le rêve, bien légitime il me semble, de voir les siens devenir maîtres de leur travail et du produit de leur travail, il dénonçait l'état de servitude dans lequel ils s'étaient laissé entraîner. C'est avant tout pour le rôle d'éveilleur qu'il a joué que les nationalistes éprouvent de la gratitude envers lui et c'est pour cela que certains lieux publics ont reçu son nom.

L'ethnocentrisme

Cela posé, une critique idéologique est quand même possible, voire souhaitable, parce que nous n'analysons pas que les intentions mais aussi la qualité de l'interprétation historique de Groulx. Il est patent que la perspective de Groulx est ethnocentriste (encore faudrait-il voir s'il lui était historiquement possible d'être autrement ?). Il voulait redonner la fierté à ses compatriotes, mais pourquoi uniquement à eux ? Pourquoi pas à tout être humain, selon la doctrine de l'Évangile qui ne distingue pas les races ? Je dirais en un premier temps : parce que

---

20. *Ibid.*, p. 108-109 ; je souligne. Je ne m'arrêterai pas sur la question maintenant, mais autre chose me retient dans ce passage, comme en bien d'autres, qui me paraît déterminant et mériterait d'être analysé. En deçà de la validité ou non de ce qu'observe Groulx, il y a la posture énonciative adoptée. Ici, nous remarquerons la *passivité* de cette posture, bien marquée par le « hélas ! ». Groulx constate un phénomène en se montrant *navré*. Il incite bien sûr son auditoire à réagir à l'état de fait, mais à reculons, encore peu disposé à prendre des mesures qui feraient perdre « la belle insouciance d'autrefois ».

c'est avant tout chez ses compatriotes qu'il sentait l'urgence d'un retour à la dignité. Mais la question est intéressante, surtout si on l'examine à la lumière de son destin dans la mentalité nationaliste. Groulx a négligé d'entrer en dialogue avec les ennemis historiques des Canadiens français, son message n'avait de sens que pour ces derniers. Il n'a pas pensé que s'il était porteur d'une saine philosophie, celle-ci méritait d'être transmise pour qu'ainsi rayonne cet esprit français dont il vantait les mérites. Bref, c'était bon « juste pour nous ». Cette mentalité perdure, malheureusement. De ce point de vue, le vieux Steinberg a été plus magnanime, quand il a soufflé à l'oreille des Canadiens français qu'il n'en tenait qu'à eux de prospérer comme il l'avait fait, qu'il suffisait d'un peu d'esprit d'entreprise et de solidarité. Et ce message a été entendu. Je propose cette réflexion à l'usage des Québécois d'aujourd'hui qui possèdent plus de pouvoirs, mais en ce qui concerne Groulx, la question demeure : pouvait-il proposer tant d'ouverture à l'autre dans un contexte où les Canadiens français n'étaient possesseurs d'à peu près rien ? Pour qu'un dialogue ait lieu, il faut une certaine parité, un respect mutuel : on ne peut se permettre d'être conciliant devant quelqu'un qui en profitera aussitôt pour vous berner. Les Québécois ont souvent rencontré cette contradiction : ils aimeraient bien être « gentils », le cynisme politique leur répugne, mais ils ont peur d'être les dindons de la farce. Une grande part du « ressentiment » analysé par Marc Angenot[21] naît de cette situation de malaise. Il me semble donc que la chose la plus urgente à faire est de créer une situation saine de dialogue.

---

21. Voir Marc Angenot, *Les Idéologies du ressentiment*, Montréal, XYZ Éditeur, 1995.

Par contre, là où l'ethnocentrisme de Groulx s'est montré limitatif, c'est dans sa conception essentialiste de l'identité, elle-même reliée à une conception sclérosante et idéalisante de l'origine. Il serait bon que les nationalistes d'aujourd'hui fassent le point sur ces questions qui agissent comme des présupposés inconscients à bon nombre de leurs jugements et attitudes. Il est assez désolant de lire Groulx dans son allocution aux publicistes chrétiens lorsque, voulant se montrer plus Français que les Français, il dénie avec fierté toute forme de métissage chez les colons de la Nouvelle-France[22]. Cette attitude « racialiste » n'est pas typique du nationalisme dans son ensemble. Mon père, par exemple, fervent nationaliste, se réjouissait de ses ascendants écossais (rapprochés de deux générations seulement). Du côté de ma mère également, on démontrait de la fierté à signaler la présence d'une Amérindienne sur l'arbre généalogique. N'empêche que l'opportunité de créer par le mélange avec d'autres populations une culture inédite n'a pas été assez envisagée par les Québécois francophones qui, semblables à Groulx là-dessus, ont peur d'y perdre un peu de leur identité. À moins que le problème soit réellement politique : vu la position extrêmement marginale du français en Amérique, il faudrait s'assurer que l'immigrant débarquant au Québec ait clairement à l'esprit qu'il vient s'installer au sein d'une culture francophone… ce qui n'est nullement le cas, comme on sait. D'où il appert que la situation actuelle est intenable, insoluble en tout cas à partir des critères de la raison pure, voire des « bons sentiments ».

---

22. Lionel Groulx, *Notre maître le passé*, Montréal, Stanké, coll. « 10/10 », 1977, tome 2, p. 258.

Antisémitisme

Que Groulx ait perçu, à l'occasion, les Juifs comme un peuple inquiétant, avec lequel il semblait impossible de créer des liens de complicité, cela nous est attesté par quelques extraits de textes, la plupart jamais édités. Mais qu'il fut antisémite et fasciste, on ne peut l'affirmer *ex catedra* que sur la base de la mauvaise foi, d'une hostilité *a priori*. On peut, par contre, soutenir sans forcer l'interprétation que ces deux tendances idéologiques sont loin d'être dominantes chez lui : pour quelques rares citations un peu compromettantes, une foule d'autres les démentent ou les relativisent. Pour préparer ce texte, j'ai lu une bonne dizaine d'ouvrages de Groulx et je n'ai rien trouvé qui fasse de lui un antisémite[23]. Pour ce qui est de l'attrait pour le fascisme, j'ai aperçu un passage où il manifestait de l'admiration pour Salazar et Mussolini, mais je peux fort bien la comprendre car mes amis italiens m'assurent qu'avant la guerre, presque tout le monde était proMussolini en Italie[24]. Et comme Groulx était mis au

---

23. Cette question a été tirée au clair de manière systématique par Gérard Bouchard, *Les Deux Chanoines*, *op. cit.*, p. 133-159. Le présent développement n'ajoute donc rien sur le plan factuel mais je le conserve car, outre qu'il ait été écrit et publié avant la parution du livre de Bouchard, il draine avec lui des thèmes secondaires et s'articule à l'ensemble de mon argumentation de manière indissociable.
24. L'illustre écrivain Luigi Pirandello adhéra au fascisme. Des antifascistes aussi notoires que Vasco Pratolini et Elio Vittorini (tous deux écrivains), figurèrent d'abord, c'est-à-dire avant l'assassinat de Matteotti, parmi les « fascistes de gauche ». On pourrait multiplier les exemples. Le fascisme italien exerça un fort attrait sur les esprits parce qu'il semblait offrir des solutions inédites à la crise autant

courant par les journaux de ce qui se passait en Europe, il ne pouvait sentir le climat de violence qui entourait la montée de ces régimes fortement policiers et militaristes. Groulx rêvait peut-être d'un Chef, mais tout dans son œuvre et sa personnalité conduit à penser qu'il eût refusé un chef s'imposant par la force de la matraque, par la terreur et la répression. Le Chef, dans l'esprit de Groulx, c'est quelqu'un comme Jean Talon, l'homme de génie mû par une vision sociale éclairée, ou encore Dollard des Ormeaux, le héros prêt à sacrifier sa vie pour sa patrie. Le seul reproche que je ferais à Groulx à ce propos est de donner comme modèle des figures improbables, voire impossibles à réaliser en régime démocratique (et c'est peut-être cela précisément qui conduit Groulx à rejeter le monde politique du XXe siècle, qui ne rend possible que la médiocrité). Faut-il donner en partie raison à Marc Angenot qui classe Groulx dans la catégorie du « fascisme générique[25] » ? C'est à voir. Contrairement aux Français qui servent de point de comparaison, Groulx n'a pas été un doctrinaire systématique sur cette question. Même chose pour l'antisémitisme, nullement central chez lui (on retire de son œuvre toute allusion aux Juifs et rien n'a bougé en elle). C'est pourquoi le livre d'Esther Delisle est si surprenant. Je l'ai lu après avoir étudié les livres de Groulx et j'y ai trouvé un chanoine bien étrange, à mille lieues de celui qui s'était forgé dans ma tête à la lecture de ses livres. Si l'icône de Groulx, pour reprendre une

---

morale que sociale et économique que traversait le pays. Sur 1200 professeurs d'université, en 1931, seuls 12 refusèrent catégoriquement de faire profession de fidélité au parti.

25. Voir son article, « L'affaire Roux : mise au point », *Tribune juive*, vol. 14, n° 2, déc. 1996.

expression de N. Khouri, commence à laisser paraître une verrue, avec Delisle le phénomène s'intensifie : la verrue couvre Groulx au complet, Groulx n'est plus lui-même qu'une verrue qu'il faudrait extirper. Doutant de moi-même et de mon bon sens, je me suis mis à vérifier les citations fournies par Delisle et bien des choses alors se sont éclairées.

Un premier stratagème est assez évident, c'est l'amalgame. Delisle ne s'embarrasse pas de distinctions ou de nuances, elle a son scénario en tête, ses idées toutes faites et suit cette ligne avec l'assurance d'un néophyte qui a compris comment se répartit le bien et le mal et vient sonner à votre porte pour vous l'expliquer. C'est ainsi que, pour Delisle, citer *Le Devoir*, *L'Action nationale*, les tracts de Jeune-Canada et Lionel Groulx, c'est du pareil au même. On ne compte plus les phrases où ses observations prétendent embrasser simultanément ces quatre instances. Elle se sent justifiée de le faire puisqu'elle a écrit un chapitre complet pour nous expliquer que celles-ci allaient de pair et n'avaient pour tête dirigeante qu'un seul homme : Lionel Groulx. Je veux bien, me dis-je alors, mais comment concilier cela avec le fait que j'aie lu tous ces livres de Groulx sans avoir rencontré une seule ligne contre les Juifs ? Je n'ai sans doute pas lu les bons, ou encore ces articles parus dans *L'Action nationale*. Je me mets donc à vérifier les citations et constate alors que celles se rapportant aux Juifs ne sont pratiquement jamais de Groulx. Puis je tombe sur ce passage du livre de Delisle :

> En 1935, Esdras Minville, au nom de L'Action nationale, y va d'un long article admiratif sur le national-socialisme allemand qu'il propose en modèle à son mouvement. Le Juif exclu, déporté, parqué dans des ghettos, privé de droits politiques, le Traître

passé au laminoir de la rééducation, les Canadiens français redeviendront, s'ils le veulent, s'écrie Groulx, des surhommes et des dieux[26].

Là, je trouve ça confus, qui parle au juste, Minville ou Groulx ? Par chance, la note renvoie à un livre que j'ai lu, je saute voir au cas où j'aurais raté quelque chose. Je trouve en effet l'expression « des surhommes et des dieux », mais à la fin d'une tirade où il n'est nullement question des Juifs ou du Traître, mais seulement des jeunes Canadiens français à qui Groulx vient de décrire la voie à suivre, selon lui, pour grandir. Voilà un exemple parmi bien d'autres de l'incompétence analytique d'Esther Delisle.

Elle note que pour Groulx, « ni la langue, ni le lieu de naissance, ni des parents français ne suffisent à "faire" le vrai Canadien français », qu'il faut aussi développer un « esprit français, des âmes françaises » par la culture, l'éducation[27]. Pour Delisle, enfoncée dans sa conviction au sujet du racisme de Groulx, cela devient prétexte à raillerie, cela traduirait une *contradiction* de sa pensée. Pour moi, au contraire, ces nuances apportées par Groulx relativisent l'importance du « lien de sang » dans son œuvre et fait se contredire Delisle quand elle le réduit au racisme génétique. Delisle ne mentionne même pas que dans l'introduction de *La naissance d'une race*, Groulx rejette catégoriquement la définition génétique de la « race ». Ailleurs, il apporte cette précision : « La nationalité n'est pas la race, simple résultat physiologique, fondé sur le mythe du

26. Delisle, *op. cit.*, p. 47-48.
27. *Ibid.*, p. 75.

sang»[28]. Par contre, il semble bien qu'une personne au-dessus de tout soupçon comme Pierre Elliott Trudeau, lui, y ait cru à ces liens de sang: «Lévesque a été élu par ses frères de sang», a-t-il lancé après la victoire des péquistes en 1976[29]. Cela vaut bien le mot malheureux de Parizeau après le référendum de 1995!

Au chapitre de la cohérence, Groulx est difficile à égaler (ce qui ne veut pas dire que la contradiction ne soit pas à l'œuvre chez lui comme chez nous tous, surtout lorsqu'il s'agit de concilier des impératifs moraux ou religieux avec d'autres de caractère politique – amoraux dans leur essence). Non seulement est-il cohérent et conséquent, mais il est aussi on ne peut plus honnête dans son approche. Il n'y a pas de tiroirs cachés chez Groulx, tout chez lui accepte de se mettre en pleine lumière. Voilà pourquoi il est assez risible de voir Delisle se targuer de nous démontrer que Groulx est antidémocrate, antilibéral, anti-individualiste et anticapitaliste, toutes choses que l'intéressé a lui-même déclarées explicitement! Pour Delisle (de même que pour Khouri), il suffit de nommer les composantes de

28. Cité dans Lionel Groulx, *Une Anthologie*, Textes choisis et présentés par Julien Goyette, Montréal, Bibliothèque québécoise, 1998, p. 77. J'invite le lecteur à lire la suite, très claire et instructive.

29. Ce propos de Trudeau m'a été signalé par l'un de mes étudiants qui travaille actuellement sur le racisme et le fascisme, Marc Provencher. Il a aussi porté à mon attention cette autre déclaration révélatrice du même Trudeau: «Pour moi, la langue est un instrument de communication que l'on peut acquérir avec un certain entraînement. Par contre, les liens de sang, ou la "culture ancestrale" ne peuvent pas s'apprendre. C'est pour cela que j'ai retenu l'idée de bilinguisme, mais non celle de biculturalisme utilisée dans le rapport Laurendeau-Dunton» (*Cité libre*, janvier-février 1997).

cette idéologie groulxienne pour qu'elles soient aussitôt jugées, comme s'il allait de soi qu'être anticapitaliste ou anti-individualiste est quelque chose de blâmable ! En lisant Delisle, on cherche vainement à la situer : défend-elle le capitalisme ? Juge-t-elle la démocratie canadienne garante de la justice ? On ne le sait pas, les démonstrations qui vont au fond des choses ne sont pas son fort. En lisant Groulx, au contraire, on sait depuis quel lieu il parle et établit ses jugements. De ce point de vue, il est beaucoup moins pernicieux que la plupart des détracteurs que je lui connais.

Je remarque également que Delisle prend bien garde de nous citer certains passages de l'œuvre de Groulx, comme celui-ci :

> Commençons, si vous voulez, par un diagnostic de notre mal. De quoi souffrons-nous ? Dans le désarroi où nous sommes, les uns partent en guerre contre les Juifs, d'autres contre les Anglais. Fausses pistes. Notre guérison sera déjà commencée, le jour où nous pourrons nous convaincre de cette douloureuse mais nécessaire vérité : notre mal n'est pas en dehors de nous ; il est en nous[30].

Voilà, si je ne m'abuse, un appel à la responsabilisation et non au fanatisme. La même idée est reprise dans un texte de 1940 où Groulx pointe du doigt les problèmes sociaux du chômage et de la misère, directement reliés au statut de « porteurs d'eau » où sont maintenus les Canadiens français. Au chapitre, « À qui la faute ? », il écrit ceci :

> Soyons justes pourtant. Et, dans cette misère, n'allons pas oublier notre part de responsabilité. Surtout

---

30. Lionel Groulx, *Orientations, op. cit.*, p. 224; texte de 1934.

> n'allons pas commettre l'erreur de nous en prendre aux Juifs ou aux Anglais. Si nous sommes refoulés sur le terrain économique et si nous ne sommes maîtres de rien, avons-nous vraiment le droit de nous en prendre aux autres[31].

Dans un court texte où il réfléchit lui aussi sur l'héritage laissé par Groulx, Fernand Dumont cite cet autre passage sans ambiguïté : « L'antisémitisme, non seulement n'est pas une solution chrétienne, c'est une solution négative et niaise[32] ». L'antagonisme de Groulx par rapport aux Juifs est un antagonisme de rivalité, une *mimesis* rivale, comme dirait Girard. Il souhaiterait que les Canadiens français soient aussi solidaires les uns des autres que ne le sont les Juifs (à ce qui lui semble). Il partage d'ailleurs avec eux certains mythes, comme celui de la terre promise. Dans une page d'*Au Cap Blomidon*, on peut lire cette réflexion du héros :

> Non, voyez-vous, Lucienne, vous comme moi et comme tous les nôtres, nous ne sommes que des pèlerins à une halte de hasard. Boston, Gaspé, Montréal, Sainte-Lucie, Saint-Donat, n'auront été pour nous tous, depuis le Grand Dérangement, que des gîtes d'étapes. Coûte que coûte, il nous faudra, les uns et les autres, nous en aller dormir dans la terre qui n'a pas cessé de nous appeler et de nous attendre[33].

---

31. Lionel Groulx, *Constantes de vie*, Montréal, Fides, 1967, p. 56.
32. Fernand Dumont, « Est-il permis de lire Lionel Groulx ? », dans *Les Cahiers d'histoire du Québec au XXe siècle*, n° 8, automne 1997, p. 101. La citation est tirée d'un texte de la période la plus incriminée par Delisle : Jacques Brassier [pseudonyme de Groulx], *L'Action nationale*, vol. 1, n° 4, avril 1933, p. 242.
33. Lionel Groulx, *Au Cap Blomidon*, *op. cit.*, p. 19-20.

David Rome, spécialiste de l'antisémitisme québécois, percevait sûrement ce rapprochement quand il disait regretter que Groulx n'ait pas été Juif[34]. Plusieurs livres en font état ces dernières années, le Juif est la figure refoulée du christianisme ; les catholiques, surtout, reconnaissent difficilement que Jésus était Juif des orteils à la racine des cheveux, que toute sa parole est traversée par la tradition hébraïque. Pour Groulx comme pour tant d'autres, le Juif a constitué un point d'identification créateur d'angoisse. Chez certains, ce malaise s'est résolu en haine pure et simple ; ce n'est pas le cas de Groulx. Dans son œuvre, contrairement à ce que soutient Delisle, le Juif n'occupe pas la position antithétique, c'est-à-dire qu'il n'est pas structurellement nécessaire à sa construction idéologique (comme peut l'être l'Anglais, par exemple, dans son roman *L'Appel de la race*).

C'est aussi avec désolation que je lis où aboutissent les fines analyses d'un Marc Angenot, lorsque le souci d'une réussite pragmatique (discréditer le séparatisme québécois) l'emporte chez lui sur le souci de la justesse. Dans l'article déjà cité publié par *La Tribune juive*, l'excellence de l'exposé sur le fascisme et l'antisémitisme est gâtée par le parti pris tendancieux qui n'éclate que sur la fin, curieusement lorsqu'il est question de Groulx, qui sert alors de repoussoir. En définitive, Angenot propose, comme solution à nos nombreuses questions, que l'on débaptise la station Lionel-Groulx et le pavillon de l'Université de Montréal qui porte aussi son nom. Il est curieux de voir Angenot tomber si roidement dans un fantasme d'*épuration* qui rappelle une pratique naguère courante dans certains pays, qui consistait à jeter à bas

34. Voir *L'Actualité*, mars 1997, p. 27.

périodiquement des statues, pour ensuite les remettre sur leur socle. Plus curieux encore est de constater qu'Angenot, pour l'occasion, ne dédaigne pas une métaphore pourtant dénoncée par E. Delisle comme typique du nationalisme d'extrême-droite : « Il ne sert à rien de traîner avec soi un "archaïsme", disons, de ce genre et d'en léguer le *poison* à la nouvelle génération[35]. » Cette peur n'est guère convaincante. Le legs de Groulx, est-ce l'antisémitisme ? Non. Est-ce pour ça qu'on lui a dressé des monuments ? Non. Y a-t-il des fascistes et des antisémites qui, aujourd'hui, font reposer leurs convictions sur l'œuvre de Groulx (comme on le fait avec Hitler, par exemple) ? Non. De quoi Groulx est-il donc le symbole ? De bien autre chose que de l'antisémitisme. Si la figure de Groulx n'est pas toute propre, toute belle, faut-il croire la population du Québec incapable de faire la part des choses ? Il est vrai que depuis le livre de Delisle, certains pourraient être conduits à voir Groulx comme le diable en personne, lui qui n'était depuis lors, aux yeux des jeunes pour qui s'inquiète Angenot, qu'un historien ancienne mode en soutane. Je les imagine bien, ces jeunes qui n'ont pas lu Groulx mais s'en sont faits une idée avec Delisle, répondre au touriste croisé dans le métro qui s'informerait au sujet de ce personnage : « Groulx ? C'est un maudit fasciste ! ».

Suite et variations sur le même thème

Depuis la sortie du livre de Delisle, la thèse faisant de Groulx un antisémite notoire semble admise par bon nombre d'intellectuels, même parmi les nationalistes.

---

35. Marc Angenot, « L'affaire Roux : mise au point », *art. cit.* Je souligne.

Mordecai Richler et Nadia Khouri reprennent les conclusions de Delisle sans les vérifier, les augmentant au contraire d'exemples pigés ailleurs. Pour Daniel Poliquin également, l'antisémitisme de Groulx est un fait incontestable[36]. Mais Poliquin, tout en y allant de quelques pointes intempestives nullement documentées, se fait ensuite plus nuancé que les deux précédents et finit par accorder au chanoine la part de mérite qui lui revient. Plus récemment, le chroniqueur de *La Presse* Yves Boisvert, dans un article qui pourtant dénonçait la surenchère et le côté délirant des accusations d'antisémitisme et de fascisme portées contre les Montréalais, y allait quand même d'une concession (oratoire ?) lorsqu'il écrivait : « Esther Delisle, c'est bien intéressant, mais bordel, le chanoine Groulx est mort en 1967. Ben oui ! Il était antisémite, comme plusieurs de ses contemporains[37]. » L'idée fait donc maintenant partie de la *doxa*.

Mais, comme je le soutenais au début de ce chapitre, le procès mené contre Groulx est en fait une mise en question de la rationalité et de la légitimité actuelle du nationalisme. C'est toujours en rapport avec le nationalisme québécois, avec ses revendications, ses fondements et son destin, que Groulx est convoqué. Normal puisque Khouri, par exemple, est persuadée que Groulx fait figure pour tous de « père du nationalisme canadien-français », voire de « père de la patrie »[38].

36. Daniel Poliquin, *Le Roman colonial*, Montréal, Boréal, 2000, 256 p.

37. Yves Boisvert, « Êtes-vous un fasciste ecclésiastique ? », *La Presse*, mercredi 5 février 2003, p. A5.

38. Nadia Khouri, *Qui a peur de Mordecai Richler*, Montréal, Éditions Balzac, coll. « Le vif du sujet », 1995, p. 90 et 106. Khouri ne précise pas si ces attributions sont d'elle ou de ceux qu'elle critique.

Dans le troisième chapitre qu'elle consacre à Groulx et à sa postérité, après donc avoir mis à mal avec force sarcasmes l'« icône » du « père de la nation », Khouri opte pour une nouvelle stratégie, en apparence plus conciliante, qui l'amène à distinguer les nationalistes d'hier et ceux d'aujourd'hui. Elle admet que Groulx n'est réellement présent que dans la pensée des groupes de droite. Elle fait observer ensuite que certains universitaires, qui pourtant ne partagent aucunement l'idéologie groulxienne, se rattachent à lui par le canal de la pensée de la survivance (elle pense sans doute, sans le nommer, à Fernand Dumont). En réalité, écrit-elle, il n'y a pas de continuité entre le nationalisme d'hier et celui d'aujourd'hui. Considérant tout ce qui a précédé, cette affirmation de Khouri a de quoi étonner, mais on finit par comprendre que ce point de vue plus conciliant est dicté par la volonté de démontrer aux nationalistes d'aujourd'hui que leur attachement à l'image de Groulx repose sur un impensé, une forme de sentimentalisme défensif qui n'a plus lieu d'être. Plus loin, elle lance une autre assertion pour le moins étonnante quand on songe que l'emphase mise sur Groulx ces dernières années n'a pas été le fait de ses « disciples » mais bien des contempteurs du nationalisme : la présence actuelle de Groulx sur la scène intellectuelle, soutient Khouri, est artificielle et facteur de malentendu, autour de lui s'opère une « fausse radicalisation des opposés »[39]. Au fond, poursuit-elle, les esprits progressistes qui continuent (irrationnellement, somme toute) de défendre Groulx sont beaucoup plus en accord avec les détracteurs de ce dernier. Pourquoi alors le défendent-ils, eux qui n'ont « aucun

---

39. *Ibid.*, p. 110.

intérêt à perpétuer la mémoire de Groulx[40] ». Khouri n'arrive pas à comprendre qu'une Lise Bissonnette et, plus surprenant encore, qu'un Dan Bigras se montrent tout à coup solidaires d'un curé qui professait des vues sur le monde carrément incompatibles avec les leurs. Elle se demande en définitive pourquoi les nationalistes progressistes font tant de difficultés à admettre l'antisémitisme de celui qu'ils devraient rejeter dans les limbes de l'histoire. Pourquoi donc le défendent-ils ?

Quel que soit le degré de bonne foi de celle qui la pose, je pense que la question est incontournable. C'est pourquoi j'y donnerai ma réponse et je tiens à préciser ici que je n'ai aucunement la prétention de représenter la pensée de l'ensemble des nationalistes. De façon synthétique, je répéterai d'abord ce que je m'efforce de faire entendre depuis le début de ce livre, soit que Groulx n'a pas à être accusé ou protégé. L'idée que je défends personnellement est que son œuvre est travaillée par des questions qui ne sont pas toutes dépassées et qu'il y a encore en elle quelque chose qui mérite d'être pensé – même si c'est *autrement*.

Groulx n'est pas une icône, il n'est pas non plus intouchable. Mme Khouri, qui se présente pourtant comme une analyste du discours, devrait savoir que, dans le discours, la posture énonciative est plus importante que le contenu de l'énoncé. Quand on s'adresse à quelqu'un, on émet des idées, soit, mais on négocie également un rapport de places : on se montre au-dessus, au-dessous ou à égalité, on lui tend la main ou on la lui retire, on construit un pont ou l'on dresse un mur. Ce phénomène est assez difficile à analyser mais il est néanmoins présent continuellement. Ainsi, la

40. *Idem.*

même critique adressée à quelqu'un sera accueillie de manières diverses selon le ton utilisé et l'intention qui anime l'énonciateur. Or, rien dans l'essai de Khouri ne permet d'entendre quelque sympathie que ce soit à l'égard de la lutte menée jusqu'ici par les Québécois francophones (« d'héritage canadien-français », comme dirait Jocelyn Létourneau, ce qui s'avère une précaution utile car Nadia Khouri est, elle aussi, en termes civiques, une Québécoise francophone), je parle des luttes pour faire valoir leurs droits et pour assurer à leur culture les conditions permettant son développement. L'essayiste reproche aux nationalistes leur « nous autres » exclusif (elle commet là, à mon sens, une généralisation abusive), mais elle-même les traite constamment en « eux autres » auxquels elle ne désire nullement s'identifier (il est bien visible qu'elle trouve ses appuis dans un autre réseau de solidarités). Partant de là, elle ne peut que rester insensible, si ce n'est hostile, au désir que met en scène l'œuvre de Groulx, désir qui est le lieu intime de l'espèce de reconnaissance que lui vouent plusieurs nationalistes, fussent-ils assez éloignés par ailleurs de la plupart des composantes de l'idéologie groulxienne. Cette solidarité n'a rien à voir avec le tribalisme, elle est en fait du même ordre que la solidarité manifestée par Khouri, dans une partie de la dédicace de son essai, à l'égard des « Juifs du Nil ».

Ce n'est pas la même chose ? Il est vrai que les Québécois d'aujourd'hui n'ont pas à endurer de graves persécutions, chose qu'ils devraient regretter car Richler, dans ce cas, il l'écrit lui-même, « descendrai[t] dans la rue pour manifester avec eux[41] ». Mais ce serait

41. Mordecai Richler, *Oh ! Canada !... Oh ! Québec*, Candiac, Éditions Balzac, 1992, p. 274. Les Québécois n'ont aucune

croire qu'il n'y a de solidarité que dans la persécution alors que d'autres formes de souffrances peuvent exister, qui sont de l'ordre du symbolique et de l'imaginaire. Le désir présent chez Groulx, que j'évoquais plus haut, s'enracine dans une douleur particulière qu'il faut savoir penser si l'on veut échapper à ses effets débilitants. Côté symbolique, cette douleur dérive d'un défaut d'origine, d'une identité qui a toujours réussi à ne se fonder qu'à moitié. Le Québec n'aura toujours été qu'une succursale de grandes civilisations : pas de texte qui ferait Référence (comme peut l'être la Torah), peu ou prou de traditions qu'un Québécois peut emporter avec lui de par le monde et qui seront le signe de sa spécificité[42]. Toute l'œuvre de Groulx peut être lue comme une tentative de donner aux Canadiens français cet ancrage référentiel qui lui fait défaut. Ce n'est pas l'insulter que de constater qu'il n'a pas entièrement réussi dans cette entreprise et que les Québécois d'aujourd'hui ne peuvent certes retourner à lui comme d'autres peuples le font avec leurs mythes et leurs textes sacrés[43]. Côté imaginaire maintenant, la douleur

---

raison de se plaindre ! répètent et Richler et Khouri. Mais combien de luttes ont-ils dû mener pour en arriver là ! Cela laisse des traces.

42. Ce qui fait qu'un Québécois à l'étranger est immanquablement destiné à se fondre dans la masse.

43. C'est d'autant moins l'insulter que cette inaptitude ne relève pas entièrement des compétences personnelles de Groulx. En fait, son œuvre apparaît à un moment de l'histoire où le catholicisme semble devenu inapte à fonder une pensée historique conséquente (ce qui s'est vérifié du reste lors de la montée des fascismes face auxquels l'Église n'a pas réussi à se démarquer, ce qui fut son coup de mort sur le plan socio-historique).

groulxienne (et québécoise) repose sur la difficulté, issue de la faiblesse symbolique, à se rendre crédible auprès de l'autre, à recevoir de son regard la reconnaissance d'une valeur ; bref, à être pour l'autre objet de désir. D'où toutes ces campagnes pour engendrer la « fierté nationale » qui font bien rigoler ceux qui ne vivent pas ce problème et qui mortifient ceux (j'en suis) qui voient dans ces procédés d'autocélébration le pire cul-de-sac qui soit.

En tant que Québécois « d'héritage canadien-français », à défaut de régler le problème symbolique (ce qui ne saurait tarder !), je réagis certes au complexe imaginaire qui s'est développé récemment entre les nationalistes et leurs contempteurs. J'ai à redire, en fait, sur la manière de discuter de ceux que je présente dans ce texte comme des adversaires. Il n'est pas question pour moi de leur demander d'être « plus gentils », ce qui serait vraiment puéril. Je ne prétends même pas les amener à changer d'avis sur Groulx ou sur le nationalisme. Mais puisqu'ils se présentent comme les hérauts d'une certaine rationalité critique, je me sens en droit de leur signaler là où, à mon sens, ils manquent à l'éthique de la discussion. Certains des propos anti-groulxiens de Richler, par exemple, suscitent mon hostilité précisément dans la mesure où ils offensent ma mémoire. Pas seulement la mienne, d'ailleurs. On pourrait commencer par la mémoire vivante de ceux qui ont connu Groulx personnellement, qui savent hors de tout doute qu'il n'était en rien une personne haineuse, pas même acariâtre. Mais laissons ce genre de témoignage et tenons-nous-en, comme je l'ai fait jusqu'ici, aux écrits. J'accepte que l'on critique cette œuvre et que l'on remette en question ses présupposés, mais je m'oppose à ce que l'on se livre au salissage facile d'une personnalité intellectuelle qui mérite d'abord et avant tout notre respect. C'est ainsi que les propos que Richler tient sur Groulx dans son essai me paraissent inacceptables. Et pourtant, je tiens à le dire, contrairement à bien d'autres j'ai plutôt aimé l'essai de Richler : c'est brillant par moments, humoristique et vivifiant. La posture de Richler a ceci d'honnête qu'elle ne cache pas son fond de subjectivité, mais dans les passages sur Groulx, l'écrivain manque décidément de finesse. Je le comprends de ne pas éprouver *a priori* de sympathie pour le chanoine, mais il manifeste peu de discrimination dans le choix de ses adjectifs lorsqu'il en fait un « *odieux* petit curé », un « *ardent* antisémite » (p. 108), «non seulement un antisémite *virulent* mais aussi un fasciste en puissance, un admirateur *inconditionnel* de Mussolini, Dollfus et Salazar» (p. 100 ; je souligne). Lorsqu'il soutient que les propos racistes sont «la marque de commerce de Groulx» (p. 114), on se demande par quel réseau de distribution il y a eu accès. Et quand il déclare que Groulx est «*profondément influencé* par l'écrivain fasciste Charles Maurras» (p. 101), on comprend finalement qu'il reproduit aveuglément les propos d'Esther Delisle, elle-même passablement dans le champ, hallucinée par le parti pris initial qui commande toute sa démonstration[44]. De tels propos sentent le procès réglé en un tournemain avec la désinvolture de qui se sent peu concerné par les questions qui affectent ses adversaires. Peut-être est-ce

44. On consultera à ce sujet la mise au point que fait Nicole Gagnon « Sur le présumé maurrassisme de Groulx », dans *Les Cahiers d'histoire du Québec au XXe siècle*, n° 8, automne 1997, p. 88-93. L'article est tiré d'une étude plus étendue, restée inédite, intitulée « La France, le Québec et l'antijudéisme », que l'auteur a bien voulu me communiquer.

beaucoup demander à quelqu'un ; dans ce cas, je ne demanderai rien à ceux qui se réclament encore de Richler, je me permettrai seulement de leur opposer un autre point de vue[45].

---

45. Je dois m'abstenir ici d'un long développement, qui serait pourtant bienvenu, sur l'éthique de la discussion. Qu'on me permette seulement un court commentaire sur le caractère pernicieux des accusations de fascisme, de racisme ou d'antisémitisme lancées à toute volée. Injurier, c'est nommer de manière injuste ; mais c'est aussi rompre le dialogue avec l'autre et bloquer le processus de réflexion. Dans le cas de Groulx, j'ai insisté sur l'importance d'examiner les problèmes humains, sociaux ou cognitifs posés par ses textes, avant de passer à la critique des solutions ou interprétations qu'il a pu proposer. Pour mieux faire comprendre cette position de base, je pourrais évoquer aussi un cas qui nous est contemporain, celui de Le Pen. Quoique je n'éprouve aucune sympathie *a priori* pour ce personnage, je trouve délétère le discours de la gauche lorsqu'elle se contente de le déprécier et de le traiter de tous les noms. Ce n'est pas en accusant Le Pen de xénophobie et de racisme qu'on arrive à penser quoi que ce soit. Contrer un Le Pen, c'est prendre en considération le problème social qui conditionne ses prises de position et l'interpréter autrement, proposer de meilleures solutions que les siennes. Mais si l'on se contente de cracher sur lui, la question de base (par exemple, l'intégration des immigrants dans le tissu social) reste en souffrance et c'est la horde sans tête qui s'en empare pour le plus grand malheur de tous. Autre exemple : l'affaire Michaud. Personne, à ma connaissance, n'a démontré que son affirmation était fausse. En faisant de sa proposition « quelque chose qu'on ne doit pas dire », on a fait s'enliser le débat dans le tabou, on a ainsi créé une frontière entre le pur et l'impur, ce qui a contribué à accentuer ce genre de « fausse radicalisation des opposés » que dénonçait Khouri. Fausse radicalisation car aucune pensée claire et aucun dialogue n'ont émergé de ce débat strictement politique. Même Marc

Parenthèse sur Richler

Je m'en suis tenu ici à certains aspects seulement de l'essai de Richler pour ne pas trop déborder de mon sujet, mais sans doute son livre mérite-t-il qu'on s'arrête, ne serait-ce que brièvement, sur son dispositif énonciatif. *Oh ! Canada ! Oh ! Québec !* peut s'avérer une lecture instructive et stimulante pour un nationaliste, en autant qu'il le lise avec une certaine liberté d'esprit, en évitant de se laisser prendre au piège de son besoin de reconnaissance (nécessairement frustré, même si Richler lance à l'occasion quelques petites friandises qui atténuent la causticité de son propos). Il faut recevoir le livre de Richler pour ce qu'il est : le point de vue d'un Juif anglophone montréalais dont la perception du Québec et du Canada s'enracine en des traditions, des réseaux et des pratiques en grande partie distincts de ceux que connaissent les intellectuels francophones. Ce qui frappe de prime abord dans le livre de Richler, c'est l'assurance existentielle que traduit sa posture énonciative : comme il n'a pas besoin qu'on l'aime (il ne me semble pas hasardeux de dire que la culture québécoise francophone ne constitue pas un lieu de désir pour lui), il peut se permettre d'exprimer ses opinions sans trop de précautions oratoires ; il

---

Angenot, lui qui défend pourtant dans ses essais théoriques les conditions de possibilité du travail de la raison, y est allé sur les ondes de RDI d'une phrase creuse qui imite le style des pamphlétaire qu'il a étudiés : « M. Michaud a le droit de tenir des propos antisémites, j'ai le droit de les trouver abjects ». Il eût été plus profitable à la communauté, incluant ceux que pouvait offenser la phrase de Michaud, de discuter cette dernière calmement en démontrant, si c'est le cas, qu'elle n'avait aucun bon sens.

pratique aussi le sarcasme sans culpabilité, fort d'un « bon sens » qui le met au-dessus des névroses qui agitent l'intellectuel québécois typique. On le sent fortement ancré dans son monde concret et c'est l'un des charmes de son livre que de déployer une cartographie personnelle, un « chez-soi » assez stable malgré le fait qu'il transite entre Montréal, Londres et les Cantons-de-l'Est. En tant qu'observateur de la vie politique, Richler démontre une sagacité, ma foi, passablement souveraine : il dénonce des absurdités sans s'apitoyer outre mesure, il est critique sans fiel et sa drôlerie le sauve de la morosité. Je le vois comme un homme passablement pragmatique, qui s'arrange pour jouir de la vie et ne sacrifie pas ce « bien vivre » à des idéaux crucifiants[46]. Manifestement, il ne se sent aucunement menacé dans son identité, seulement un peu ennuyé qu'on semble faire grief à lui et à sa communauté de vouloir préserver un style de vie en tous points honnête et civilisé. Cela dit, la séduction qu'exerce la bonhomie richlérienne (ah ! les femmes, les voyages, le whisky !) ne me dispense pas d'un regard un peu plus attentif qui me donne à voir les lacunes argumentatives qui se profilent ici et là, qui plus est en des points assez cruciaux. J'aurais souhaité que Richler me convertisse à

46. En ce sens, les nationalistes auraient avantage à prendre exemple sur lui. Traiter leurs complexes de manière détachée, avec rigueur et légèreté, éliminer du discours sur soi tout effet pathétique, voilà certes une attitude à développer. Quand le Québécois francophone sera capable d'une autoironie qui n'est pas une autodérision, quand il saura se critiquer sans que cela prenne la forme d'un aveu honteux, d'une déploration ou d'une autoflagellation, on aura alors le signe que sa fondation est assurée. Je remets au chapitre final l'épineuse question de l'« être québécois ».

son point de vue au sujet, par exemple, du débat linguistique, ou encore sur l'identité multiculturelle du Québec. Malheureusement, son gros ouvrage m'offre peu d'outils qui me permettraient, en tant que Québécois francophone, de dépasser les contradictions qui affligent ma communauté.

Il y a là comme l'indice (encore une fois !) d'un dialogue raté. Ce « requiem pour un pays divisé » cherche la voie d'une réconciliation, d'une sortie en tout cas de ces lassantes et, intellectuellement, très peu nourrissantes querelles politiques. Toutefois, il faut bien remarquer que la vitalité primesautière de Richler débouche, au moment des choix idéologiques et de leur mise en pratique, sur rien d'autre que le *statu quo*, ou sur un bon sens qui fonctionnerait au cas par cas. Ainsi, la brillante présentation de la confusion politique qui règne au pays n'est pas relayée par des propositions claires au sujet des gestes qui mériteraient d'être posés. Forcément, car en formulant ce genre de propositions, Richler s'enferrerait dans les mêmes contradictions que tout un chacun[47]. La posture satirique est nettement

47. Que Richler ne propose pas de solution satisfaisante à ces questions est bien compréhensible puisque, de solution, il n'y en a pas. Précisons : il n'existe pas de solution reposant sur la pure raison. Reste la raison pratique incarnée dans le Droit, qui, elle, est le résultat de négociations, de rapports de force, d'interprétations des valeurs qui sont au fondement de la vie sociale, valeurs elles-mêmes dérivées de la conscience qu'ont les citoyens et les regroupements de citoyens de leur place dans le monde et des droits qui leur reviennent. De solution, c'est l'histoire qui en donnera, cette histoire qui ne sera rien d'autre qu'un produit des rapports de force entre des pouvoirs concurrents. Dans son livre, Richler présente justement la réalité démographique comme l'un de ces processus historiques concrets qui

plus commode ! On voit clairement quel est son parti pris, mais celui-ci n'a rien de vraiment réconciliateur puisqu'il s'agit, justement, d'un parti pris. Richler voudrait que l'on cesse ces débats puérils, argument semblable à celui que servait Jean Chrétien aux nationalistes lors du dernier référendum, qu'on pourrait résumer ainsi : « Nous ce qu'on veut, c'est qu'on arrête de se chicaner. On ne veut plus parler de constitution, on veut parler des vraies choses, de ce qui va donner du travail aux gens ». La force pragmatique de ce genre d'argument – sa perversité, devrais-je dire – est qu'il fait porter sur l'adversaire l'odieux de la querelle, il le fait *filer cheap* ; en d'autres termes, il est prescrit que le sujet soit clos en autant que j'aie le dernier mot. Richler tente

---

rendent obsolètes certains débats idéologiques : « Dans l'état actuel des choses, quarante pour cent des Canadiens ne sont ni d'origine française ou anglaise. Il est certain que dans les trente, ou même vingt prochaines années, ils formeront la majorité de notre population [...]. Il est sûr également que ces personnes exigeront de mettre un terme à cette querelle tribale inutile entre anglophones et francophones » (*op. cit.*, p. 122). Il est contestable que la querelle en question puisse être définie comme « tribale », vocable qui a fait long feu mais qui n'a aucune pertinence. Déclarer cette querelle « inutile » est aussi le fait de quelqu'un qui persiste à nier que la partie n'ait pas été facile pour les Canadiens français en ce qui concerne la sauvegarde de leur langue et de leurs traditions. Si Richler accepte avec autant de sérénité le verdict de l'histoire, c'est qu'il ne se sent aucunement menacé dans sa culture, sachant fort bien que le processus de multiculturalisation se fera, à moins d'une volonté contraire fortement marquée, en faveur d'un consensus anglophone. La question que se pose alors le francophone est la suivante : doit-il laisser les choses suivre leur cours normal (c'est-à-dire l'anglicisation) ou doit-il résister ?

bien de démontrer que tout cela n'est que du vent, des faux problèmes ; il va même jusqu'à soutenir que les francophones et les anglophones ont toujours fait bon ménage (!) et que seuls les fanatiques entretiennent la division. « Vivre et laisser vivre », tel semble être son idéal civique. Je serais prêt à le suivre sur cette voie si ses démonstrations n'étaient pas aussi tendancieuses.

En gros, l'essai s'articule sur trois niveaux qui s'interpénètrent : le témoignage personnel (souvenirs d'enfance, observations sur le terrain, etc.) ; l'exposé historico-journalistique des faits ; le point de vue critique sur ces faits et le positionnement idéologique de l'auteur. Le premier niveau est nettement le plus sympathique : Richler est là, vivant, humain, gouailleur, un brin nostalgique, et on se rend compte qu'il est un excellent conteur. Le deuxième niveau est aussi très intéressant car l'auteur, exhibant pour cela une documentation impressionnante, accomplit ce tour de force de raconter de manière vivante et synthétique les différentes étapes des débats idéologiques (sur le nationalisme avant tout), constitutionnels et linguistiques qui ont marqué la politique canadienne (et plus particulièrement québécoise) des années soixante-dix aux années quatre-vingt-dix. Je ne suis pas en mesure de juger si le récit est entièrement fidèle à la réalité, mais chose certaine, il présente avec clarté les points de friction entre les différents protagonistes de la scène politique pendant ces vingt années. Les problèmes surgissent dans le passage au troisième niveau. De nombreux extraits du livre sont purement informatifs : Richler expose les étapes d'un processus, résume les positions des parties qui s'affrontent. Parfois, on pourrait déduire de son exposé qu'il entend les revendications des nationalistes francophones, mais il n'en est rien : l'exposé reste alors muet sur les conclusions légitimes qui pourraient être tirées en faveur des francophones. Par contre, lorsqu'il s'agit de montrer du doigt une faiblesse argumentative ou un geste ridicule, à ce moment-là Richler n'est pas avare de commentaires dépréciatifs. On se souviendra qu'un passage de son livre a fait bondir de nombreux Québécois :

> Le taux de natalité des Québécois est en chute libre, alors qu'il était autrefois le plus élevé en Amérique du Nord, les familles comptant souvent douze et même seize enfants. Cette fécondité exténuante, qui revenait à prendre les femmes pour des truies, était impunément encouragée en coulisses par l'abbé Lionel Groulx [toujours lui !], dont la revue *L'Action française*, fondée en 1917, prêchait *la revanche des berceaux*, qui permettait aux Canadiens français de constituer la majorité au Canada[48].

Plusieurs défenseurs du nationalisme ont entendu là, à tort, que Richler traitait leurs ancêtres de truies. En réalité, on voit bien qu'il accuse surtout Groulx (à tort, lui aussi, « la revanche des berceaux » étant une invention qui précède la naissance de Groulx), et le clergé en général, de ne pas respecter les femmes, de faire servir leur pouvoir de reproduction à des fins idéologiques. Fort bien. Il reste que l'image est un peu choquante car, bien que ces femmes en soi ne soient pas des truies, elles deviennent tout comme à partir du moment où elles obéissent à l'abbé Groulx. Devant un tel passage, un lecteur québécois peut légitimement se demander : et si je disais la même chose des femmes juives, musulmanes ou amérindiennes, comment le prendrait-on ?

---

48. Mordecai Richler, *op. cit.*, p. 24.

Je laisse le lecteur se l'imaginer. Mais ce qui n'est pas de l'imagination, c'est la manière dont Richler lui-même présente le même phénomène à travers un autre groupe social :

> En 1986, Outremont la française a découvert, au grand chagrin de certains de ses résidants, que sa communauté hassidique, qui ne comptait autrefois que pour une infime minorité d'une population de vingt-trois mille habitants, en comptait maintenant trois mille, les familles nombreuses étant courantes, comme cela était le cas pour les Canadiens français quarante ans plus tôt[49].

Ici, curieusement, aucune accusation des élites hassidiques de traiter leurs femmes comme des truies. Au contraire, la chose est évoquée de manière factuelle, sans commentaire, dans le cadre d'un exposé qui cherche à mettre en relief les préjugés des Québécois à l'égard des Juifs. On voit par cet exemple comment l'énonciation et le dispositif argumentatif traduisent un parti pris qui n'est jamais questionné et qui fonctionne d'ailleurs à plein rendement tout le long du livre[50]. D'où le sentiment d'agacement pleinement justifié de plusieurs francophones devant ce livre, d'où cette assertion, vilipendée par Khouri, que Richler « n'est pas des nôtres » – ce qui n'est pas un jugement de valeur, pour ainsi dire, mais bien un énoncé de fait.

Mais si Richler n'est pas des nôtres, seulement « des n'autres », comme disent les facétieux, avons-

49. *Ibid.*, p. 92.
50. Ce ne sont pas les quelques pointes lancées aux idéologues anglophones qui changent quoi que ce soit. Cela dit, Richler n'est pas antifrancophone, il est simplement antinationaliste et c'est sa critique du nationalisme que je questionne ici.

nous raté l'occasion d'une belle solidarité avec lui ? Certains passages de son livre le suggèrent :

> À l'époque, je trouvais surprenant que les Canadiens français et les Juifs ne s'accordent pas mieux que cela. Nous avions certes beaucoup en commun. L'amour de la vie. L'amour de la parure. La crainte de voir disparaître la mame-loshn, le français ou le yiddish, et la conviction intime que seule notre société était authentiquement distincte. Malheureusement, l'hostilité demeurait la règle[51].

On se met à rêver qu'il en allât autrement, mais la langue joua un rôle déterminant, facteur que Richler reconnaît avec lucidité à la page précédente : « La voie royale de l'ascension sociale était clairement pavée par les Anglais, alors que la voie française était de toute évidence un cul-de-sac ». Franc, glissé dans un exposé particulièrement empreint de sympathie, le propos est néanmoins cruel en ce qu'il décrit en peu de mots la situation objective des Canadiens français pendant de longues décennies. Il explique aussi ce qui fut et continue d'être le moteur de ce qu'on appelle leur « ressentiment »: l'impression de ne pas être désirables, d'être rejetés au profit du plus fort ou du plus offrant. Ce sont des problèmes de cour d'école, si l'on veut, des problèmes d'adolescent boutonneux – de l'imaginaire qui repose sur du très concret. Maintenant plus fort qu'avant, le Québécois ne semble pas plus désirable, au contraire, on lui reproche désormais de montrer les dents. Peut-être s'y prend-il mal pour s'affirmer ? Quand donc le Québécois a-t-il cessé d'être beau, pour reprendre une expression de Jean Basile ? Je laisse ces

---

51. *Ibid.*, p. 120.

questions en suspens car il est temps de conclure sur Groulx.

Coda : Groulx forever ?

Si vous voulez sortir de Groulx, inutile de vous faire des peurs en imaginant le régime fasciste qui aurait pu et pourrait encore naître de son initiative, lisez et relisez Jacques Ferron. *Les Confitures de coings*, par exemple, sans oublier *L'Appendice* qui le prolonge. Telle est la proposition que je réitère : contre le procès idéologique, la parole d'un écrivain en train de se construire comme sujet à même les signifiants qui lui échoient, héritage incontournable malgré le goût qui nous prend d'être « autre chose ».

J'ai déjà exposé dans les chapitres précédents ce qui crée une filiation entre *L'Appel de la race* de Groulx et *Les Confitures de coings*, filiation non pas idéologique mais historique. Il est donc inutile que je reprenne cette thèse. J'attirerai de ce fait l'attention sur d'autres textes de Ferron où il exprime directement son opinion sur Groulx. D'abord, un petit coup d'œil du côté des *Historiettes* où il s'en prend souvent à « ce vieux toqué de Chanoine Groulx qui ne démord de rien, même des pires erreurs qui nuisent à ce que son œuvre a de bon[52]. » Vous voyez le ton ? Ça vous changera du catastrophisme opportuniste de Delisle et de tant d'autres qui ont endossé ses thèses sans désemparer. Contrairement à ces derniers, Ferron ne se contente pas de se faire une belle jambe sur le dos de Groulx ; s'il l'attaque,

52. Jacques Ferron, *Historiettes*, Montréal, Éditions du Jour, 1969, p. 113.

c'est qu'il entend étayer une relecture de l'histoire qui va à l'encontre de celle proposée par le chanoine. L'idée n'est pas de vouer ce dernier et tout le nationalisme clérical aux gémonies : « Ces curés, que j'accable avec une satisfaction certaine, ils aimaient passionnément, eux aussi, leur pays. Mais, que voulez-vous, ils ne savaient pas comment l'aimer[53] ». C'est donc à partir d'une Référence et d'un système de valeurs qu'il s'efforce lui-même de construire que Ferron en arrive à contester Groulx, alors que d'autres empruntent le chemin tout pavé des valeurs consensuelles.

Ainsi, Ferron déclare que Groulx était un « mauvais historien[54] ». À quoi cela tient-il ? Ferron y va bien de quelques moqueries à l'endroit du racialisme de Groulx, de sa cécité à l'égard du legs amérindien, qu'il n'a pas voulu (pour notre plus grand malheur) intégrer à sa définition du Canadien français. Mais ce que Ferron conteste avant tout, c'est la volonté groulxienne de situer la « naissance de la race » à l'époque de la Nouvelle-France. Est en jeu ici la double question de l'origine et de la fondation. Pour Ferron, une conscience nationale canadienne-française n'émerge qu'avec les Patriotes ; avant – la guerre de sept ans, les plaines d'Abraham –, ce sont des épisodes de l'histoire de France : « L'histoire d'un peuple débute au moment où il prend conscience de lui-même et acquiert la certitude de son avenir. Or cette foi et cette conscience n'ont pas été ressenties en Bas-Canada avant le XIXe siècle. Tout ce qui précède n'est que littérature »[55]. Ferron s'en prend surtout au mythe de Dollard, qui a

53. *Ibid.*, p. 25.
54. *Ibid.*, p. 28.
55. *Ibid.*, p. 11.

ravi selon lui la place qui aurait dû revenir à Chénier. Héros de pacotille, voire brigand du Long-Sault, Dollard ne représente rien aux yeux de Ferron sur le plan national. En le vénérant, on se trouve aussi à faire de l'Iroquois l'ennemi numéro un des Canadiens français, ce que conteste avec beaucoup de fermeté l'écrivain qui, au contraire, considère comme une erreur le fait qu'on ne se soit pas concilié cette nation intelligente et civilisée. Les lecteurs de Ferron savent à quel point son univers imaginaire est peuplé de métis ; on ne s'étonnera donc pas de le voir critiquer l'ethnocentrisme de Groulx. En ce qui concerne les Patriotes, Ferron devrait quand même donner crédit à Groulx de les avoir réhabilités à une époque où on les tenait pour des bandits[56]. Mais il ne fait pas d'eux pour autant des fondateurs, bien entendu, et les deux points de vue restent radicalement inconciliables sur la question de l'origine.

Ferron était-il nationaliste ? Dans les années soixante et soixante-dix, il a adhéré à un « nationalisme de gauche » émancipé du nationalisme de droite de tradition ecclésiastique. Tout porte à croire que le nationalisme ne représentait pour lui qu'un parti pris provisoire, imposé par la situation et délétère à long terme : « Le patriotisme est une vertu naturelle, presque familiale, débonnaire lorsqu'elle est satisfaite, mais qui s'aigrit lorsqu'on la contrarie ; elle tend alors à la politique et devient le nationalisme[57]. » Dans son essai précédemment cité, Daniel Poliquin soutient que la foi nationaliste a souvent pour origine, au Québec, le désir de venger le père humilié. Sa démonstration est assez

56. Voir, de Lionel Groulx, *Notre maître le passé*, Montréal, Stanké, coll. « 10/10 », 1977, tome 2, p. 69-88.
57. Jacques Ferron, *Historiettes*, *op. cit.*, p. 9.

convaincante. Il est seulement dommage qu'il n'ait pas analysé le cas de Ferron, pour qui le nationalisme n'était pas une foi mais une conviction pratique acquise au terme d'une profonde réflexion et qui s'est fondé à partir du père, mais pour des raisons qui n'ont rien à voir avec l'humiliation. Le père élu par Ferron nationaliste n'est en rien ce « père de la patrie » que serait Groulx aux yeux de certains. Malgré cela, je n'ai pas hésité à présenter Ferron, au chapitre un, comme un héritier du régionalisme. De ce mouvement littéraire, Ferron a en effet accompli une certaine partie du programme. Celui, par exemple, de nommer le pays et de le doter d'une consistance imaginaire. Celui également de créer une mythologie issue du peuple et de son histoire. Celui, enfin, d'élaborer une langue vernaculaire. Mais alors que ces projets recevaient de la part des régionalistes du début du siècle des traitements maladroits et, curieusement, mal dégagés des esthétiques françaises, ils trouvent chez Ferron une expression souple et singulière. Ferron a aussi repris certaines thématiques qui avaient fasciné le roman régionaliste d'obédience nationaliste, par exemple l'antagonisme français/anglais, en montrant comment cette opposition était moins un conflit racial qu'un conflit entre classes (perspective qui échappait à la pensée de Groulx, incapable de penser la nation autrement que comme homogénéité unitaire). On voit donc à travers Ferron comment le régionalisme, voire le patriotisme, peut s'exprimer en un nationalisme qui n'emprunte pas la voie de l'essentialisme groulxien. Le père que choisit Ferron à la fin de *L'Appendice aux « Confitures de coings »* n'est en rien une figure spéculaire de perfection ; c'est un père qui, bien que réfractaire aux idées de son fils, a la générosité de respecter son désir et de le libérer de toute dette à son égard. Un père passeur qui ne laisse « en héritage qu'un peu d'argent et mille ruses pour rester à la hauteur de son orgueil[58]. »

Il était malhonnête de la part des contempteurs du nationalisme de faire tout un plat au sujet de Groulx et d'ignorer le passage de Ferron qui, plus encore que Miron et Aquin, a tracé la voie d'un patriotisme dégagé du nationalisme. Il est aussi désolant de voir à quel point les nationalistes d'aujourd'hui – je pense plus particulièrement aux politiciens et aux idéologues du mouvement – ignorent ou négligent Ferron. Il faut dire que ce nationalisme s'est aigri sous le coup de graves contrariétés infligées au patriotisme de base miné dans sa « vertu familiale » même, de plus en plus impraticable. Il est probablement trop tard pour réitérer la conclusion politique à laquelle aboutit la méditation ferronienne sur le père : « Il faut faire vite, derrière nous les ponts sont coupés, il n'y a plus de salut que dans l'occupation complète du pays[59]. » Maintenant que j'ai disposé du legs de Groulx, j'aurai à revenir sur celui de Ferron, à le mettre à l'épreuve des temps présents[60]. Pour le moment, je ne revendique qu'une chose toute simple : une station de métro pour Ferron, sur une ligne qui croiserait certes celle de Groulx, mais pour s'élancer vers une toute autre direction.

---

58. Jacques Ferron, *Les Confitures de coings*, *op. cit.*, p. 189.
59. *Ibid.*, p. 190.
60. Travail que j'affronte au chapitre six du présent ouvrage.

Bibliographie sélective

ANGENOT, Marc, « L'affaire Roux : mise au point », *Tribune juive*, vol. 14, n° 2, déc. 1996.

BOUCHARD, Gérard, *Les Deux chanoines. Contradiction et ambivalence dans la pensée de Lionel Groulx*, Montréal, Boréal, 2003, 320 p.

DELISLE, Esther, *Le Traître et le Juif*, Outremont, L'Étincelle, 1992, 284 p.

DUMONT, Fernand, « Est-il permis de lire Lionel Groulx ? », dans *Les Cahiers d'histoire du Québec au XXe siècle*, n° 8, automne 1997, p. 100-103.

FERRON, Jacques, *Historiettes*, Montréal, Éditions du Jour, 1969, 184 p.

GAGNON, Nicole, « Sur le présumé maurrassisme de Groulx », dans *Les Cahiers d'histoire du Québec au XXe siècle*, n° 8, automne 1997, p. 88-93.

GROULX, Lionel, *Journal, 1895-1911*, édition critique par Giselle Huot et Réjean Bergeron, Montréal, Presses de l'Université de Montréal, 1984, tome 1.

—, *Notre maître le passé*, tome 3, Montréal, Stanké, coll. « 10/10 », 1978, 324 p.

—, *Notre maître le passé*, tome 2, Montréal, Stanké, coll. « 10/10 », 1977, 316 p.

—, *Orientations*, Montréal, Éditions du Zodiaque, 1935, 320 p.

—, *Au Cap Blomidon*, Montréal, Granger Frères, 1932, 239 p.

HARVEY, Jean-Charles, *Les Demi-civilisés*, Montréal, Stanké, coll. « 10/10 », 1982, 208 p.

HÉBERT, Pierre, *Lionel Groulx et* L'Appel de la race, Montréal, Fides, 1996, 210 p. (avec la collaboration de Marie-Pier Luneau).

KHOURI, Nadia, *Qui a peur de Mordecai Richler*, Montréal, Éditions Balzac, coll. « Le vif du sujet », 1995, 164 p.

MARCEL, Jean, « Écriture et histoire : essai d'interprétation du corpus littéraire québécois », dans *Pensées, passions et proses*, l'Hexagone, coll. « Essais littéraires », 1992, p. 143-156.

POLIQUIN, Daniel, *Le Roman colonial*, Montréal, Boréal, 2000, 256 p.

RICHLER, Mordecai, *Oh ! Canada !... Oh ! Québec. Requiem pour un pays divisé*, Candiac, Éditions Balzac, coll. « Le vif du sujet », 1992, 310 p.

TREMBLAY, Mgr Victor, *La Tragédie du lac Saint-Jean*, Chicoutimi, Éditions Science moderne, 1979, 231 p.

Deuxième partie

L'AILLEURS, ALLER ET RETOUR

Chapitre 4

Récits de Québécois en Europe

Après quelques chapitres où prédominaient argumentation et analyses serrées, je propose ici une réflexion qui emprunte la voie du récit, forme plus décontractée et propice à la détente. J'ai entrepris cette recherche pour des raisons toutes personnelles, pour m'enquérir de ce que d'autres avant moi avaient réussi à tirer de leur expérience européenne. La figure de l'aller-retour me paraît résumer la posture critique (intellectuelle et *existentielle) que j'entends privilégier. Il s'agit d'évaluer comment l'expérience de l'ailleurs peut transformer le rapport de sujets québécois à leur propre origine. D'examiner également comment ce contenu expérientiel peut ensuite être absorbé par la communauté d'origine. Cela rejoint les préoccupations des chercheurs qui travaillent depuis quelques années sur les « transferts culturels », bien que ma « méthode » présente, au contraire de la leur, les marques d'un dilettantisme subjectiviste que j'assume sans vergogne.*

Destinée en réalité à n'être qu'une simple communication, l'étude a pris une ampleur que je n'avais pas soupçonnée au départ, si bien que je considère sa forme actuelle comme une introduction à ce qui pourrait constituer un ouvrage d'envergure. L'exhaustivité m'importait secondairement et plutôt que de me perdre en recherches infinies de témoignages, j'ai simplement suivi le fil de la réflexion entreprise au chapitre un. J'ai préféré au compte rendu méthodique la rapidité du trait et les rapprochements inusités. Je me suis peu arrêté aux simples récits de voyage[1]*, retenant principalement le témoignage d'individus pour qui l'Europe fut, davantage qu'un décor peuplé d'imaginaire, le lieu et l'occasion d'une* rencontre.

1. Le sujet n'en demeure pas moins du plus haut intérêt. On consultera avec profit un ouvrage qui dresse un portrait méthodique de cette question : Pierre Rajotte (avec la collaboration de Anne-Marie Carle et François Couture), *Le Récit de voyage au XIX*^e^ *siècle. Aux frontières du littéraire*, Montréal, Triptyque, 1997. La bibliographie présentée à la fin de ce livre mentionne de nombreux témoignages éludés dans la présente étude.

DEPUIS PLUS DE DEUX SIÈCLES, des Canadiens français, devenus plus récemment des Québécois, s'embarquent pour l'Europe, à la recherche d'eux-mêmes ou du monde, interpellés par des cultures dont l'étrangeté n'empêche pas une certaine familiarité imaginaire. Jusqu'à la deuxième grande guerre, ce genre de périple n'est réservé qu'à de rares individus. De nombreux témoignages nous sont venus des écrivains, des peintres et des musiciens. À part eux, des bourgeois et notables chargés de mission (pensons à Viger ou à Papineau, mandatés à Londres pour y trouver des solutions politiques aux problèmes de la Constitution naissante), mais aussi des étudiants en médecine, des diplomates et attachés culturels comme le général Vanier, René Garneau, Jean Désy, Jean Éthier-Blais et Pierre Baillargeon, ces deux derniers également des écrivains. Et, bien entendu, de nombreux prêtres, mais seulement les plus talentueux, envoyés en Europe pour parfaire leur éducation et, rentrés au pays, faire profiter la population de ces nouvelles compétences. En cherchant un peu plus loin, dans les correspondances privées, il serait possible de trouver les témoignages d'hommes sans qualités qui ont dû à la guerre l'« honneur » de visiter les vieux pays, et parfois d'y mourir. Ce fut le cas d'abord des zouaves pontificaux, puis des conscrits des deux grandes guerres.

Il existe donc au sein de la population québécoise une *expérience de l'Europe*, très variable mais également très prégnante. Pour plusieurs, le séjour en Europe fut l'équivalent d'un voyage initiatique, déterminant pour leur formation. Découverte de la grande culture, certes, mais peut-être par-dessus tout, découverte de soi à travers de nouvelles possibilités offertes par un autre genre de culture, celle de tous les jours : usages sociaux, style de vie, mœurs et coutumes différentes. Au cœur de ces expériences, l'apprentissage de la sexualité, hors des sentiers étroits prescrits en terre québécoise, n'est certes pas le dernier des facteurs initiatiques. Les autorités religieuses le savaient parfaitement et c'est toujours avec la plus grande inquiétude qu'elles laissaient partir leurs fils vers ces terres beaucoup moins surveillées ; quant à leurs filles, mis à part de rares émancipées comme Simone Routier et Gabrielle Roy, elles ne se rendaient en Europe que dûment mariées.

Il existe aussi une connaissance indirecte de l'Europe, acquise par la lecture des journaux et des ouvrages qui parvenaient de France ou d'Angleterre. Mais plus encore, le Québécois entrait en contact avec l'Europe par l'intermédiaire d'Européens venus s'installer au Canada. Ce genre de « connaissance » (souvent doublé de méconnaissance et de préjugés) est d'un caractère tout à fait particulier. Premièrement, il ne répond pas à un désir initial du sujet de connaître l'autre ; celui-ci arrive sans qu'on le lui ait demandé. Deuxièmement, ce phénomène, contrairement à ce que l'on observait à propos des voyageurs, touche toutes les classes sociales et en particulier la classe populaire. Le choc des cultures que provoque l'immigration a déjà été beaucoup étudié, autant sur le plan social et démographique que sur le plan des représentations littéraires. Ma réflexion portera donc plutôt sur l'expérience directe de l'Europe telle que rapportée par ceux et celles qui l'ont vécue. Je m'attarderai aux témoignages d'individus qui ont fait des séjours prolongés en terre européenne, pour qui l'Europe a été un lieu de formation. J'examinerai comment ils ont envisagé ces pays d'outre-Atlantique, ce qu'ils en ont dit. Parallèlement, j'étudierai de quelle manière ils réussirent ou échouèrent à *transmettre* l'essentiel de cette expérience à leurs compatriotes. Le voyage initiatique suppose en effet un *retour* vers le point d'origine ; ce retour n'est-il qu'une simple réintégration des rangs, ou bien installe-t-il une distance entre le sujet et son point de départ ?

Jusqu'en 1950, on peut affirmer que l'Europe, pour les Québécois, se limite à trois noms : Londres, la France, Rome. Pourquoi la France et non pas Paris ? Parce que le Québécois, en raison de ses origines, ne limite pas la France à sa capitale et la pense en termes de régions : la Normandie, le Poitou, la Bretagne, le Perche, la Saintonge, voilà des noms qui lui sont familiers. Des autres pays, peu de témoignages. Au début du XIXe siècle, on reçoit des échos des luttes nationales qui agitent la Grèce, la Pologne et l'Irlande. L'Allemagne, bien sûr, fait son entrée dans les consciences lors de la Commune et peu de temps après, entre 1888 et 1891, *La Presse* publie une chronique d'Edmond de Nevers, envoyée de Berlin où il réside. L'Allemagne viendra aussi hanter les esprits en 1914, mais peu, après de Nevers, auront d'elle une connaissance aussi intime (il faudra attendre pour cela un Éthier-Blais). Avant la Deuxième Guerre mondiale, la Russie communiste, le Portugal, l'Espagne et l'Italie fascistes font figure de modèles ou d'antimodèles aux yeux des idéologues québécois. Il reste que ces derniers n'ont que rarement une connaissance directe de ces pays, qui ne sont d'ailleurs, mis à part l'Italie, à peu près jamais des lieux de destination pour les intellectuels, écrivains et artistes québécois. À partir de la Révolution tranquille, l'attention se tourne vers des pays de la francophonie qui, à l'instar du Québec, restent en marge de la culture parisienne : la Belgique, la Suisse, des régions de France comme la Provence. Ici, c'est nettement l'identification qui est en jeu. Le reste de l'Europe n'intéresse activement qu'une minorité de Québécois ; des échanges existent pourtant, qui amènent des étudiants à effectuer des séjours en Autriche, en Roumanie, en République Tchèque, en Allemagne ou en Italie, expériences isolées dont il est difficile pour l'instant de mesurer l'influence sur notre culture. Certaines de ces littératures sont enseignées de manière plus ou moins officielles, mais l'Europe comme entité politique ne semble pas être un concept encore bien intégré par la conscience québécoise. L'influence de Rome et de Londres s'étant allégée, c'est encore la France qui reste le point d'ancrage européen des Québécois.

Un coup d'œil panoramique sur les témoignages écrits de Québécois, depuis la Conquête, nous permet de distinguer un certain nombre de motivations les ayant conduits à séjourner en Europe. La plus officielle a trait au désir de connaissances historiques et artistiques, fondement pour plusieurs d'une riche culture personnelle ; la visite des lieux et monuments historiques, en plus de provoquer parfois des révélations esthétiques, nourrit l'imaginaire et, de ce fait, la pensée ; le sujet qui fait cette expérience est conduit à envisager de manière plus nuancée sa place dans le monde. Pour d'autres, la motivation principale est la quête des origines. Comme l'écrit Robert de Roquebrune :

> Les Canadiens ont le respect de la famille jusque dans son passé le plus lointain. Ils aiment les généalogies

> et veulent toujours connaître de qui ils descendent. Le premier voyage d'un Canadien en France a souvent pour but un pèlerinage « au pays des ancêtres ». On va au petit village de Normandie ou du Poitou d'où vient le premier auteur de la lignée au Canada. C'est une attendrissante et noble coutume[2].

Nous l'avons vu au sujet des médecins et des prêtres, pour plusieurs le séjour en Europe est rendu nécessaire par les exigences de la profession qu'ils comptent exercer. Aujourd'hui, l'Europe a été supplantée dans cette fonction formatrice par les États-Unis, sauf pour les prêtres bien entendu. Du côté des artistes et des écrivains, la motivation est plus vitale : ils se rendent en Europe dans l'espoir d'y trouver un *milieu* favorable à l'épanouissement de leur talent. Selon Claude Galarneau, cette tradition serait très ancienne :

> Le besoin d'aller parfaire ses études à Paris, déjà commencé sous le Régime français, a certes continué de se faire sentir après 1763. Dès la fin de la guerre, François Beaucourt part pour la France où il étudie d'abord à Bordeaux avec le peintre Comagne, dont il épouse la fille. Après de longs voyages en Allemagne et en Russie et un séjour à Paris où il fréquente des artistes de l'entourage de Fragonard, il rentre enfin au Canada en 1778. Godefroi de Tonnancourt va terminer ses humanités au collège Louis-le-Grand en 1773. François Baillargé, après avoir étudié le dessin et les mathématiques au Canada, fait un séjour de trois ans à Paris, où il est admis à l'Académie royale et étudie avec Stouf la sculpture et Lagrenée la peinture. Laurent Amyot passe six années à Paris pour se

2. Robert de Roquebrune, *Cherchant mes souvenirs (1911-1940)*, Montréal, Fides, coll. « Nénuphar », 1968, p. 180.

perfectionner dans le métier d'orfèvre et devient par la suite l'un des grands de son art au Canada[3].

Mais c'est surtout de 1900 à 1970, environ, que le séjour à Paris s'est avéré une étape essentielle dans la formation de nombreux écrivains, artistes et musiciens de talent, qui ne trouvaient pas au Québec une ambiance propre à les faire avancer : présence d'une institution forte, d'un public éclairé, de regroupements dynamiques et durables, tout cela contribue à faire de Paris un endroit recherché. L'attraction exercée par Paris dans l'entre-deux-guerres n'est d'ailleurs pas un phénomène qui touche uniquement les Québécois, mais aussi les Américains et les artistes des autres pays européens (pensons à Miller, Stein, Picasso et bien d'autres). Il arrive souvent que ceux qui ont « goûté » à l'Europe désirent prolonger leur séjour ou y retourner parce qu'ils y ont trouvé une manière de vivre et des usages sociaux en correspondance avec leur désir. Pour plusieurs d'entre eux, le retour au pays sera vécu comme un drame, un rétrécissement de leur champ d'action. André Laurendeau a analysé ce type d'individus, qu'il a désigné du surnom désormais consacré de « retour d'Europe ».

Dans les pages qui suivent, je passerai en revue différents témoignages en tentant de dégager les motivations qui animaient ces Québécois en Europe. Je verrai également comment s'est transigé l'*aller-retour*, c'est-à-dire la capacité pour ces individus de rejouer dans leur pays natal l'expérience acquise en Europe.

---

3. Claude Galarneau, *La France devant l'opinion canadienne (1760-1815)*, Québec, Presses de l'Université Laval (Cahiers de l'Institut d'histoire), 1970, p. 64-65.

Points de vue sur la France révolutionnaire

Dans un entretien publié en 1999, Yvan Lamonde retient six événements qui ont façonné le rapport des Québécois à la France: la Conquête, la Terreur (et, en général, l'esprit révolutionnaire), la reprise des relations avec la France en 1855 (qui coïncide avec la venue de la frégate *La Capricieuse*), la conscription de 1917, la conscription de 1942 et, en dernier lieu, le mot du général de Gaulle en 1967[4]. Examinons les deux premiers de ces événements. Au sujet de la Conquête, beaucoup d'encre a coulé; certains ont parlé d'un traumatisme, d'autres d'une volonté de la Providence. Dans les deux cas, il s'agit d'un point de vue *a posteriori*. Sur le coup, la Conquête ne fut pas ressentie très gravement par les habitants de la Nouvelle-France, hormis les nobles et les religieux qui virent leur position menacée. S'il est attesté qu'un certain sentiment de fidélité à l'égard de la France et de son roi a perduré pendant quelque temps, il a été aussi démontré qu'au lendemain de la Conquête, les habitants du pays ont trouvé dans la politique anglaise des vertus que ne possédait pas l'administration française. L'attachement aux traditions religieuses, agricoles et législatives alla donc de pair avec une adhésion au mode de fonctionnement politique anglais, qui permit par exemple aux francophones de se donner une députation capable de défendre leurs intérêts. Bien que la propagande anglaise y soit pour quelque chose dans ce sentiment, plusieurs sont alors d'avis que le régime anglais est supérieur à celui qui sévissait sous la tutelle de Paris. Pour preuve, le bond réalisé dans l'industrie et

4. Yvan Lamonde, « Rien ne peut venir que de nous-mêmes », *Argument*, vol. 1, n° 2, printemps 1999, p. 53-54.

le commerce, la plus grande facilité, pour les Canadiens, d'avoir des initiatives de ce côté, malgré le fait que le haut du pavé soit tenu par les Anglais. Du côté du clergé, l'adhésion aux principes de la couronne britannique est encore plus massive. Plusieurs historiens ont vu dans cette soumission une forme d'échange entre deux pouvoirs qui devaient coexister : pour ne pas être chassés ou persécutés, les évêques du Québec ont dû se montrer obéissants et ont demandé à leurs fidèles de l'être à leur tour ; par ailleurs, les autorités anglaises devaient se garder d'humilier trop ouvertement le clergé qui constituait la référence majeure pour la population francophone, elle-même jugée assez rapidement inassimilable. En bref, le marché a consisté pour les autorités anglaises à faire des prêtres leurs alliés, ce qu'ils furent dans une certaine mesure, mais pas complètement. Il faut ajouter que certains membres du clergé virent dans la conquête anglaise un cadeau de la Providence permettant à la population française d'Amérique d'échapper à l'influence néfaste des penseurs révolutionnaires d'outre-mer.

C'est ainsi que l'interprétation donnée à la Conquête est étroitement liée aux événements qui vont survenir en France durant les décennies à venir. Dans un premier temps, les Canadiens, incapables de répudier la figure sacrée du roi, trouveront d'autres boucs émissaires pour déverser leur douleur d'avoir été abandonnés. Comme le relate Philippe Aubert de Gaspé :

> C'était une chose assez remarquable que je n'aie jamais entendu un homme du peuple accuser Louis XV des désastres des Canadiens, par suite de l'abandon de la colonie à ses propres ressources. Si quelqu'un jetait le blâme sur le monarque :

« Bah ! Bah ! ripostait Jean-Baptiste, c'est la Pompadour qui a vendu le pays à l'Anglais. »

Et ils se répandaient en reproches contre elle.[5]

Dans les années qui précèdent la Révolution, les idées des Lumières sont répandues, notamment dans la *Gazette du commerce et littéraire*, journal dirigé à Montréal par Fleury Mesplet. Voltaire est un auteur très prisé et les idées révolutionnaires sont admises, du moins par un groupe d'individus cultivés. Selon Galarneau, les paysans auraient aussi été réceptifs à ces idées, malgré l'opposition du clergé. L'exemple américain en attire plus d'un. On croit qu'il est possible de concilier ces idées avec la monarchie et le catholicisme – l'Angleterre offre justement l'exemple d'une monarchie qui a intégré la démocratie, laquelle respecte les confessions religieuses. Plusieurs Canadiens rêvent d'un tel gouvernement, à la fois français et libéré de l'obscurantisme despotique de l'Ancien Régime, et lorsque la Révolution éclate, des émissaires sont mandatés à différentes reprises pour convaincre la Convention de la nécessité de récupérer le Canada.

Cependant, l'exécution de Louis XVI et l'instauration de la Terreur transforment radicalement l'opinion que se font les Canadiens de la Révolution : celle-ci devient alors définitivement impie, sacrilège, sanguinaire et parricide. Quoique plusieurs n'aient pas cru en la réalité du régicide, présumant qu'il s'agissait d'une invention des Anglais pour susciter chez les Canadiens un mouvement de rejet des idéaux révolutionnaires, il reste

---

5. Philippe Aubert de Gaspé, *Mémoires*, Tours, Maison Alfred Mame et Fils, Montréal, Granger Frères Limitée, [1930], vol. 1, p. 110.

que les nouvelles rapportées de France par les journaux ou par des prêtres réfugiés au Canada réussissent à horrifier la population. L'Église en profite pour réaffirmer son autorité et pour inciter les fidèles à une plus grande soumission à la Couronne britannique, bastion à la fois contre les idées françaises et contre la menace constante exercée par les voisins du Sud. C'est ainsi que la victoire des troupes britanniques sur les françaises, à Aboukir, en 1798, est saluée par Mgr Plessis comme un signe de la bonté divine à l'égard des Canadiens. Dans un mandement envoyé dans toutes les paroisses, il écrit :

> Que de maux ne se préparaient pas à nous faire ressentir ces formidables ennemis [les révolutionnaires français], contre lesquels nous avons à soutenir cette guerre si longue et si sanglante ! Sur combien de désastres n'aurions-nous pas à gémir, s'ils eussent pu, comme ils le prétendaient, s'emparer des possessions éloignées de la Mère Patrie, ruiner son Commerce, tarir la source de ses richesses, et diminuer par là les moyens qu'elle veut opposer à leurs vues d'agrandissement et de domination. [...] Mais le Dieu des Armées, le Dieu des Victoires, s'est déclaré pour la justice de notre cause[6].

Dans son sermon prononcé à la cathédrale de Québec, le 10 janvier 1799, il conclut : « Ainsi, il est glorieux pour le Contre-Amiral Horatio Nelson, d'avoir été l'instrument dont le Très-Haut s'est servi pour humilier une puissance injuste et superbe[7]. »

Le règne de Napoléon, quant à lui, divise la population canadienne. Aubert de Gaspé rapporte par exemple, dans ses *Mémoires*, que son père (de la petite noblesse

---

6. Cité dans Claude Galarneau, *op. cit.*, p. 262.
7. *Ibid.*, p. 263.

canadienne) était férocement antibonapartiste, alors que le jeune Philippe faisait de l'empereur son héros. Aux dires de Galarneau, le culte de Napoléon n'aurait pas été très fort au Canada, où l'empereur fut même présenté comme l'Antéchrist (fait que rapporte également Aubert de Gaspé)[8]. À l'annonce de la défaite de Waterloo, *Le Spectateur canadien* commente ainsi l'événement : « Il est donc encore une fois tombé, pour ne se relever jamais, ce météore sinistre qui menaçait de nouveau le bonheur de l'Europe. Un jour a tout détruit et sa défaite immortalisera les champs de Waterloo[9]. » En consultant les registres des naissances, on s'aperçoit que le prénom Napoléon ne fut donné à des enfants qu'après 1830. C'est à ce moment seulement que commença à se forger au Canada une certaine idéalisation de l'empereur.

Le temps des émissaires

Contrairement à ce qu'on pense généralement, la vie intellectuelle canadienne ne connaît pas un affaissement aux lendemains de la Conquête. C'est même plutôt le contraire. Grâce à l'introduction de l'imprimerie au pays, les auteurs français de même que les événements de la politique européenne sont diffusés plus intensivement que jamais. Une première imprimerie est installée à Québec en 1764 et l'on fonde aussitôt *La Gazette de Québec*, hebdomadaire dont les textes sont rédigés en anglais, flanqués de mauvaises traductions françaises. Les nouvelles proviennent d'Europe, principalement de Grande-Bretagne ; la perspective critique sur les

---

8. Il faut ajouter que cette démonisation de Napoléon était aussi encouragée par les Britanniques.
9. Claude Galarneau, *op. cit.*, p. 319-320.

événements relatés est celle des autorités anglaises. En 1776, un Lyonnais émigré au Canada après un détour par les États-Unis, Fleury Mesplet, fonde à Montréal *La Gazette du commerce et littéraire*. Ce journal, dont les textes sont également bilingues mais rédigés d'abord en français, diffuse largement l'esprit des Lumières. Mesplet connaît d'ailleurs quelques démêlés avec les autorités, tant ecclésiastiques que politiques. N'empêche qu'une certaine fébrilité intellectuelle se crée autour de lui. L'un de ses émules, le Canadien Henri Mézière, signe des articles dans *La Gazette* de 1788 à 1790. Le même Mézière se retrouvera en France en 1793 où, parrainé par Edmond-Charles Genêt, ambassadeur de la République française aux États-Unis, il produira des outils de propagande en vue de convaincre, et les autorités françaises de reprendre le Canada, et la population canadienne, de se rallier à ce projet.

Avec l'Acte constitutionnel de 1791, les Canadiens français se voient offrir la possibilité de participer plus activement à la vie politique. À quoi ressemble la configuration sociale des francophones entre 1791 et 1830 ? Quelques héritiers de la vieille noblesse sont encore présents, mais ils sont supplantés peu à peu, comme membres actifs dans la société, par les membres des professions libérales. On trouve encore des Français nouvellement arrivés au pays, quelques bourgeois pratiquant le commerce de détail ou reliés à l'industrie naissante du bois. Les autres classes sociales sont le clergé, les cultivateurs, les ouvriers et les artisans. Les artistes de l'époque peuvent être considérés comme des artisans : ils font presque essentiellement des portraits et s'occupent de l'ornementation des églises. Les plus susceptibles de participer à la vie politique seront donc les membres des professions libérales : ces notaires, avocats, médecins et arpenteurs ont reçu une formation plus poussée que la plupart et quelques-uns parmi eux possèdent des dons oratoires qu'ils mettront au service de la population française du Canada[10]. Quelques-uns parmi eux sont mandatés par les citoyens pour se rendre à Londres ou à Paris, soit pour revendiquer plus de justice, soit pour mieux comprendre les systèmes législatif et politique, ou encore pour demander de l'aide et chercher des alliés. C'est le cas de Viger, d'Adhémar, de Mézière dont j'ai parlé plus haut, de Du Calvet qui, ayant subi l'emprisonnement sous le gouvernement de Haldimand, présente à Londres son *Appel à la justice de l'État*. Plus tard, au début des années 1830, Papineau ira lui aussi à Paris au nom des patriotes chercher des appuis pour le mouvement de rébellion qui s'amorce. Yvan Lamonde explique que cette démarche a échoué parce que la France d'alors était, sinon anglophile du point de vue des institutions politiques, du moins désireuse de ne pas rompre la bonne entente récemment acquise avec sa rivale d'outre-Manche[11].

Une douzaine d'années avant Papineau, soit de juillet 1819 à mai 1820, l'illustre Mgr Plessis s'était lui aussi rendu en Europe pour régler des affaires relatives aux droits du clergé catholique en Canada. Son *Journal de voyage en Europe* constitue un témoignage précieux[12].

---

10. Voir Fernand Dumont, *Genèse de la société québécoise*, Montréal, Boréal, coll « Boréal compact », 1996, p. 110-116.
11. Yvan Lamonde, *art. cit.*, p.57.
12. Voir l'analyse détaillée que fait de ce livre Gilles Gallichan, « Mgr Plessis et le journal de son voyage en Europe », dans *Les Cahiers des Dix*, n° 54, Sainte-Foy, Les Éditions La Liberté, 2000, p. 61-97. On peut consulter aussi l'article de Claude Galarneau sur ce même journal dans le *Dictionnaire des œuvres littéraires du Québec, tome 1 : Des origines à 1900*, Montréal, Fides, 1978, p. 424-426.

Bref, les rapports des Canadiens à l'Europe (limitée ici à la France, l'Angleterre et l'Italie) sont, durant la période qui s'étend de la Conquête à la Rébellion de 1837, des rapports organiques : Londres et Paris sont les deux métropoles, tant sur le plan politique que sur le plan culturel, elles sont les lieux d'ancrage de l'univers symbolique de la collectivité québécoise, et ce, malgré le fait qu'une identité spécifiquement canadienne ait déjà vu le jour et se soit affirmée. Rome, de son côté, est la référence des autorités catholiques. Les échanges entre ces centres européens et le Québec sont constants parce qu'ils sont vitaux. Tous les événements européens ont des répercussions directes sur le Canada, c'est pourquoi les habitants du pays suivent de près les guerres et les révolutions d'outre-mer. Certains d'entre eux, dans les décennies qui suivent, iront même jusqu'à s'engager comme militaires, d'un côté ou de l'autre de la barricade selon leurs convictions. Chez les artistes et les artisans, on ressent aussi le besoin de compléter sa formation dans les vieux pays, tradition qui perdurera jusqu'à nos jours.

Un autre voyageur de l'époque qui a précédé la Rébellion, Pierre-Jean de Sales Laterrière occupe une place à part. Né au Canada en 1789, il effectuera plusieurs voyages durant les années 1820. Sa motivation est strictement personnelle : il veut retracer l'histoire de ses origines, désireux de prouver la noblesse de ses ancêtres. Il ne réussira pas à rassembler les preuves suffisantes mais, malgré tout, il laissera à la postérité un assez riche journal de voyage qui contient des observations minutieuses sur le mode de vie des Français, des Anglais et des Belges, sur la qualité des transports et des habitations, sur les mœurs pratiquées dans certains lieux publics et, bien entendu, sur les monuments historiques. D'un certain point de vue, Sales Laterrière peut être considéré comme notre premier touriste en Europe[13].

L'époque des reportages

Après l'échec de la Rébellion, l'attitude se transforme considérablement : le Canadien semble se résoudre à adopter définitivement les institutions anglo-saxonnes et à en tirer le maximum, plutôt que de les remplacer par des institutions libres de tout assujettissement à la Couronne britannique. La ferveur française qui existait encore pendant la Révolution et sous le règne de Napoléon, et qui allait chez certains jusqu'à l'espoir d'une reconquête du Canada par la France, cède la place en 1840 à un sentiment ambigu, un ressentiment devrait-on dire, où sont mélangées la nostalgie de la Nouvelle-France et la douleur d'avoir été abandonnés par la mère patrie. Du coup, les relations des voyageurs canadiens en Europe adopteront une autre tonalité, moins pragmatique, moins directement liée au présent de la collectivité. Néanmoins, ces voyageurs du XIXe siècle ne sont pas encore tout à fait ces mélancoliques que nous rencontrerons plus tard, abordant l'Europe pour

---

13. Une édition à tirage limité a été faite de son journal : Pierre-Jean de Sales Laterrière, *Nouveaux journaux de voyage (1824, 1826, 1827 & 1829)*, Montréal, Cahiers de l'ALAQ (Bernard Andrès et Pierre Lespérance éd.), n° 4, été 1995, 110 p. Voir aussi le roman que Bernard Andrès a tiré de sa vie, *L'Énigme de Sales Laterrière*, Montréal, Québec Amérique, 2000, 874 p., ainsi que *Les Mémoires de Pierre de Sales Laterrière, suivi de Correspondances*, édition commentée par Bernard Andrès, Montréal, Triptyque, 2004, 320 p.

se retremper dans un passé désormais révolu ; ils conservent encore une certaine sensibilité politique.

À cet égard, le journal de voyage de F.-X. Garneau paraît symptomatique puisqu'il oscille entre le pragmatisme et l'idéalisation mélancolique, peut-être parce que, publié en 1852, il relate un voyage effectué au début des années 1830, soit à une époque où l'oscillation entre les institutions britanniques et françaises était toujours présente dans l'esprit des Canadiens. Les penseurs de cette époque, en effet, étaient sans cesse amenés à confronter les avantages qu'offraient les modèles institutionnels de l'un ou de l'autre pays, autant du point de vue des lois que du gouvernement et de la constitution. En lisant Garneau, le lecteur moderne est frappé par l'immense intérêt qu'il accorde aux institutions et aux mœurs politiques, aux lois, au système d'enseignement, à l'économie des deux pays qu'il visite. En d'autres passages, il s'improvise en guide touristique, ce qui donne lieu à de nombreuses descriptions, parfois d'une précision étonnante (par exemple, il compte le nombre de colonnes que contient l'intérieur de la basilique Notre-Dame de Paris). Il s'étend aussi sur des exposés historiques prenant prétexte des lieux qu'il visite, suivant les associations d'esprit de ces lieux aux personnages qu'ils évoquent. La volonté est manifeste de transmettre aux compatriotes une connaissance précise de la France et de l'Angleterre. Parfois, Garneau établit des comparaisons entre ce qu'il voit de l'Europe et ce qu'il connaît du Québec, mais il n'adopte jamais ce ton compassé que développeront plusieurs Québécois à partir du début du XXe siècle, prompts à se plaindre des *manques* vécus au Québec, révélés par l'abondance de l'Europe. Certains passages laissent tout de même affleurer, sous un ton un peu détaché, quelque pointe de satire, comme celui où il rend compte d'une visite faite au peintre Paulin Guérin, maître d'un apprenti-peintre québécois, Antoine Plamondon :

> Il me parla avec intérêt de son élève ; mais il en avait fait un peintre trop parfait pour le Canada, car M. Plamondon a été depuis obligé d'abandonner ses chevalets pour l'agriculture. Trop ami de la perfection, il donnait à ses œuvres un fini qui n'était pas apprécié et qui demandait trop de temps pour le prix qu'on lui en offrait. Et Garneau de conclure sobrement : L'esprit commercial va trop loin en Amérique pour favoriser les beaux-arts[14].

Par ailleurs, sorte de Chateaubriand à rebours, Garneau introduit ce qui deviendra un *topos* des relations de voyage des Québécois en Europe, la fascination créée par la *distance historique de l'origine*. D'entrée de jeu, voici ce qu'il déclare :

> L'Europe conservera toujours de grands attraits pour l'homme du Nouveau Monde. Elle est pour lui, ce que l'Orient fut jadis pour elle-même, le berceau du génie et de la civilisation. Aussi le pèlerinage que j'entreprenais au-delà des mers avait-il, à mes yeux, quelque chose de celui qu'on entreprend en Orient, avec cette différence que là on va parcourir des contrées d'où la civilisation s'est retirée pour s'avancer vers l'Occident, et que j'allais visiter en France et en Angleterre, cet Orient de l'Américain, des pays qui sont encore au plus haut point de leur puissance et de leur gloire[15].

14. François-Xavier Garneau, *Voyage en Angleterre et en France dans les années 1831, 1832 et 1833*, Ottawa, Éditions de l'Université d'Ottawa, 1968, p. 206.
15. *Ibid.*, p. 117.

Plus loin, parlant de l'abbaye de Westminster, il élabore le complexe historique des Québécois à l'égard de ses deux appartenances, en inventant une résolution imaginaire qui est une forme de serment de fidélité à l'une d'entre elles :

> C'est avec des sentiments de profonde vénération que je parcourais à pas lents cette cité funèbre de rois et de héros. Je venais de troubler des cendres qui avaient fait honneur à la race de nos pères, à la race de ces Normands dont les inscriptions françaises ou latines ornent les tombeaux d'un autre âge dans tant de cathédrales anglaises ; quand je passais près de leurs cendres, il me semblait que j'errais au milieu des grands hommes de ma patrie, et que si je tenais à l'Angleterre par des événements douloureux, je trouvais une espèce de compensation dans ces princes et ces chevaliers normands, cuirassés et couchés sur leurs tombes, au milieu des souvenirs glorieux qui resteront toujours l'héritage de leur nation[16].

À partir de 1840, la France devient donc définitivement un « pays étranger » ; une fois écartées les velléités d'un nouvel empire français en Amérique, les Canadiens ne devront compter que sur eux-mêmes pour défendre leurs intérêts. Ils le feront, premièrement, en s'affirmant de plus en plus sur le plan politique ; sur le plan idéologique, en produisant une interprétation de leur histoire qui n'exclut pas une certaine forme de mythification. Sous l'Union, le courant libéral continue de prospérer, mais c'est tout de même l'Église qui s'empare des rênes de l'opinion publique. Hostile au républicanisme à la française, incapable, malgré sa soumission,

---

16. *Ibid.*, p. 136.

d'élire véritablement le gouvernement anglais comme référence ultime, l'Église se tourne vers Rome et se fait de plus en plus ultramontaine. La menace prussienne qui pèsera sur la France à partir de 1870 inquiète certes les Canadiens, mais on peut affirmer sans se tromper que Rome devient, entre 1860 et 1870, la capitale européenne la plus présente à leur esprit. Je montrerai dans la section suivante ce qui a résulté de cette préoccupation. Pour l'instant, j'insisterai sur un écrivain d'obédience ultramontaine, certes, mais qui se présente à nous aujourd'hui comme un remarquable témoin de la Commune, en 1870.

Octave Crémazie tenait à Québec une librairie très active sur le plan culturel puisqu'il s'y était formé un cénacle d'« intellectuels ». Confronté à la faillite, il doit s'exiler à Paris en 1863 ; il y vivra assez chichement, sous le nom d'emprunt de Jules Fontaine, jusqu'à sa mort en 1879. Dans sa correspondance, l'écrivain écrit qu'il a complètement adopté le langage et la façon de vivre des bourgeois de Paris, au point que plus personne n'arrive à déceler son origine canadienne. Il se montre très attentif à la vie politique. Trop pauvre pour fréquenter les théâtres et autres lieux de la culture, il s'instruit en suivant des conférences prononcées à la Sorbonne et au Collège de France. En littérature, les goûts de Crémazie ne connaissent pas les frontières : ses modèles sont Dante, Shakespeare, Calderón et Goethe. Formé par Gaston Paris, qu'il admire, il avance cette hypothèse surprenante de la part d'un Canadien de l'époque :

> Quand on veut remonter aux sources premières des littératures modernes, c'est toujours à l'Inde qu'il faut s'adresser. Les mères, qui racontent à leurs enfants Le Chat botté et Le petit Chaperon rouge, ne se doutent guère que ces mêmes récits charmaient, il

y a plus de trois mille ans, les petits rajahs de l'Inde védique[17].

Crémazie cultive en France sa passion pour les mythologies (égyptienne, hindoue, scandinave, etc.). Il recommande à l'abbé Casgrain d'inscrire ces matières au programme des collèges et séminaires, allant même jusqu'à proposer qu'on les préfère aux mythologies grecques et latines. Réfugié à Orléans pendant la Commune, il passe des heures entières à la bibliothèque publique à consulter des documents historiques. Il transmet à ses frères (qui sont ses correspondants) ses découvertes sur l'histoire de la ville.

En politique, il affiche une grande sympathie pour Napoléon III, en qui il voit un soutien pour l'Église. Mais l'analyse que fait Crémazie de ces événements dépasse largement ces parti pris. Il interroge sans arrêt les gens dans la rue, quelle que soit leur allégeance ; pauvre lui-même, il est près du peuple et partage ses peurs et sa misère. Il risque parfois des jugements synthétiques sur la situation, manifestant là une vue sur l'Europe qui n'est pas limitée aux capitales française et anglaise :

> La grande faute du gouvernement impérial, ce n'est pas d'avoir conduit les Français sur le Rhin en 1870, c'est d'avoir fait la guerre à l'Autriche en 1859 pour fonder l'unité italienne, mère de l'unité allemande ; c'est d'avoir, en 1864, laissé égorger le Danemark par

17. Octave Crémazie, *Œuvres*, Ottawa, Éditions de l'Université d'Ottawa, 1972, p. 280. Les textes de l'Inde étaient connus des lettrés québécois des années 1860. Jacques Allard rappelle que l'édition princeps des *Anciens Canadiens* (1864) s'ouvre avec une citation tirée du Ramayana (voir Jacques Allard, *Le Roman du Québec. Histoire. Perspectives. Lectures*, Montréal, Québec Amérique, 2000, p. 176-177).

la Prusse et l'Autriche réunies ; c'est d'avoir, en 1866, se fiant aux belles paroles de Bismarck, qui avait promis les bords du Rhin pour prix de la neutralité de la France, assisté, l'arme au bras, au démembrement de l'empire autrichien[18].

Manifestement hostile à l'Angleterre et à la Prusse, Crémazie défend Rome et la France. Il critique les Italiens de ne pas venir au secours de la France et de préférer s'en prendre aux États pontificaux :

> Les troupes italiennes sont sous les murs de Rome. Les zouaves veulent résister, mais il est probable que le pape ne se défendra pas. Triste année pour nous Canadiens. Fils de la France, nous assistons à l'humiliation, à l'invasion de la vieille patrie. Catholiques, nous voyons le Saint-Père au pouvoir de ses ennemis et la chute, au moins pour le moment, du pouvoir temporel[19].

La France aimée de Crémazie n'est certes pas la France républicaine ; ses jugements sur cette dernière sont tout à fait conformes au sentiment entretenus à l'égard de la France révolutionnaire par les catholiques canadiens, depuis l'exécution de Louis XVI :

> Pour ce qui est de la théorie de la liberté, je commence à croire que Louis Veuillot a raison. Les immortels principes de 89 ont fait plus de mal à l'humanité que tous les tyrans dont les noms sont voués par l'histoire à la malédiction des peuples.
>
> Quant à moi, je suis tellement écœuré de ce qui se passe en France depuis le 4 septembre que, si feu Louis XIV, de despotique mémoire, revenait sur la

---

18. *Ibid.*, p. 240.
19. *Ibid.*, p. 135.

> terre, je crierais de toutes mes forces : *Vive le grand Roi ! À bas la liberté !*
>
> Joseph me dit que les Français sont descendus bien bas dans son estime. Je n'en suis pas étonné, car, depuis la proclamation de la république, ils ont donné au monde le honteux spectacle de leur manque absolu de patriotisme. « Quel drôle de peuple ! » m'écrit Jacques. Hélas ! il n'est même plus drôle, il est pourri. Sans croyances religieuses, sans principes politiques arrêtés, n'ayant plus le respect ni de la famille ni de la femme, ayant abusé de toutes les jouissances matérielles pendant les vingt années de l'empire, qui fut une époque de bien-être et de richesses inconnus jusque-là dans le pays, les Français ont perdu tout ce qui fait la force et l'honneur d'un peuple, tout, jusqu'à l'amour de la patrie[20].

Destiné à ses frères, le journal n'a pas eu de répercussions sur les Canadiens contemporains de Crémazie. Son témoignage sur la réalité française n'a donc pas eu l'occasion de s'inscrire dans les esprits, même si Casgrain en parlait aux lettrés qui l'entouraient. La régularité avec laquelle il relate à ses frères le moindre événement politique ou social laisse croire que les Canadiens étaient avides de comprendre ce qui se passait vraiment de l'autre côté de l'Atlantique.

L'Europe miroir des affrontements entre Canadiens

La question romaine, c'est-à-dire le destin du pouvoir temporel de l'Église, est au cœur de l'opposition, au Québec, entre les libéraux et les ultramontains. Le leader

---

20. *Ibid.*, p. 263.

de l'ultramontanisme au Québec, Mgr Bourget, se rend fréquemment à Rome et considère cette ville comme

> [...] le paradis de la terre. La présence du Souverain Pontife, les temples richement ornés, les fêtes pompeuses qui se succèdent sans interruption, les chants harmonieux qui sont comme les échos des cantiques du ciel, les institutions sans nombre faites pour conserver la foi, propager la piété et exercer la charité, et les admirables Quarante Heures qui font le tour des églises de la cité, offrent aux chrétiens de quoi se fortifier dans la pratique du bien[21].

La menace qui pèse sur le territoire du Vatican conduit l'évêque à encourager activement le recrutement de volontaires désireux de se porter au secours du pape et de Rome. Une propagande est lancée et c'est ainsi que, de mars 1868 à septembre 1870, quelque 508 Canadiens s'embarqueront en direction de l'Italie pour se joindre aux régiments des zouaves pontificaux. Du point de vue militaire, cet engagement du Canada français sera presque sans conséquence : les zouaves seront cantonnés le plus souvent dans leur campement, un seul d'entre eux sera blessé et l'expérience romaine, en définitive, n'aura servi tout au plus qu'à leur faire connaître les monuments religieux romains qu'ils sont amenés à visiter avec assiduité. Toutefois, les effets provoqués par le mouvement au Québec même ne sont pas négligeables. La stratégie de Mgr Bourget vise avant tout à renforcer l'ultramontanisme au pays même, ainsi qu'à dorer à Rome le blason du catholicisme québécois. L'encadrement des zouaves est très serré ; Bourget exige

21. Cité dans René Hardy, *Les Zouaves. Une stratégie du clergé québécois au XIXe siècle*, Montréal, Boréal Express, 1980, p. 161.

expressément qu'ils soient envoyés en nombre limité car il ne peut fournir assez de prêtres pour en superviser une trop grande quantité. Il connaît les périls moraux rencontrés par de jeunes Canadiens à Rome (prostitution, beuveries, etc.) et son régiment doit faire belle figure et donner l'exemple de ce que devraient être de vrais soldats du Christ : obéissants, rangés, pieux, d'une moralité impeccable, bref, des enfants de chœur. Bien avant les qualités militaires, ce seront là les principaux critères de sélection. Fréquemment, les zouaves font rapport de leurs activités et de leurs impressions dans des lettres envoyées aux journaux québécois ; ceux qui donnent de l'entreprise une impression négative, ne serait-ce qu'en se plaignant de la nourriture, sont aussitôt réprimandés. Ces jeunes, qui se savent lus par leurs parents et amis, ne tarissent pas d'éloges envers la grandeur de la Cité éternelle et la bonté du pape qui leur accorde fréquemment des audiences et qui a même rappelé une ancienne prophétie annonçant que le salut du catholicisme viendrait de l'Amérique. La propagande fonctionne à plein, de même que l'antipropagande. Les troupes garibaldiennes sont fustigées comme des « hordes infernales », les soldats italiens sont perçus comme « des bandits, des hommes mis hors la loi qui ne respiraient que le pillage, l'incendie et l'anarchie », ou des « brigands révolutionnaires, des hommes sans cœur, sans religion ni principe », ou encore des « hommes corrompus, dégradés, abrutis, qui sont en quelque sorte les reptiles de l'humanité » ; après la capitulation, Victor-Emmanuel est présenté comme « l'excommunié de Savoie », «le roi parjure et sacrilège », etc.[22]

---

22. Toutes ces citations sont tirées du livre de René Hardy, *op. cit.*, p. 220.

Un tel point de vue, certes dominant, ne fait pas pour autant l'unanimité. Malgré les tentatives de musellement, les libéraux continuent de clamer leur opposition, qui va rarement jusqu'à critiquer ouvertement la papauté. L'un d'entre eux toutefois ne se prive pas de dénoncer en des articles cinglants les tenants de l'ultramontanisme : il s'agit du pamphlétaire Arthur Buies. Buies a séjourné à Paris de 1856 à 1862. Là, il s'avère un élève médiocre, échouant à ses cours et faisant l'expérience amère de ses lacunes linguistiques : à sa sœur, il avoue s'être fait corriger « des tournures, des phrases, des expressions qui passaient pour superbes aux yeux de mes professeurs du Canada et qui ne sont même pas françaises »[23]. Est-ce là l'aveu d'un colonisé honteux de ses origines et désireux de ressembler en tous points aux modèles qu'il a élus ? Chose certaine, cette sensibilité linguistique deviendra l'un des fers de lance de Buies, qui s'affirmera comme un partisan de la « langue française de France », combat qui sera repris trente ans plus tard par Jules Fournier et Olivar Asselin[24]. À Paris, Buies connaît probablement ses

23. Cité par Laurent Mailhot, *Anthologie d'Arthur Buies*, Montréal, Hurtubise HMH, coll. « Les Cahiers du Québec », 1978, p. 5.

24. Jocelyn Létourneau rappelle que le parler québécois « a commencé d'être déprécié dans les années 1840-1850 et ce, par rapport à une norme linguistique réelle et inventée tout à la fois, celle du "français parisien" (*Parisian French*) » (« Langue et identité au Québec aujourd'hui », dans *Globe, Revue internationale d'études québécoises*, volume 5, n° 2, 2002, p. 92.). Létourneau puis son information dans les ouvrages de Chantal Bouchard (*La Langue et le nombril. Histoire d'une obsession*, Montréal, Fides, 1998) et de Danièle Noël (*La Question des langues au Québec, 1750-1950*, Montréal, Conseil de la langue française, 1990).

premières expériences sexuelles (son confesseur le compare à saint Augustin avant sa confession). Il rend visite à différentes personnalités de l'époque (Montalembert, Guizot, etc.) et s'initie au métier de journaliste. En juin 1860, il rejoint les troupes de Garibaldi en Sicile, mais sa carrière de militaire ne fait pas long feu : il est rapatrié en France dès septembre et nul n'est en mesure de prouver qu'il ait réellement combattu. Rentré au pays en 1862, il se lance dans le journalisme pamphlétaire, défend les idées libérales et s'en prend à l'ultramontanisme. En 1868, il fonde son propre journal, *La Lanterne canadienne*, titre évidemment inspiré du journal de Henri Rochefort. Le journal est rapidement boycotté par les autorités religieuses, qui menacent d'excommunication ceux qui seraient surpris à le lire ou à le distribuer. On aura compris que l'aventure des zouaves n'impressionnait guère Arthur Buies, qui se complut même à les calomnier : « Le *Witness* de Montréal affirme, d'après *L'Écho d'Italia*, que s'il y a trois zouaves canadiens caporaux, il y en a cent atteints de maladies honteuses, qu'il ne nomme pas, s'imaginant que les gens devineront de quelle maladie honteuse peut être affligée cette milice sanctifiée par toutes les bonnes œuvres »[25].

Sur un autre terrain, par ailleurs contigu, on voit quelques années plus tard un Louis Fréchette s'en prendre aux partisans de la monarchie française, qui trouvait des supporteurs au Canada. L'arme de l'écrivain sera l'histoire : il publie en feuilleton, entre 1881 et 1883, un libelle intitulé « Petite histoire des rois de France », qui a pour but de composer une « immense nomenclature des crimes et abominations [...] mis à la

25. Cité dans Laurent Mailhot, *op. cit.*, p. 246.

charge des rois et des reines de France »[26]. Plusieurs contemporains dénonceront ce qu'ils perçoivent comme des positions antifrançaises : Fréchette sera surnommé « le Prussien », attaques auxquelles il répondra de la manière la plus cinglante en fournissant des contre-exemples.

Sur la fin du siècle, deux reporters transmettent aux Canadiens français leurs impressions de voyage en Europe : Edmond de Nevers et Jules-Paul Tardivel. Les comparer, c'est constater à quel point la société canadienne-française de l'époque, loin d'être monolithique, pouvait présenter des visages contrastés. L'intérêt est d'autant plus grand qu'ils visitèrent tous deux l'Europe la même année. De Nevers arrive à Berlin en mai 1888 et y séjournera jusqu'en juillet 1889. Il passe ensuite quelques mois à Vienne, fait un saut en Hongrie (octobre), descend sur Venise (novembre) et aboutit finalement à Rome en décembre, où il restera jusqu'en mars 1891. Sa chronique s'étale sur vingt-deux lettres envoyées au journal *La Presse* à raison d'une par mois environ[27].

Jules-Paul Tardivel voyage aussi pour le compte d'un journal, *son* journal en fait, *La Vérité*. Son périple a été financé par des amis et supporteurs. Parti de Montréal le 5 septembre 1888, il fait une brève escale à New York et aborde l'Irlande le 15. Le voyage sera de

---

26. Cité dans Louis Fréchette, *Satires et polémiques II*, édition critique par Jacques Blais, Luc Bouvier et Guy Champagne, Montréal, Presses de l'Université de Montréal, coll. « Bibliothèque du Nouveau Monde », 1993, p. 835.
27. Ces lettres ont été regroupées et publiées sous le titre : *Lettres de Berlin et d'autres villes d'Europe*, texte établi, présenté et annoté par Hans-Jürgen Lüsebrink, Nota Bene, 2002, 298 p.

courte durée puisqu'il est déjà de retour à Québec le 16 avril 1889, ce qui ne l'empêchera pas de visiter sept pays et de composer ensuite, avec ses lettres, un fort volume de 450 pages[28]. La longueur de ce récit de voyage s'explique par le fait qu'il s'agit d'un journal écrit au jour le jour et non, comme c'est le cas avec Nevers, d'une chronique qui s'emploierait à synthétiser des impressions. Le journal est néanmoins *adressé*, ce qui se traduit dans l'énonciation par de constantes interpellations du lecteur envers qui Tardivel se sent tenu de justifier la pertinence des activités relatées : on a défrayé son périple, pas question donc de se « payer du bon temps », il faut au contraire montrer qu'il s'active pour la bonne cause.

Cette cause, du reste, est on ne peut plus claire : il s'agit avant tout d'établir des liens avec des journaux catholiques européens de manière à créer un réseau de diffusion solide. Autre but de l'entreprise : prendre le pouls du climat spirituel des pays visités, en retirer des leçons pour le Canada, raffermir par ce contact avec le concret des convictions qui, jusque-là, auraient pu être jugées abstraites[29]. Le circuit parcouru par Tardivel est presque essentiellement celui d'établissements

---

28. J.-P. Tardivel, *Notes de voyage en France, Italie, Espagne, Irlande, Angleterre, Belgique et Hollande*, Montréal, Eusèbe Sénécal & Fils, 1890. Le volume n'a jamais été republié comme, du reste, la plupart des livres de Tardivel, à la notable exception du roman *Pour la patrie, roman du XXe siècle* (1895), Montréal, Bibliothèque québécoise, 1989, 360 p.
29. Tardivel a souvent fait pression sur les autorités cléricales pour qu'elles subventionnent les voyages des séminaristes à l'étranger. Il considérait l'expérience du terrain nécessaire à ceux qui auraient tout au long de leur vie à parler de Rome et de la Terre sainte.

religieux. Muni de lettres d'introduction, il frappe à la porte des monastères, des évêchés et des cures. Les Jésuites, en tout premier lieu, lui servent de points de repère. Il y a bien un peu de place accordée dans ce carnet de voyage aux visites plus ou moins obligées de sites et de monuments, mais s'il fait l'histoire d'un lieu, c'est presque toujours dans la perspective de l'implantation et de la permanence de la foi religieuse. Du côté des monuments, ce sont plus particulièrement les églises gothiques qui attirent l'attention de Tardivel, bien qu'il se juge ignorant en matière d'architecture. À l'égard de l'art pictural, son indifférence est manifeste, malgré la rencontre du peintre Antoine Falardeau, établi depuis quarante ans à Florence[30]. La vie littéraire l'intéresse encore moins et jamais il ne manifeste le désir de rencontrer un écrivain. Alors qu'à peine quinze ans plus tard, un Édouard Montpetit déclarera suivre la production théâtrale avec grand intérêt, Tardivel, lui, y va d'un souhait sans ambiguïté : « Que Dieu préserve toujours notre pays du fléau des théâtres, surtout des théâtres modernes ! Je vois que trop de journalistes canadiens, des deux partis politiques, travaillent à introduire au Canada le théâtre français. Ce sont des imbéciles ou des méchants ! » (p. 231). Le seul but personnel poursuivi par Tardivel est la découverte de ses origines paternelles aux environs de Clermont-Ferrand. Après une courte recherche, il retrace effectivement ses cousins et récolte des témoignages sur son père et ses oncles.

---

30. À propos de ce peintre, on peut consulter la monographie d'Émile Falardeau, *Un Maître de la peinture : Antoine-Sébastien Falardeau*, Montréal, Albert Lévesque, 1936, 164 p.

Autre trait particulier à Tardivel, son attitude à l'égard de l'Europe, qui est loin d'être révérencieuse. À maintes reprises, surtout au début de son séjour, que ce soit devant un paysage ou à l'égard des populations rencontrées, le journaliste se lance en des comparaisons qui donnent l'avantage à son pays. En Irlande, la campagne lui apparaît désolante et l'écart entre riches et pauvres le révolte. Le catholicisme de Tardivel le rend critique devant le phénomène de l'exploitation de l'homme par l'homme :

> L'abaissement du sens chrétien, l'égoïsme, l'amour effréné des richesses et des jouissances, le matérialisme, le naturalisme, toutes ces misères ont produit ce que l'on appelle la question sociale, en creusant un abîme entre le capital et le travail. Le patron, attaché outre mesure aux bien de la terre, est devenu, tout simplement, l'exploiteur de l'ouvrier ; il ne songe qu'à accroître son capital ; il ne considère le travailleur qu'au point de vue de la production ; pour lui c'est une machine qui coûte tant et qui doit donner tant de profit. De son côté, l'ouvrier ne voit dans le patron qu'un ennemi, qu'un tyran sans entrailles. (p. 148)

En Belgique, il critique la Constitution de 1830 pour son libéralisme et pour avoir autorisé la liberté des cultes. La France païenne le sidère, Paris surtout, où la fréquentation des saints sacrements se fait rare, où l'on ne peut manger maigre dans les restaurants le vendredi et où l'on ne respecte même pas le repos dominical : « Il y a pour les Canadiens français une leçon salutaire à tirer de ce qui se passe en France : c'est qu'il faut que nous combattions, avec la plus grande vigueur, les premiers symptômes du terrible mal de la violation du repos dominical » (p. 117). Il développe le *topos* des

« deux France », *topos* qui avait vu le jour manifestement à la suite de la visite de *La Capricieuse* en 1855, si l'on en juge par ce passage :

> En voyant revenir la France vers eux, les Canadiens français qui réfléchissent ont été en proie à deux sentiments opposés. Comme disent nos sauvages dans leur langage pittoresque, ils avaient « deux cœurs ». La France de nos ancêtres, représentée par la France vraiment catholique d'aujourd'hui, leur inspirait amour et admiration ; l'autre France, la France révolutionnaire et maçonnique les épouvantait. Hélas ! Il faut le dire, c'est surtout cette dernière France qui se montre à nous, qui frappe les regards du peuple, qui nous envoie ses représentants, ses écrivains, ses capitaux, qui reçoit et décore nos nationaux. Il y a là pour nous un très grand péril. Car beaucoup de nos compatriotes ne distinguent pas entre les deux France, entre celle qu'il faut aimer, admirer, imiter, et celle qu'il faut repousser avec horreur. Ils ont pour tout ce qui se dit français, même lorsque ce titre ne cache que la juiverie, des entraînements presque irrésistibles qui s'expliquent, sans se justifier, par nos vives et profondes sympathies pour le pays de nos aïeux. (p. 246)

La toute neuve tour Eiffel lui apparaît comme une nouvelle Babel, heureusement compensée par la non moins récente basilique Sacré-Cœur de Montmartre. La province, par contre, lui plaît beaucoup, en particulier la Bretagne dont le parler et la foi lui rappellent la province de Québec. Il s'amuse même à commenter le « parler québécois » des Bretons. Les Français présentent en outre des vertus dignes d'être imitées : « Parmi les qualités qu'ont généralement les Français et que nous ferions bien d'imiter un peu plus, est l'amour du travail» (p. 415). Il commente avec intérêt – mais aussi un assez grand détachement – la vie politique française, voyant dans le général Boulanger, qui faisait beaucoup parler de lui à l'époque, un être vulgaire et vaniteux. L'antisémitisme de Tardivel transparaît dans quelques passages de ce journal, encouragé d'ailleurs par certains Juifs convertis qu'il a rencontrés :

> Le péril juif, ils le connaissent mieux que personne. Les Canadiens, m'ont-ils dit, doivent être sur leurs gardes, s'ils ne veulent pas tomber au pouvoir des juifs, comme le sont aujourd'hui les peuples de l'Europe. Mais le meilleur moyen, le seul moyen vraiment efficace de repousser la domination juive, c'est de vivre de manière à ne la point mériter. Car, n'en doutons pas, Dieu se sert des juifs comme d'un fléau pour châtier les nations chrétiennes qui ont prévariqué, qui ont renié leur baptême. Retour aux principes chrétiens, à la vie domestique chrétienne, à la vie sociale chrétienne, voilà la solution du problème juif : elle n'est pas dans la violence et la haine, comme semble le croire certain écrivain retentissant mais peu clair. (p. 254)

Une telle page est intéressante en ce qu'elle témoigne d'un antisémitisme inféodé au seul souci d'établir le catholicisme comme unique référence de la vie sociale. Or, comme les Juifs ne veulent pas participer à ce projet de société, il n'existe qu'une solution : non pas les persécuter, mais limiter leurs pouvoirs, les parquer dans des ghettos et les empêcher de participer à la vie politique. C'était la solution des souverains pontifes sur le territoire qu'ils administraient, solution que vante Tardivel en la présentant comme plus sage et équitable que la solution républicaine qui, en faisant entrer les Juifs dans la vie sociale, menace les institutions d'inspiration chrétienne et engendre la violence antisémite (p. 354).

Invité à un congrès catholique, le journaliste participe à une commission sur la presse et fait voter par ses confrères français la motion suivante :

> Considérant que le Canada a été fondé par la France catholique ; que le peuple canadien-français a été préservé de l'anéantissement national par l'action sociale de l'Église ; qu'il existe depuis quelques années un mouvement qui rapproche, de plus en plus, la France de son ancienne colonie, la commission émet le vœu que les catholiques français, et plus particulièrement les écrivains catholiques de France, s'emparent de ce mouvement afin d'aider les Canadiens français dans la lutte engagée, chez eux, contre l'influence néfaste des principes révolutionnaires français. (p. 247)

Dans la même foulée, il propose à ses lecteurs de faire voter par la législature québécoise une motion auprès de la reine Victoria (qui était catholique) pour qu'elle exerce son influence en vue de redonner au pape ses pouvoirs temporels.

Parmi les effets que son voyage a pu avoir sur sa pensée, Tardivel mentionne une moins grande vulnérabilité au « respect humain » (le « qu'en dira-t-on »), influencé en cela par le courage qu'il a observé chez les catholiques français plongés de plus en plus dans la mer de l'anticléricalisme : « Je suis donc un peu moins lâche que j'étais. Quand bien même mon séjour en France n'aurait eu que ce résultat, je ne le regretterais pas » (252). Mais le voyage a aussi entraîné d'autres résultats :

> M. Beaugrand, paraît-il, a prédit, dans une de ses lettres à la *Patrie*, qu'à la suite de mon séjour en France je me montrerais plus *coulant*, moins intransigeant, comme d'autres de nos compatriotes sont devenus opportunistes, de militants qu'ils étaient, après quelques semaines passées en Europe. Il n'en sera rien. Au contraire, ce que j'ai vu depuis sept mois me confirme, de plus en plus, dans la conviction où j'étais déjà, que c'est un devoir impérieux pour tout catholique qui tient une plume de combattre avec la dernière énergie, non seulement l'impiété maçonnique et révolutionnaire, le naturalisme brutal, le matérialisme dégradant, c'est-à-dire le radicalisme sous toutes ses formes, mais aussi, je dirai même *surtout*, cet ensemble de demi-erreurs que l'on appelle le *libéralisme modéré* ou *catholique* qui énerve les caractères et qui prépare les voies au règne de Satan. (p. 441-442)

Les observations sur Rome offrent un bon exemple de ce qui différencie Edmond de Nevers et Tardivel. Tous les deux font part des bouleversements urbains entraînés par la révolution nationale, mais alors que le dernier s'en désole, le premier observe le phénomène d'un regard intéressé mais détaché, en évitant de formuler un jugement *a priori*. Tardivel :

> Je n'ai pas eu l'avantage de voir Rome sous le gouvernement légitime des papes. Ceux qui ont eu ce bonheur, et qui la voient aujourd'hui, gémissent et disent que ce n'est plus la même ville. [...] On a eu beau détruire et reconstruire, on a eu beau percer de nouvelles rues, fonder de nouveaux quartiers, « moderniser » de toutes manières, on n'a pas encore réussi à enlever à notre cité le cachet que dix-neuf siècles de christianisme y ont imprimé. (p. 334)

De Nevers fait aussi état des réaménagements de la cité, de cette nouvelle toponymie qui met l'accent sur les héros de la récente révolution, sur l'abandon de traditions comme la bénédiction papale à travers les rues de la ville, prodiguée à un peuple agenouillé, un faste cérémonial qui contrastait de façon saisissante avec le délabrement des habitations et la misère du peuple :

> Plus de bénédictions du pontife, plus de populations agenouillées, les basiliques sont abandonnées. Rome s'est *temporalisée*, si je puis m'exprimer ainsi : mon bon cousin et ses compagnons de Mentana reconnaîtraient difficilement la ville sainte de leur temps. [...] les bâtisses, si l'on excepte celles construites pendant ces deux dernières années, vides de locataires et déjà à moitié démantelées, ont en général tous les avantages des constructions modernes : salubrité, propreté et confort [...]. En général, le fait pour une ville d'avoir « un caractère » implique presque toujours la privation d'une certaine somme d'aisance et de confort, car les notions que nous avons sur le bien-être sont un peu les mêmes partout, et, pour l'obtenir, il faut se modeler sur ceux qui le possèdent, ce qui engendre l'uniformité. Une ville sale à rues étroites, tortueuses, à vieilles masures sombres, a « un caractère », selon l'acception ordinaire de ce mot ; une ville à rues larges, droites, bordées de maisons spacieuses, bien éclairées et solides, n'en a pas. (p. 273-274)

De Nevers écrit en journaliste attaché à l'observation exacte des faits et ne se permet que très rarement d'émettre des points de vue émotifs sur ce qu'il voit. Dans ce passage, comme tout au long de sa chronique, il tente de faire la part des choses, il veut avant tout informer, instruire, donner à voir et à entendre. On ne saura rien de ses engouements personnels ou de ses opinions, sauf de manière indirecte. Il ne joue pas non plus au guide touristique ; sa démarche, au contraire, a quelque chose d'ethnologique, il cherche à comprendre la valeur sociale ou culturelle de certaines coutumes, il transcrit les phénomènes pour en débusquer la rationalité sous-jacente, il confronte les points de vue d'individus appartenant à différentes classes pour approcher les désirs des uns et des autres, les tensions qui découlent de leur confrontation[31].

Prêtres et séminaristes : le parcours européen de Lionel Groulx

Nous abordons maintenant le XXe siècle : les séjours des Canadiens en Europe se font de plus en plus nombreux, surtout à Paris devenue capitale culturelle par excellence de tout francophone. On sera frappé, en lisant les textes, les mémoires et les souvenirs de ces voyageurs, de constater combien les parcours peuvent différer selon les classes sociales et les occupations. Cinq réseaux majeurs se dessinent : 1) celui des professionnels

31. Je n'en dirai pas plus long sur ces chroniques de de Nevers étant donné que Lüsebrink fait précéder l'édition qu'il en a donnée d'une étude approfondie (H.-J. Lüsebrink, « Transferts culturels et expérience de l'autre. Edmond de Nevers et sa vision du monde germanique », in Edmond de Nevers, *op. cit.*, p. 9-57). Ce que je viens de dire de la posture de Nevers s'applique aussi aux *Lettres de France* de Jules Fournier que l'ont vient d'éditer en livre (Montréal, Lux, 2003). Fournier a été mandaté en France comme reporter en 1910 pour le compte du journal *La Patrie*.

mandatés en Europe pour y trouver une formation qui complétera celle reçue au pays : outre le cas des médecins, pour lesquels je ne possède que des informations indirectes, je m'intéresserai à celui de l'économiste Édouard Montpetit ; 2) celui des diplomates et des délégués culturels, qui poursuivent le travail entrepris depuis 1882 par Hector Fabre (le principal étant Jean Désy) ; 3) celui d'aristocrates ou de grands bourgeois comme R. de Roquebrune, capable de se payer un appartement en plein cœur de la Ville lumière et invité à séjourner chez les châtelains de toutes les régions de la France ; 4) celui des salons mondains où se retrouvent, outre le même Roquebrune, des écrivains bourgeois comme Paul Morin (et, plus tard, Grandbois), des musiciens comme Alfred Laliberté et Léo-Pol Morin, ainsi que des artistes et des poètes un peu plus bohèmes, comme Alfred Pellan et Marcel Dugas ; 5) enfin, le réseau des institutions religieuses, que fréquentent les séminaristes venus parfaire leur théologie à Rome ou à Paris, ou encore des prêtres invités à donner des cours ou appelés en Europe par des recherches de pointe. Le cas de Lionel Groulx est particulièrement révélateur puisque dans ses *Mémoires*, passablement bien documentés, il relate les deux séjours qu'il fit en Europe, d'abord comme jeune prêtre en voyage d'étude, puis comme enseignant invité à donner un cours d'histoire du Canada.

Groulx effectue un premier séjour en Europe de 1906 à 1909. Il la découvre d'abord par l'Italie, son bateau ayant accosté au port de Naples. Il est aussitôt frappé par le contraste entre la grandeur de la culture et la misère du peuple :

> C'est Naples. Premier choc d'un monde nouveau si différent de celui que je viens de quitter. Profusion d'art à tous les pas ; profusion aussi de souvenirs historiques : ruines de Pompéï, cône fumant du Vésuve. Puis, autre choc, lorsque le pied à peine mis à terre, j'apercevrai cette bande de gueux faméliques, en haillons, accourus, pressés, deux cents, trois cents peut-être, dans l'espoir d'attraper quelques sous de ces voyageurs mystérieux venus de la lointaine Amérique ; marche lente, pénible, trouée plutôt que marche, aidés de la police, entre ces haies de malheureux malaisément contenus et qui, même muets, crient leur misère par leur maigreur, leurs yeux brillants de fièvre ; enfin entrée laborieuse dans les édifices des douanes : portes qui se referment sur nous et dressent comme une barricade entre un monde d'infortune et l'autre, le nôtre. Puis encore, le soir, sur un grand boulevard, au bord du golfe cette grande fille nu-pieds qui s'attache à nos talons et qui lamentablement, sollicite à nous lasser quelques « soldis » ; et, quelques pas plus loin, cette enfant, dans l'obscurité, collée au rez-de-chaussée d'un grand hôtel, vis-à-vis une fenêtre illuminée d'un cinquième ou sixième étage et qui, dans l'espoir d'en faire tomber quelque aumône, chante d'une voix si douce et si mélancolique, *Santa Lucia*. Choc profond et douloureux. Misère qui, dans quinze ans à peine, enfantera une singulière et considérable révolution[32].

La dernière phrase de cette belle et sensible description est assez prudente ; rétrospectivement, Groulx veut garder à l'égard de cette « révolution » mussolinienne une distance qu'il n'avait pas au moment où elle

32. Lionel Groulx, *Mes mémoires*, Montréal, Fides, 1970, tome I, p. 112-113.

s'est produite. Mais il identifie bien le climat de misère sociale qui fut l'une des causes des succès du fascisme, très proche du socialisme à ses tout premiers débuts. Comme bien des catholiques de par le monde, Groulx a d'abord été séduit par l'autorité du chef, par sa complaisance à l'égard du monde rural, par ses tentatives d'éliminer la misère, et surtout par sa reconnaissance du pouvoir papal lors des accords de Latran. Ce Mussolini est celui qui, pour le Groulx des années vingt et trente, est susceptible d'éliminer la pauvreté observée par le jeune prêtre lors de son arrivée à Naples.

Les *Mémoires* fournissent de nombreux commentaires sur Rome au temps de Pie X. Groulx adhère à l'antimodernisme du pape ; les Italiens seraient des imitateurs de l'anticléricalisme français (à cette époque, les mesures prises par Combes le scandalisent profondément) : « La mairie romaine est passée aux mains des pires éléments de la franc-maçonnerie. Un journal ignoble, l'*Asino*, caricature le Pape de la façon la plus grossière. Dans la rue, le moindre rassemblement de la populace expose à des insultes tout porteur de soutane »[33]. Groulx, habitué à la déférence que manifestent les Canadiens français pour le clergé, est heurté par ces quolibets qu'on lui lance. À Rome, lui et ses collègues sont attaqués par des émeutiers au cours d'une messe. À côté de ces événements liés à la politique du jour, Groulx trouve le temps de s'extasier devant la grandeur historique de la ville, dans une forme de commentaire anhistorique typique des voyageurs :

> L'image de Rome surtout, je la porterai longtemps au fond de ma mémoire, telle qu'elle m'est tant de fois

---

33. *Ibid.*, p. 118.

> apparue, du balcon du Pincio, les soirs où les couchers du soleil romain embrasaient le Janicule et la coupole de Saint-Pierre. Contemplée de là, alors que sous les cyprès du jardin féerique et dans la compagnie familière des bustes des empereurs et des plus illustres fils de la patrie italienne, un orchestre nous jouait les grands airs de la musique classique, la Ville éternelle n'avait pas à nous définir plus expressément l'idée de civilisation[34].

Plus tard, à Venise, en compagnie d'amis, il leur lit des passages du *Voyage d'Italie* de Taine consacrés à cette ville, rejouant cette jouissance particulière du téléscopage du temps, quand l'écriture rencontre la sensation immédiate et que le présent semble mettre ses pas dans la mémoire légendaire : « L'écrivain, comme on le sait, avait vécu la même scène que nous, s'était peut-être attablé à la même place. Nos impressions rejoignent tout de suite les siennes[35]. » Voilà sans doute le trait le plus constant des récits de voyage des Canadiens en Europe : si l'imagination des temps anciens est commune à tous, même aux Européens, elle acquiert pour le Nord-Américain une charge encore plus prononcée, lui qui est privé continuellement de ce loisir. Il est assez singulier également que ce travail de l'imagination ne porte pas uniquement sur les paysages urbains : il est alimenté en outre, et de manière encore plus imposante, par les écrits d'illustres voyageurs : ainsi Groulx n'évoque-t-il pas la vie des Doges et des Vénitiens, mais celle du voyageur Taine.

Un an plus tard, en octobre 1907, il arrive en France. Il vaut la peine de le citer encore intégralement,

34. *Ibid.*, p. 119.
35. *Ibid.*, p. 125.

car à la suite de Crémazie, Groulx met l'accent sur ce que sont devenus les Français et, de manière encore plus affirmée que chez Tardivel, on voit un Québécois critiquer une certaine forme d'attachement à la France :

> Un vif désir me tenait, du reste, de voir la France. Avouerai-je cependant que je n'éprouvai guère le choc sentimental dont nous ont fait part tant de nos voyageurs, choc où ils ont mis, je pense, autant de colonialisme moral que de pose. Aussitôt la frontière franchie, le paysage français ne me trouve pas indifférent. J'aime tout de suite ce visage du vieux pays qui me révèle une parenté. Mais, dès les premiers contacts avec les hommes, je suis d'abord frappé par les différences – je dirais volontiers les distances – qui séparent, me semble-t-il, les Français qu'après trois siècles nous sommes devenus, du Français resté en son patelin. [...] En ce premier séjour de 1907, autant le dire tout de suite, le pays des ancêtres n'a pas réussi à m'emballer. Paris, sans doute, sera pour moi une importante continuation de la découverte du vieux monde avec tout ce qu'elle m'apportait, depuis un an, d'étonnement et de charme. De l'homme, je découvrais un autre visage, d'autres dimensions. La France, je l'aimais depuis longtemps. Je l'aimais parce qu'elle est une « personne », selon le mot de Michelet. Elle représentait à mes yeux une incarnation de haute culture humaine, le moment d'une incomparable maturité de l'esprit. La France, pourtant, je ne l'ai jamais aimée plus que mon pays. Je ne l'aimais pas dans ses verrues, je ne l'aimais pas dans ses aberrations spirituelles. Je ne l'aimais pas dans sa politique[36].

36. *Ibid.*, p. 126-127.

On reconnaît dans cette page le rejet traditionnel, déjà exposé, des Québécois à l'égard de la France républicaine et athée. De fait, ce passage est suivi par un exposé sur le combisme et l'anticléricalisme. Cet extrait est aussi intéressant d'un autre point de vue : en effet, c'est comme si l'enjeu était ici de contrer un trop vif amour de la France (qui existait véritablement chez les écrivains québécois de l'époque, nous le verrons plus loin avec Roquebrune et Dugas) et de lui opposer l'amour du pays. Ce refus de se laisser séduire outre mesure est-il un témoignage de souveraineté ou de ressentiment ? C'est la forme qu'a prise chez Groulx la volonté d'en finir avec la honte de l'origine, la dévalorisation systématique de soi, l'« à-plat-ventrisme » mondain du provincial fasciné par le grand monde (on notera l'expression « colonialisme moral », qui circulait peut-être déjà au moment où Groulx écrit ces lignes, en 1958). Malheureusement, cette « éducation à la fierté » a aussi son revers, risque d'entraîner un repli sur soi et se nourrit parfois de certains préjugés à l'égard de ces « parisianistes » interpellés dans leur désir par la culture de la France, et qui, j'en parlerai plus loin, ne méprisaient pas leur pays autant que l'ont prétendu les régionalistes. L'attitude de Groulx, du reste assez nuancée, s'articule à divers points d'ancrage axiologiques et idéologiques : attachement à des valeurs religieuses doublé d'un attachement à une France désormais déclassée, fidélité à l'héritage reçu, fût-il pauvre par endroit, d'où la volonté de s'investir activement dans l'*ici* plutôt que de devenir un parasite ou une étoile de dernière grandeur dans le monde de *là-bas*, attachement enfin, on néglige souvent cet aspect même s'il s'agit d'un trait constant chez les nationalistes québécois de toutes les époques, aux valeurs d'une classe sociale foncièrement hostile à la *mondanité* des cercles parisiens de l'époque, formés d'aristocrates décadents et de grands bourgeois qui pratiquent facilement le mépris à l'égard des classes populaires[37] :

> Je n'ai jamais caché d'autre part mon attachement à la culture française, et je m'en suis exprimé quelques fois avec une certaine chaleur. C'est bien en France aussi que j'ai rencontré quelques exemplaires des plus fins civilisés, une élite catholique comme il ne s'en trouve guère ailleurs. [...] Mais je ne puis non plus le cacher : mes premières rencontres avec les Français m'ont douloureusement révélé tout ce qui séparait le Français de là-bas du Français du Canada. L'anticléricalisme parisien du début du siècle me blesse profondément. À défaut d'autres motifs, il m'aurait préservé de ces pâmoisons sentimentales où se laissent entraîner trop de Canadiens français pour tout ce qui est français de France et pour la France elle-même. En moi le Canadien français n'a jamais abdiqué. Je ne me suis jamais caché la pauvreté culturelle de mon jeune pays ; mais il est resté mon premier et mon unique pays. Je ne lui ai jamais préféré la France[38].

Le plus étrange est qu'une motivation conservatrice conduise à une posture critique contre l'aliénation dans le modèle français. L'attitude dénoncée par Groulx était certes répandue, mais elle n'était le fait que d'une partie de ceux que nous identifions aujourd'hui aux

---

37. Sur l'antimondanité présente dans le discours québécois au début du siècle, voir Michel Lacroix : « De Montesquiou à Montréal : *Le Nigog* et la mondanité », *Voix et images*, vol. XXIX, n° 1 (85), automne 2003, p. 105-114.
38. *Ibid.*, p. 166.

« parisianistes » ; d'autres, comme Roquebrune, ont transcendé cette contradiction entre le régionalisme et l'exotisme. Mais à l'époque, le malentendu était complet entre ces deux factions : croyant disputer de l'opposition entre l'amour de la France et l'amour du pays natal, on ne se rendait pas compte que l'un et l'autre ne parlaient pas de la même France.

Du reste, d'autres passages des *Mémoires* montrent que Groulx n'était pas exempt de toute fascination exercée par le prestige de la France. Lors de son second séjour, en 1931-1932, il est invité à donner un cours à la Sorbonne et à l'Institut catholique de Paris. Il relate ainsi sa première journée d'enseignement :

> Je me rends à la Sorbonne à pied, sous mon parapluie. Je me sens las, déprimé, peu en forme. Je réfléchis, je m'en souviens, à l'étrange destin qui nous guette parfois dans la vie. Une image me traverse l'esprit : l'image d'un galopin de huit à dix ans, promenant ses pieds nus sur les sables mouillés de la baie des Chenaux de Vaudreuil, et je me dis : par quel hasard la vie a-t-elle voulu m'amener aujourd'hui aux portes de la première université de France ?...[39]

Pour revenir au premier séjour, les *Mémoires* donnent une juste idée du genre de réseau européen autorisé par le clergé québécois du début du siècle. Après Rome, Groulx part étudier la littérature à Fribourg. Il explique lui-même ce curieux choix, la Suisse étant vouée au protestantisme : « Inquiets de ce qui se passait en France, mon évêque, nos chefs religieux d'alors ne prisent guère, pour leurs jeunes prêtres, un séjour d'études à Paris, pas même à l'Institut catholique,

39. Lionel Groulx, *Mes mémoires*, Montréal, Fides, 1972, tome III, p. 63.

réputé foyer de modernisme[40]. » Il effectue également un pèlerinage à Lourdes, puis se rend pour les vacances à Crec'h Bleiz, en Bretagne, chez le comte de Cuverville, vieux catholique qui lui parle de Veuillot, de Lacordaire, de Montalembert et d'Ozanam. Ils partagent ensemble leurs préoccupations au sujet de la France moderne et Groulx y va d'observations très proches de l'esprit de Mgr Bourget :

> Je l'entretenais un jour des dangers que doit affronter un étudiant canadien à Paris. Je lui confiais que nos jeunes médecins, en particulier, y viennent chercher trop souvent autre chose que la science médicale. Et le vieux Comte de s'écrier : « Monsieur l'abbé, moins le Canada enverra de ces jeunes gens étudier à Paris, mieux il s'en portera. La France est une nation contaminée que les peuples qui se respectent devraient mettre en quarantaine[41].

À l'occasion de son second séjour, Groulx aura encore l'occasion de donner aux Français des leçons de catholicisme. Il vante l'ambiance morale du Canada français et déplore devant René Bazin la « géopolitique » des alliances contractées par les Français qui émigrent vers le Canada : en général, dit-il, ils fréquentent la haute société anglo-canadienne, la bourgeoisie francophone mais *snob*, très *Vive la France*, qui méprise le peuple canadien-français[42]. Finalement, invité par les Jésuites de la revue *Études*, il dicte aux catholiques français les moyens d'aider les Canadiens à conserver leur langue et leur foi :

---

40. Lionel Groulx, *Mes mémoires*, tome I, *op. cit.*, p. 149.
41. *Ibid.*, p. 146-147.
42. Voir *Mes mémoires*, tome III, *op. cit.*, p. 105-106.

> 1. Que la France catholique continue de faire ce qu'elle fait : de beaux livres, de belles œuvres d'action catholique ; et, par cela seul, elle nourrit nos intelligences, notre foi, nous fournit des modèles d'action ; 2. Qu'elle empêche, si possible, l'exportation de sa vilaine littérature, de son mauvais théâtre ; 3. Qu'elle s'efforce de protéger nos étudiants à Paris ; qu'elle trouve les moyens de leur faire prendre contact avec le monde et la pensée catholiques ; 4. Qu'elle surveille ses enquêteurs qui vont au Canada ; qu'elle les dirige vers des milieux propres à les renseigner, et non vers nos milieux snobs qui font profession d'accueillir, chez nous, les Français de passage : milieux anglicisés et anglicisants qui ne peuvent donner du Canada français qu'une image déformée, incomplète à coup sûr ; 5. Que les catholiques français révèlent notre existence, notre vitalité nationale et religieuse ; qu'ils empêchent qu'en certains lieux (à Rome), ne s'accrédite la légende de notre disparition inévitable et prochaine ; 6. Que les Français fassent leurs affaires en français au Canada et maintiennent ainsi, chez nous, la valeur économique du français[43].

Seule l'ancienne garde catholique de France correspond aux idéaux de Groulx qui ne comprend pas, par exemple, quelqu'un comme Maritain, ouvert au socialisme. Deux moments de l'histoire se rencontrent ici : chez les catholiques français, la séparation est déjà consommée entre l'Église et l'État ; pour eux, il n'y a pas de contradiction entre la foi et le socialisme : au contraire, ils reliront les Évangiles dans une perspective sociale, à tout le moins humaniste. Chez Groulx, ce mélange est impossible, mais à la même époque (durant

---

43. *Ibid.*, p. 96.

les années trente), cet humanisme français faisait son entrée au Québec, notamment dans la jeune revue *La Nouvelle Relève*.

Donner et recevoir : les allers-retours d'Édouard Montpetit

L'expérience européenne d'Édouard Montpetit est similaire à celle de Groulx. D'ailleurs, les deux hommes ont de nombreux points en commun : ils sont contemporains, nés et décédés à quelques années près ; ils ont effectué leur premier séjour en Europe dans les mêmes années, l'économiste de 1907 à 1910, le chanoine de 1906 à 1909 ; ils ont ensuite été invités à différentes reprises comme délégués ou comme conférenciers, souvent aux mêmes endroits (par exemple à la Sorbonne) et pour les mêmes raisons (présenter le Canada aux Français) ; tous deux sont des catholiques convaincus animés d'un fort sentiment patriotique ; enfin, ils rédigent leurs mémoires ou souvenirs à peu près en même temps, soit au milieu des années cinquante. Malgré tout cela, l'impression que laissent les *Souvenirs* de Montpetit[44] diffère complètement de celle que procure la lecture des *Mémoires* de Groulx. Si ce dernier peut rappeler sur bien des points l'ultramontain Tardivel, il n'en va pas de même pour Montpetit chez qui s'opère une harmonisation de la pensée libérale et du catholicisme à saveur nationaliste.

L'économiste s'attarde longuement sur son séjour français. Comme plusieurs, il en retient des sensations

44. Édouard Montpetit, *Souvenirs*, Montréal, Thérien Frères, 1955, 3 tomes.

qui lui procurent une intense nostalgie. Le Paris de la Belle Époque lui sourit, il se trempe avec délices dans la vie théâtrale, il fait des pèlerinages littéraires, rend visite à des écrivains et intellectuels qu'il a lus avec admiration, parmi lesquels Émile Faguet, Monsieur de Molinari, Étienne Lamy, René Bazin, Maurice Barrès et Paul Déroulède. Tous sont « amis du Canada » et s'informent avec intérêt de la situation de cette « France d'outre-mer ». L'évocation de cette période est ponctuée d'un hymne à Paris, sobre mais efficace, où Montpetit analyse ce qu'il retient de cette ville unique : Paris comme ville de perspectives (les avenues), ouverte et aérée (les jardins), le Paris religieux, le Paris « débordant de vie », le Paris qui travaille et étudie, le Paris des cafés, le théâtre et les types humains (l'étudiant, le bohème, le camelot, le gamin, l'apache !), etc. Après ce premier séjour, sur une période d'environ trente ans, Montpetit aura l'occasion une dizaine de fois de revenir en Europe. En 1913, il donne des conférences sur le Canada moderne à l'École libre des sciences politiques où il a étudié lors de son premier séjour. Il prononce aussi un hommage à Louis Veuillot, figure qui était déjà importante pour Tardivel et pour nombre d'autres catholiques canadiens. En 1921, il est délégué à Rome pour faire consacrer par le pape la jeune Université de Montréal. Toujours à titre de délégué pour le compte de l'Université, il participe la même année, à Oxford en Angleterre, à un symposium réunissant des représentants des universités de l'Empire. En 1922, il se rend comme délégué à Gênes et à La Haye aux conférences de paix visant la restauration économique et financière de l'Europe. En 1924, il est reçu membre de l'Académie Royale de langue et de littérature françaises de Belgique. L'année suivante, la Sorbonne l'invite pour donner une série de cours sur le Canada contemporain. Il répète l'expérience à Bruxelles, en 1928. En 1934, il est envoyé comme délégué aux Fêtes de Saint-Malo (quatrième centenaire de l'arrivée de Jacques Cartier au Canada). Enfin, il se rend comme délégué toujours, en 1935, à la Société des Nations de Genève. On peut donc dire que, plus que tout autre, Édouard Montpetit aura été un agent de liaison très actif entre le Canada français et l'Europe, plus particulièrement la France. Par ailleurs, contrairement à Groulx qui a concentré ses représentations auprès de l'Europe cléricalo-nationaliste, Montpetit s'est donné pour mandat de situer le Canada au cœur des questions contemporaines touchant l'économie et le développement social.

Ce mandat est clair dès le premier séjour de Montpetit à Paris. Inscrit à l'École libre des sciences politiques, il finit premier de sa section et second de l'École, à quelques points seulement du premier. Rétrospectivement, il insiste sur la responsabilité que ce succès entraînait auprès de ses compatriotes :

> J'avais, en quelque sorte, charge d'âme. J'étais le premier boursier qui fût officiellement délégué par le gouvernement de la Province. À tort ou à raison, le sort de ceux qui viendraient après moi était suspendu à mon effort. On me suivait aussi, en certains quartiers, on m'épiait. Qu'allait devenir ce jeune homme jeté dans Paris ? Qu'allait donner cette expérience dangereuse.
>
> J'étais aussi, je suis toujours resté fidèle à mon pays et à ma qualité de Canadien français. Je vivais à l'étranger, les yeux rivés sur le Canada où je reviendrais un jour. Je voulais lui faire honneur et le servir. Les marges de mes cahiers portent les lettres Ch.Ns (chez nous) aux passages qui me semblaient nous

> concerner, ouvrir un horizon, proposer une initiative. Et puis, il ne me déplaît pas que, vingt-cinq ans plus tard, après beaucoup de jeunes camarades du Canada, qui ont été, à l'École, d'admirables élèves, un autre Canadien français ait conquis la première place. Ce n'est tout de même pas une mauvaise tradition[45].

L'École des sciences politiques et sociales avait été fondée en 1871 par Émile Boutmy. Montpetit explique les origines patriotiques et positivistes de cette institution, née en réaction aux événements de 1870. Il fallait concurrencer l'Allemagne dont on attribuait la force au degré de perfectionnement de ses écoles. Constatant le caractère abstrait et trop exclusivement humaniste de l'éducation française, Boutmy avait eu le projet d'une école axée sur l'étude de la vie contemporaine, favorisant le développement de l'esprit critique et du sens historique dans une approche non dogmatique. Il fallait aussi encourager la convergence entre les disciplines de manière à assurer chez les étudiants une culture à la fois cohérente et diversifiée. La philosophie de l'École nourrira les convictions et l'action de Montpetit autant dans son enseignement aux HEC et ailleurs qu'à l'heure de la fondation, en 1920, de l'École des sciences sociales, économiques et politiques de l'Université de Montréal. Il précise que son intention était alors de fournir aux Canadiens français un lieu de formation indépendant de l'État, qui aurait assuré

---

45. Édouard Montpetit, *Souvenirs.* Tome 1 : *Vers la vie*, Montréal, Thérien Frères, 1955, p. 116-117. Dans la dernière phrase de cette citation, Montpetit fait allusion à la médaille d'or de l'École obtenue par François-Albert Angers au début des années trente. Incidemment, Angers fut l'un des successeurs de l'œuvre de Montpetit aux HEC.

« l'instruction libérale des classes moyennes »[46] et développé une élite capable de guider le pays vers l'autonomie économique et financière. Aucun « retour d'Europe » n'a transféré au Québec, aussi concrètement qu'Édouard Montpetit, les bénéfices de ses séjours européens. L'action, de plus, est allée dans les deux sens puisqu'il a aussi fait connaître inlassablement le Canada aux Européens, l'affirmant comme un partenaire valable du point de vue des échanges économiques et de la pensée politique ou sociale.

Dans la dernière partie des *Souvenirs*, intitulée « Aller et retour », Montpetit décrit ses dernières impressions de Paris (nous sommes en 1928), qu'il trouve bien changé : « internationalisé, américanisé, il révèle à celui qui ne fait que passer un visage qui n'est plus le sien. Et cependant, j'ai de la peine à le quitter. [...] transformé, déserté par les Français, un théâtre hésitant qui se porte vers des reprises pour y chercher des sursauts de vitalité ; le vide des *Music Halls* comblé par des étrangers à qui l'on jette une pâture quotidienne. Et pourtant, on se plaît à y revenir »[47]. Mais les pages les plus éloquentes sont celles où il médite sur le retour au pays, sur la manière d'intégrer l'expérience française, de lui faire donner des fruits :

> Un voyage en France c'est une longue réflexion sur nous-mêmes et nos impressions les plus vives sont, le plus souvent, canadiennes. Nous subissons mille réflexes. Nous établissons, malgré nous, des comparaisons. Nous recommençons sans cesse la réponse

---

46. *Ibid.*, p. 102.
47. Édouard Montpetit, *Souvenirs*. Tome 3 : *Aller et retour. Présences*, Montréal, Thérien Frères, 1955, p. 184-185. Voir aussi p. 187.

aux mêmes questions. Tout cela nous aide à nous définir.

Que valons-nous ? Mieux que ce que nous sommes dans l'esprit de la plupart. Cela m'apparaît clairement, dans l'attitude de défense où nous place un séjour à l'étranger.

Je plaide d'abord la vérité. Nous sommes ce que nous sommes. Commençons par le reconnaître et nous aurons fait un grand progrès. N'exagérons pas. Disons notre vie, expliquons notre expérience. Bornons nos affirmations aux réalités. [...] Pas de grands mots. Pas de vaines susceptibilités. Moins de rebuffades. Plus de langue de Louis XIV, plus d'excessive sentimentalité. La vérité. Elle est suffisante et singulièrement féconde. La vérité par l'esprit critique, accepté chez les autres, avivé en nous. Nos bouderies sont enfantines, nos réserves déplorables. [...] Le progrès est possible. Les résultats naîtront de l'énergie éclairée, instruite. En architecture et en art, comme pour l'agriculture et l'industrie, il faut s'adapter. Nous vivons en Amérique et Beaudry Leman a sans doute eu raison de nous le rappeler. Mais l'américanisme, dont le foyer est à nos portes, s'épand sur nous immédiatement.

Nous le subissons comme une contrainte. Pourquoi ne serait-ce pas en l'utilisant ? André Siegfried me le recommandait pour les nôtres. J'ai saisi en France nombre de ces assimilations : la danse plus gracieuse, la musique moins brutale et tout aussi entraînante, l'hôtellerie modernisée suivant une formule traditionnelle. [...] Notre culture, il s'agit de la préserver en l'adaptant[48].

48. *Ibid.*, p. 180-182.

Pragmatique et visionnaire à la fois, Édouard Montpetit annonce par cet appel les grands jours de l'affirmation du Québec. Et en le lisant, on constate que l'alliage est possible entre l'économiste, le penseur social et l'homme de culture.

Les « parisianistes »

C'est ainsi qu'on a appelé ces jeunes artistes et écrivains pour qui Paris représentait le foyer de la culture. Ils furent nombreux à s'y rendre durant la première moitié de ce siècle. Dans ses souvenirs, Robert de Roquebrune a parlé de façon suggestive de cette époque, mais il ne faudrait pas généraliser son expérience : descendant de la vieille noblesse terrienne du Canada, il fait partie d'une classe à part. Lui et sa femme possèdent un appartement à Paris, ils sont reçus chez les châtelains de toutes les régions de France, jamais dans *Cherchant mes souvenirs* il n'est question d'argent et le lecteur en retire l'impression que ce monsieur vivait de ses rentes. Pourtant, il travailla : de 1919 jusqu'à l'Occupation, puis de 1946 à 1958, il fut archiviste aux Archives publiques du Canada à Paris. Arrivé à Paris en 1911 pour célébrer ses noces, il y était resté un an. Ses mémoires racontent dans le détail les premières sensations du couple découvrant la France. Ils vivent l'émerveillement d'une *redécouverte*, chaque lieu rappelant à ces lettrés une œuvre d'art ou de la littérature : la gare Saint-Lazare, dès leur arrivée, est transfigurée par le tableau de Monet qu'ils ont déjà admiré ; et comme ils sont « bourrés de littérature », ils vont à Combourg « à cause de Chateaubriand » et à Croisset « à cause de Flaubert »[49]. La France n'est pas le seul pays

49. Robert de Roquebrune, *Cherchant mes souvenirs*, *op. cit.*, p. 33.

qu'ils découvrent à travers des réminiscences livresques: « Je m'apercevais que l'Angleterre m'était familière, en somme. Nos lectures anglaises m'avaient donné de ce pays une connaissance très intime et les Anglais que je rencontrai au cours de mon séjour ressemblaient à ceux que j'avais connus par les livres. Car ce peuple est encore celui de sa littérature[50]. » Et plus loin: « Le lac Léman et sa grande clarté apparaissait et le Mont Blanc escaladait le ciel. Nous allions déjeuner à Genève et visiter Coppet. Le souvenir de l'insupportable madame de Staël ne nous intéressait guère ni celui de l'ennuyeux Benjamin Constant. Mais les bords du lac Léman sont gais et nous les suivions avec joie[51]. »

D'autres considérations de Roquebrune touchent la politique. Un passage, entre autres, fait le point sur l'engagement de certains intellectuels québécois dans le conflit de 1914-1918 et traduit bien les valeurs qui habitaient la plupart des « parisianistes »:

> Olivar Asselin s'était engagé et commandait une formation militaire canadienne en France. Jean Chauvin avait fait une chose étonnante, car il était allé s'engager dans la légion étrangère en France. Mais le volontariat ne suffisait plus et la conscription venait d'être établie dans tout le Canada. [...] Beaucoup de jeunes hommes se cachaient d'ailleurs, refusant de se laisser prendre par la conscription. Il y avait eu une petite émeute à Québec, car le service obligatoire était très impopulaire dans la province. La défense de nos « deux mères patries » ainsi que s'exprimait la propagande officielle du gouvernement, ne touchait pas beaucoup les jeunes cultivateurs et les jeunes ouvriers

50. *Ibid.*, p. 143.
51. *Ibid.*, p. 163.

> canadiens-français. Le sort de la France ne leur disait pas grand-chose et celui de l'Angleterre encore moins.
>
> Mais l'émotion était très grande et très sincère chez les « intellectuels » et Asselin, Jean Chauvin avaient traduit leur attachement à la culture française en allant se battre pour elle. Nous étions tous de leur avis. Une France vaincue et morcelée par les Allemands signifierait la fin de la civilisation française au Canada. Car nous sentions bien que notre survivance déjà si décadente, recevrait un coup mortel de la défaite et de la débâcle du pays dont se réclamaient nos intelligences et nos cœurs[52].

Dans ses jugements politiques, Roquebrune affiche une bonhomie qui contraste avec le moralisme un peu compassé de Groulx. Il s'amuse maintes fois du caractère des Français. Un jour, un partisan des Bourbons aperçoit dans les mains de Roquebrune un numéro de *L'Action française*, celle de Maurras, et lui demande de la soustraire à sa vue parce que ses membres ont pris position en faveur des Orléans :

> Plus tard il me fut donné de connaître des partisans des Orléans et de *L'Action française*, des fidèles de l'Empire et des Bonaparte, et surtout, bien sûr, des républicains convaincus. La nation française est divisée contre elle-même. Et chaque parti politique se subdivise en fragments. De sorte que jamais les Français ne sont du même avis. Cet individualisme est peut-être une faiblesse, mais c'est aussi parfois d'un grand charme. Les Français ne sont pas grégaires comme les autres peuples de l'univers[53]. (p. 116)

52. *Ibid.*, p. 101.
53. *Ibid.*, p. 116.

Il côtoie pendant un court moment le groupe de Lesca (*Je suis partout*) et Brasillach, qu'il décrit comme « des jeunes gens très sympathiques et avec qui j'eus le plus grand plaisir à causer »[54]. Il dit de Brasillach qu'il « était abondant en paroles et très spirituel, mais dur et un peu inquiétant ». Le commentaire de Roquebrune sur ces jeunes gens ne se pose pas comme un jugement idéologique, quoique, écrit-il, « leur politique passionnée, leurs exagérations m'ennuyaient ». C'est l'aspect humain qui retient Roquebrune, le fait que ces monarchistes souvent contradictoires aient vu leur esprit happé par l'« immense désarroi [qui] régnait sur la France ». Roquebrune fait aussi la rencontre de Maurras :

> Il me questionna sur le Canada, la province de Québec, le mouvement nationaliste, Henri Bourassa et son journal *Le Devoir*. Je lis cette feuille, me dit-il, et ce qui m'étonne souvent, c'est que M. Bourassa et ses collaborateurs qui sont si français, n'aiment pas du tout la France. Il y a là une contradiction que je ne comprends pas.
>
> Je m'efforçai d'expliquer le caractère de mes compatriotes, leur individualisme, leur volonté de fonder une civilisation et une culture françaises au Canada, mais sans l'influence de la France et cela par esprit d'indépendance congénitale.
>
> « Oui, me dit-il, c'est très français cela »[55].

On le voit, le réseau de Roquebrune était plutôt du côté de la droite traditionnaliste, même si ces liens nous sont présentés dans ses mémoires comme assez sporadiques et détachés. Cette constatation nous oblige

54. *Ibid.*, p. 150.
55. *Ibid.*, p. 141-142.

à nuancer notre compréhension des alliances idéologiques à cette époque. Au Québec, du moins durant les années dix, Roquebrune et Groulx étaient des opposants, le premier étant situé du côté de l'« avant-garde » (il est l'un des fondateurs de la revue *Le Nigog*). En France, ils ne côtoient pas la même catégorie de gens ; par contre, ils affichent tous deux une certaine sympathie pour Maurras et Daudet, tout en se montrant assez critiques par ailleurs. La différence fondamentale tient au fait que si Groulx défend la cause française *en Amérique*, demandant qu'elle se distingue de ce que produit la France, Roquebrune défend la cause française tout court, faisant de la France sa référence majeure.

D'autres écrivains et artistes québécois de l'époque partagent le point de vue de Roquebrune, comme Paul Morin, qui fut l'ami intime de la comtesse de Noailles, le pianiste Léo-Pol Morin, ami de Maurice Ravel et de Ricardo Vinès, et enfin Marcel Dugas, qui résida à Paris de 1910 à 1914, puis de 1920 à 1940, époque durant laquelle il fut lui aussi employé aux Archives publiques du Canada. Jean-Éthier Blais a brossé de lui un portrait qui pourrait ressembler à une critique amicale, qui serait plutôt selon moi une réflexion, prenant Dugas comme exemple archétypal, d'un certain complexe québécois à l'égard de l'Europe :

> Nous allons en Europe comme vers la fontaine d'Aréthuse, traversant la Sicile, afin de nous retremper dans l'essence même de la civilisation. Nous nous agenouillons spirituellement. L'adoration est de rigueur. Le poids des colonnes et des marbres nous écrase. J'ai vu les cartes postales que Marcel Dugas, cet errant, envoya à sa famille, au cours de ses pérégrinations d'avant-guerre. Son effervescence naturelle s'y donne libre cours. Devant la puissance du

> passé, de l'art, il se nanifie, non content d'être à genoux, il rapetisse jusqu'à n'être plus que cette voix qui clame son admiration dans le désert de l'inculture nord-américaine. Il en va de même de Ringuet à Bologne, mais ici l'admiration est teintée de mal du pays. Les monuments, dans leur grandeur magique, ne peuvent remplir totalement l'âme. Elle aspire au confort du foyer natal. La différence entre Dugas et Ringuet est là ; Dugas regrette de n'être pas Européen, Ringuet, au contraire, est un voyageur étranger que la beauté de l'Italie éblouit comme il se doit, mais qui regarde cet univers avec détachement. Il est objectivement historien tout autant qu'homme sensible. Il n'abdique pas sa personnalité nord-américaine. Ringuet est attaché à l'histoire globale de l'Amérique. Marcel Dugas veut oublier ses origines, s'intégrer dans l'Europe de ses rêves d'enfant[56].

On trouvera difficilement dans les pages de Dugas publiées en volume des anecdotes au sujet de l'Europe. Pendant une période, il a tout de même rédigé des courriers pour des journaux canadiens (*L'Action*, *La Presse*), mais le plus souvent ce sont des textes poétiques, de véritables poèmes en prose. Dugas a été l'ami et le confident de Louise Read, qui avait elle-même été l'égérie de Barbey d'Aurevilly à la fin des jours de ce dernier. Avec Paul Morin, il a aussi fréquenté le salon de la comtesse de Noailles. C'est à Paris qu'il respirait vraiment, même s'il y vivait pauvrement et assez seul.

Dugas fut aussi à sa manière un passeur. Au Canada, le succès de Dugas est très mitigé comme on sait : Dugas est perçu comme un « parisianiste » par l'idéologie régionaliste dominante. Personne ne remarque qu'il ne

---

56. Jean Éthier-Blais, *Voyage d'hiver*, Montréal, Leméac, 1986, p. 98.

parle à peu près que d'écrivains canadiens. Par ailleurs, il entreprend de faire connaître la littérature canadienne aux Français en publiant à Paris, en 1929, un volume intitulé précisément *Littérature canadienne*. Mais sa sélection obéit aux critères des exotiques : il y présente Lozeau, Chopin, de Roquebrune, Morin, Delahaye et compagnie. Par contre, dans la préface d'*Apologies*, un recueil d'essais, il fait à l'usage du lecteur français un bref historique de la poésie canadienne du XIXe siècle, mentionnant Crémazie, Gill, Fréchette et Chapman. Encouragé par l'accueil de *Littérature canadienne*, Dugas publie coup sur coup *Cordes anciennes*, un recueil de poèmes en prose inspirés de chansons traditionnelles, puis un essai intitulé *Un romantique canadien. Louis Fréchette 1839-1908*.

Dans son hommage à son ami Léo-Pol Morin, Dugas raconte qu'âgé d'à peine vingt ans, le pianiste fut invité à donner un récital dans le prestigieux salon de la comtesse de Pomairols et qu'il y fut célébré autant par les princes de Parme que par l'infante espagnole Eulalie… Fort bien accueilli dans les milieux français, Morin consacra tout de même sa vie à faire le pont entre la France et le Québec. Selon Jean Désy, qui le connut en tant que délégué du Canada à Paris :

> Cet infatigable voyageur que l'on taxait d'européanisme a quand même été le plus grand patriote de nos musiciens et le plus soucieux de notre avenir musical. […] Chez nous, il fut l'un des premiers critiques, des premiers musicographes à tenter une histoire de la musique canadienne, à analyser les œuvres de nos compositeurs et l'un des tout premiers pianistes à les interpréter[57].

57. Dans Léo-Pol Morin, *Musique*, Montréal, Beauchemin, 1945, p. 10.

Roquebrune renchérit: « Ses récitals de piano étaient un événement pour beaucoup de gens qui aimaient en lui le magnifique interprète de Debussy, de Ravel, de Fauré, de Franck. Il révélait un monde nouveau, tout un art inconnu rapporté de France dans ses doigts[58] ».

Enfin, quelques mots sur un écrivain d'une autre génération, Alain Grandbois. Il fut le plus international des écrivains québécois. Jouissant d'une fortune personnelle, il fait le tour du monde. Pendant longtemps, son port d'attache est Paris, plus particulièrement la Rive gauche. Il fréquente la faune artistique et littéraire, il est l'ami de Dugas et de Pellan. Au début des années cinquante, on le trouve au Québec où on lui offre une émission d'un quart d'heure par semaine qui s'intitulera « Visages du monde »[59]. Grandbois y tient des causeries sur les villes et les pays qu'il a visités. On est étonné par leur diversité et surtout par l'accent que l'écrivain a mis sur les pays asiatiques. On se trouve donc en dehors des sentiers battus. Il est bien sûr question des grands centres culturels européens, mais l'Asie couvre 39 des 104 émissions. En France, ce n'est pas Paris qui retient le plus son attention mais la Bretagne et la Corse. Ce sont des impressions de voyageur, mais leur contenu ne se limite pas à de l'anecdotique. Un peu comme François-Xavier Garneau au siècle passé, Grandbois en profite pour transmettre des éléments de culture : il refait l'histoire des villes qu'il visite, il donne des indications sur les mœurs de leurs habitants.

---

58. *Ibid.*, p. 23.
59. Alain Grandbois, *Visages du monde*, Montréal, Presses de l'Université de Montréal, coll. « Bibliothèque du Nouveau Monde », 1990, 788 p.

D'autres pages sur Paris ont été rassemblées dans le volume intitulé *Proses diverses*[60]. Ce sont là encore des conférences radiophoniques coiffées des titres généraux : « Images de France » et « Rythmes de Paris ». Le premier d'entre eux débute ainsi : « L'on peut raisonnablement croire que Paris a fourni à nos pays d'Occident – à l'Europe et aux Amériques – la pointe la plus fine, la plus délicate de notre civilisation chrétienne. Paris a développé, agrandi cette civilisation, nous a apporté sa fleur suprême »[61]. «Rythmes de Paris » sont de brèves évocations entrecoupées de chansons françaises. Dans son texte sur Marcel Dugas, il y a une page assez colorée sur les salons parisiens, que Grandbois divise en deux catégories : les sous-salons, repères de faux aristocrates et de gloires passées, et les salons accrédités. Parmi ces derniers est classé le salon de Louise Read, où Grandbois rencontra Dugas en 1925[62].

Un peintre : Alfred Pellan

Bien d'autres peintres et artistes auraient pu être donnés en exemple, en partant de Philippe Hébert qui découvrit d'abord Rome en tant que zouave pontifical ; plus tard, Hébert fit divers séjours prolongés à Paris. On raconte que son art fut prisé en Angleterre et que Lord

60. Alain Grandbois, *Proses diverses*, Montréal, Presses de l'Université de Montréal. coll. « Bibliothèque du Nouveau Monde », 1996, 479 p.
61. *Ibid.*, p. 419.
62. Sur Grandbois, on pourra consulter une étude de Nicole Deschamps intitulée « L'Italie d'Alain Grandbois », dans *Italies imaginaires du Québec*, sous la direction de Carla Fratta et Élisabeth Nardout-Lafarge, Montréal, Fides, 2003.

Grey, à peine débarqué au Canada, s'informa auprès d'un marchand anglais de la santé du sculpteur. Le marchand lui ayant avoué qu'il ne connaissait pas ce Canadien français, Lord Grey le vilipenda[63]. Il aurait pu être question également de Suzor-Côté et d'Alfred Laliberté, qui séjournèrent de nombreuses années à Paris également et y développèrent leur art, faisant même une certaine impression dans les salons parisiens, ou encore d'Ozias Leduc, à propos duquel Roquebrune écrivait : « Il avait fait un petit séjour en France dans sa jeunesse et en gardait un souvenir ému à cause des maîtres du Louvre. Ce voyage de France avait été pour lui ce qu'était autrefois le voyage d'Italie pour les jeunes peintres français[64]. » Plus près de nous, il aurait pu être question de Fernand Leduc (qui, avec son épouse Thérèse Renaud, partage son temps, depuis des décennies, entre Paris et l'Italie) ; de Riopelle, bien entendu, qui fut une vraie vedette dans les cercles parisiens et contribua beaucoup à la modernisation de la sensibilité artistique au Québec ; de Borduas, enfin, chez qui l'influence européenne fut déterminante, bien qu'il ait fait mine, sur la fin, de s'intéresser davantage à New York. Je rappelle tout de même ce passage de *Refus global* qui reprend, pour d'autres motifs, le blâme des ecclésiastiques lancé contre la dissolution morale des apprentis-médecins en France :

> Les voyages à l'étranger se multiplient. Paris exerce toute l'attraction. Trop étendu dans le temps et dans l'espace, trop mobile pour nos âmes timorées, il n'est souvent que l'occasion d'une vacance employée à

63. Voir Bruno Hébert, *Philippe Hébert, sculpteur*, Montréal, Fides, 1973, p. 111.
64. Robert de Roquebrune, *op. cit.*, p. 75.

> parfaire une éducation sexuelle retardataire et à acquérir, du fait d'un séjour en France, l'autorité facile en vue de l'exploitation améliorée de la foule au retour. À bien peu d'exceptions près, nos médecins, par exemple (qu'ils aient ou non voyagé), adoptent une conduite scandaleuse (il-faut-bien-n'est-ce-pas-payer-ces-longues-années-d'études !). [...] Ces voyages sont aussi dans le nombre l'exceptionnelle occasion d'un réveil. L'inviable s'infiltre partout. Les lectures défendues se répandent. Elles apportent un peu de baume et d'espoir. [...] Les frontières de nos rêves ne sont plus les mêmes[65].

Mais c'est l'expérience de Pellan qui nous offrira, au chapitre des peintres, un témoignage exemplaire.

Pellan se retrouve à Paris durant la période florissante de l'entre-deux-guerres : il y goûte la bohême, les cafés ; il y rencontre quantité d'artistes et d'écrivains et s'initie à toute la production picturale de l'époque : Matisse, Picasso, Braque, Utrillo, Bonnard, Miró, etc. Il reçoit le choc de Van Gogh. Pendant un temps, il gagne son pécule en peignant sur des robes de luxe ; plusieurs d'entre elles seront achetées par Mme Miró.

Il noue aussi des liens avec des Canadiens, le premier étant Alain Grandbois qui l'introduit dans différents milieux. Toutefois, dit-il, « Grandbois ne visitait pas les mêmes lieux que moi, il était très "grand Seigneur", il voyait beaucoup les Anglais, les Américains, dont Hemingway à l'occasion. Il menait une vie fastueuse et ne traînait pas au Dôme, il allait rue Delambre où on prenait un verre à l'abri des rideaux

---

65. Paul-Émile Borduas, *Refus global. Projections libérantes*, Montréal, Parti pris, 1977, p. 28-29.

tirés[66]. » La présence de médecins à Paris nous a déjà été signalée par Groulx ; Roquebrune notait également que la plupart des Canadiens à Paris au début du siècle étaient des étudiants en médecine. Ce fait est corroboré dans le livre de Lefebvre sur Pellan : « Au sein du groupe des Canadiens à Paris, il y a quelques jeunes médecins venus parachever leurs études. Certains d'entre eux sont sensibles à l'art. Les docteurs Dumas, Dandurand et Jarry visitent, à l'occasion, l'atelier de Pellan et en repartent avec un dessin ou un tableau sous le bras[67]. » Ce seront ses premiers clients canadiens.

L'influence de Pellan a été énorme sur les artistes québécois, en particulier sur Jean Dallaire qui a visité le maître à Paris. De retour au Québec en 1940, Pellan tâche d'exposer et de promouvoir l'art moderne. Les résistances sont grandes, mais moins qu'auparavant, alors qu'il était venu faire un séjour à Québec :

> Pellan apparaît au premier rang des troupes de choc qui vont enfoncer les barricades de l'académisme figé pour proclamer la république des arts et des lettres. Nulle autre option n'aurait pu convenir, c'est évident, à ce peintre énergique qui depuis près de quinze ans baignait dans l'atmosphère d'absolue liberté créatrice du milieu artistique de Paris[68].

Quelques peintres avant lui avaient tenté d'animer le milieu, de retour d'Europe : James Wilson Morrice, John Lyman. Il deviendra définitivement un chef de file au moment où il prendra en main l'École des beaux-arts

---

66. Cité dans Germain Lefebvre, *Pellan : sa vie, son art, son temps*, La Prairie, Marcel Broquet, 1986, p. 22-23.
67. *Ibid.*, p. 31.
68. *Ibid.*, p. 85.

de Montréal, événement qui, d'ailleurs, va créer une dissension entre lui et Borduas.

Lors de son second séjour à Paris, Pellan triomphera sur le plan international avec son exposition solo au Musée national d'art moderne.

Après la guerre

Cette période est bien entendu beaucoup plus difficile à couvrir, je ne donnerai donc que quelques exemples parmi les plus évidents. Je laisse de côté certains témoignages importants, comme celui qu'aurait pu fournir un François Hertel[69]. On l'aura remarqué, l'Europe des Québécois, en cette première moitié du XXe siècle, tend à se réduire à la France. Groulx est passé par Rome et Strasbourg, Grandbois a bourlingué de par le monde entier, mais finalement, tous les chemins mènent à la Rive gauche. Cette tendance est encore sensible après la guerre mais les exemples déviants seront plus nombreux. Prenons celui de Jean Éthier-Blais.

Les premières pages de *Voyage d'hiver* nous introduisent au milieu de la diplomatie canadienne en France dans les années cinquante. Éthier-Blais trace les portraits de Jean Désy, de René Garneau, de Pierre Baillargeon, du général Vanier. Quelques écrivains sont évoqués, comme Robert de Roquebrune, qui fascine Éthier-Blais mais que ce dernier ne peut s'empêcher de railler. Chez les Français, Daniel-Rops. Éthier-Blais insiste surtout sur René Garneau, qui s'était donné pour

69. Pour une approche d'Hertel, voir le numéro des *Cahiers Éthier-Blais* dirigé par Martin Doré (Le Nordir, n° 3, automne 2000).

but « d'expliquer le Canada et sa littérature à des Français[70] »:

> Garneau avait une passion pour de Gaulle, alors à Colombey, son désert. Né à Québec, il avait tout naturellement plus de mal que le général à percevoir la transformation de certaines couches de la société québécoise. En dehors de sa carrière, il avait les compromissions en horreur. Il représentait bien l'intelligentsia de son temps, détachée de la politique par son éducation et soudain ramenée à elle par les âpres faits de l'Après-Guerre[71].

Ce qui intéresse dans la démarche réflexive (et voyageuse) d'Éthier-Blais, c'est qu'elle est décentrée par rapport à la France. D'ailleurs, cet écrivain est un germaniste averti, chose extrêmement rare dans nos contrées (le seul précédent étant Edmond de Nevers). Son *Voyage d'hiver* se situe en grande partie en périphérie de la France : parti d'Alger, Éthier-Blais passe par la Suisse, se rend ensuite en Italie (Milan, Venise, Padoue, Ferrare, Bologne, Sienne). En Suisse, il a cette réflexion :

> Devant le Lac [...] je songeais au destin de la francophonie, cette institution si particulière, qui se veut à la fois modèle politique qui transcende les races et les nations, et cependant union des cœurs et des intelligences au service de la civilisation française, plus universelle que nature. Il est séant que Suisses romands, Belges et Québécois ressentent en profondeur l'attirance de la francophonie ; son rôle est de les parfaire dans leur être culturel. Elle exalte en eux

70. Jean Éthier-Blais, *op. cit.*, p. 22-23.
71. *Ibid.*, p. 21.

> l'appartenance à une communauté linguistique dont la France n'est plus que le centre[72].

Cet intérêt pour les cultures mineures est bien sûr lié à un mouvement d'identification. Mais celui-ci n'est pas total : « On n'en aura jamais fini avec la Suisse et nos amis romands. Nous, Québécois, ils nous épatent, riches, puissants, sûrs d'eux, dominateurs. Du moins est-ce l'impression qu'ils nous donnent. Leur pays nous est fermé, sinon à titre de touristes. Aquin en fit l'expérience, dans les formes argousines de la politesse »[73].

Éthier-Blais se livre à de nombreuses descriptions d'œuvres d'art, il note ses impressions sur les villes visitées, surtout Venise (les pages à ce sujet sont admirables). L'Europe, ici, c'est la culture ; rien n'est dit de la politique. La seule réalité qui l'intéresse est la vérité intemporelle de l'art et, au milieu de tout ça, la vérité du sujet qu'il est et qui se cherche. Cette inscription du sujet dans son récit de voyage est ce qui permet à Éthier-Blais d'échapper à l'idéalisation du passé. Il est parfaitement conscient du temps qui nous sépare des œuvres anciennes, que nous ne pouvons comprendre qu'en partie. Il avoue oublier la plus grande partie de ses lectures. Mais l'imagination vient suppléer ces défauts de l'intelligence :

> Mais c'est peut-être là, dans cette ignorance peuplée de lectures et de souvenirs qu'est ma raison d'être : comment un homme qui, après avoir beaucoup lu, sait qu'il ne sait rien, réagit-il devant ces villes porteuses de chefs-d'œuvre ? Quelle conversation

---

72. *Ibid.*, p. 30.
73. *Ibid.*, p. 49. Le « nous, Québécois » d'Éthier-Blais est significatif, il démontre qu'on peut être Québécois par choix, l'écrivain étant originaire de Sturgeon Falls, Ontario.

> s'engage entre ce visiteur en particulier et cette civilisation d'accueil ? En somme, ma présence en elle-même est un témoignage et exige une réponse. Mon enthousiasme est cette réponse, ma ponctualité à écrire, ma fidélité à raconter[74].

Ce passage laisse paraître une forme d'*agôn*, un combat livré par l'écrivain contre des traditions et une histoire qui risquent de lui en imposer et de l'ensevelir. L'*agôn* entraîne chez Éthier-Blais une nette subjectivation du propos : les « chefs-d'œuvre » ne seront intéressants que dans la mesure où ils nourrissent l'égotisme de l'écrivain et lui permettent d'affirmer sa personnalité. Il importe avant tout de ne pas succomber au charme : on visite ces lieux mais on doit en revenir. Du point de vue des affinités esthétiques, Éthier-Blais privilégiera les auteurs oubliés, des êtres de talent dont l'institution n'a pas fait ses choux gras ; ainsi le risque de redondance est évité et la subjectivité peut se réserver un territoire bien à soi.

Il y a aussi un *agôn* chez Aquin. Cet écrivain semble s'être juré de ne jamais tomber dans le provincialisme. Il écarte donc toute forme de commentaire idéalisant sur l'Europe, il en parle plutôt comme d'un espace familier où il réussit à se mouvoir avec aisance. Dans ses romans, le paysage européen sert de symbole à la réflexivité d'une identité québécoise refusant de se cantonner dans son territoire prescrit et s'étend donc sur la Suisse, l'Italie, la Norvège glacée. Ce privilège donné à l'« espace spiritualisé » est déjà mis en évidence par Aquin en 1952, dans son *Journal* :

74. *Ibid.*, p. 156-157.

> La Grèce que nous venons chercher dans les décors, au milieu de ces ruines, nous ne la trouvons peut-être pas parfaitement. Notre imagination peut se trouver mal à l'aise au milieu de ce petit peuple qui doit ressembler peu aux anciens Grecs. C'est que la Grèce est un lieu spiritualisé : le vrai touriste de la Grèce est celui qui lit Sophocle, Eschyle, Homère, Platon. L'âme de la Grèce est beaucoup plus dans les textes de ces grands vivants que sur ces lieux encombrés de ruines et parfois désolants. Tout au plus on vient vérifier ici le climat, le paysage, l'ambiance où sont nés tant de chefs-d'œuvre. La vraie Grèce n'est pas plus ici que chez moi[75].

Le refus de s'en laisser imposer se traduira également en termes ironiques, dans un texte de 1966 intitulé « Nos cousins de France ». Ce court texte est un bel exemple de rétorsion, figure qui consiste à retourner contre l'adversaire le type d'argument ou de discours qu'il nous adresse. Ici, Aquin réagit à la condescendance amicale des Français à l'égard des Québécois en leur retournant le procédé de manière artificieuse. Sous sa plume, la France devient une région du Québec et les Français, des régionalistes plus attardés mais néanmoins touchants. Une première pointe est lancée à André Chamson, de l'Académie française – « une sorte d'école secondaire, sans doute », commente Aquin avec la plus grande mauvaise foi –, dont l'amabilité envers les Québécois a consisté à dire, « avec cet accent si particulier et si savoureux », précise Aquin, qu'une Marie-Claire Blais était au fond un pur produit de la Loire-Inférieure : « On connaît les Français pour être portés sur l'émotion

75. Hubert Aquin, *Journal*, 1948-1971, Montréal, Leméac, coll. « Bibliothèque québécoise », 1992, p. 129.

départementale et André Chamson ne fait pas exception[76]. » Ayant fait part du chagrin des Français voir leurs cousins québécois si réfractaires à se laisser aimer et à joindre à la « France éternelle », Aquin conclut :

> Si les Français n'ont plus les Québécois qu'ils avaient, nous pouvons nous consoler, en revanche, car nous avons toujours les cousins qu'on avait. Et c'est un peu pour ça qu'on les aime : ils nous parlent toujours avec cet accent pittoresque, ils emploient à profusion une rhétorique un peu démodée à nos yeux bien sûr, mais non moins touchante. Et puis, ils sont bien sympathiques et ils méritent vraiment qu'on s'occupe un peu plus d'eux. Nous devons faire un effort pour nous approcher d'eux et comprendre leurs problèmes spécifiques ; nous devons nous pencher sur leur cas. Et n'oublions jamais, nous Québécois, que les Français sont nos petits cousins et qu'à cause de cela précisément ils ont des complexes[77].

Cet article gentiment polémique est une revendication de souveraineté, une tentative d'échapper à la double contrainte insidieuse qui gagne l'esprit colonisé au contact d'une grande civilisation qui lui est à la fois familière et étrangère : refus, bref, de se laisser réduire au rôle de subordonnés qui devraient se montrer reconnaissants dès que le maître fait mine de les apprécier un peu. Mais, argumente Aquin, si un Yves Berger pousse le sentiment proquébécois jusqu'à se montrer séparatiste trois mois par année, ce n'est quand même pas lui qui se fait jeter en prison par les autorités fédérales… Le seul fait que l'on reçoive ce texte comme humoristique

---

76. Hubert Aquin, *Point de fuite*, Montréal, Le Cercle du livre de France, 1971, p. 67.
77. *Ibid.*, p. 69-70.

(malgré ses accents grinçants) démontre qu'il agit sur un inconscient, mais surtout qu'il carnavalise une réalité institutionnelle si bien assimilée par tous les sujets (la supériorité de la France) qu'elle devient une évidence ; et le texte d'Aquin, de ce fait, une absurdité libératrice autant que délicieuse.

Dans cet exposé, il a peu été question des femmes. Jusqu'à la Deuxième Guerre mondiale, leur situation sociale leur permettait difficilement de voyager avec autant de liberté que les hommes, ce qui rend rares leurs témoignages. Des recherches plus poussées, par exemple dans les fonds d'archives, dans la correspondance, nous permettraient sans doute d'en savoir un peu plus long sur l'équipée d'une Simone Routier. Plus près de nous, nous pouvons tout de même consulter les textes d'Anne Hébert et de Gabrielle Roy. Cette dernière, en particulier, a longuement décrit ses années en Europe dans son autobiographie, *La Détresse et l'enchantement*. Or, ce qui frappe à la lecture de ces pages, c'est la prédominance de l'élément humain, du détail significatif pour le sujet mais situé en dehors des codes de la culture officielle. On trouvera difficilement dans les quelque 250 pages qui couvrent le séjour de la jeune Gabrielle à Paris et à Londres, un seul commentaire obligé sur des monuments ou sur des lieux historiques. Absolument tout est perçu à travers les émotions de la jeune fille, dont l'attention est retenue par l'attitude et la voix des gens qu'elle croise, par certains paysages en dehors des circuits touristiques ; à Londres, elle décrit l'impression que lui fait le métro, ses sensations lorsqu'elle déambule dans les rues, le froid des chambres mal chauffées, etc. Dans les lieux renommés, son attention est tout entière tournée vers l'impression vive, sans qu'intervienne la doublure des connaissances historiques :

Nous arrivions à la place de la Concorde. J'étirai le cou et tâchai, entre les épaules et les têtes rapprochées, d'en capter au moins un aperçu. Cette noble place m'était devenue ce que Paris avait pour moi de plus précieux. C'était un peu ma plaine natale redonnée à mon âme qui découvrait ici s'en être languie infiniment. Son ampleur au cœur de la ville resserrée m'était sujet d'aise toujours. [...] Puis, l'autobus prenant un virage rapide où nous ne fûmes retenus de nous frapper les uns contre les autres que par la densité de notre groupe, j'eus une vision fugitive du jardin des Tuileries. Si brève, elle m'avait pourtant révélé le bassin autour duquel jouaient des enfants, l'impeccable alignement des marronniers à tête ronde et, tout au fond de la longue perspective, un ciel rouge flamme la prolongeant indéfiniment, tout comme les flamboyants couchers de soleil, au fond de la ruelle, derrière notre maison de la rue Deschambault, lorsque j'étais enfant, m'ouvraient un passage qui me paraissait atteindre à la limite du monde. [...] Personne d'autre que moi n'avait apparemment entrevu la glorieuse enfilade au moment de son embrasement. J'eus le sentiment que c'était à moi, l'étrangère de cœur avide, que la ville pendant ce moment s'était livrée plutôt qu'à ses habitants au regard usé. [...] Ce que je ne peux oublier, c'est que ce fut très certainement le beau Jardin de Paris, illuminé comme par un soleil venu droit de mes Prairies, qui illumina en moi-même le don du regard, que je ne me connaissais pas encore véritablement, et l'infinie nostalgie de savoir un jour en faire quelque chose[78].

---

78. Gabrielle Roy, *La Détresse et l'enchantement. Autobiographie*, Montréal, Boréal, coll. « Boréal compact », 1988, p. 285-286.

Sera-ce parce qu'elle est femme, sera-ce parce qu'elle n'est point québécoise d'origine, Gabrielle Roy dépasse ici l'antinomie entre le régionalisme et l'exotisme : dans ce cours extrait, la ville étrangère et le pays natal entrent en fusion pour révéler le sujet à elle-même. L'expérience est pleine, complète, et l'on pressent qu'une fois rentrée au pays, Roy n'aura pas à se sentir exilée, porteuse d'une Europe intransmissible puisque l'Europe, dans son cas, a fait corps avec elle.

Quant à Anne Hébert, j'en dirai peu de choses sinon qu'elle a élu domicile à Paris et qu'elle y a passé la moitié de sa vie. Dans un récent interview, elle expliquait simplement son choix : « Quand je suis partie, j'avais une bourse pour une seule année, que j'ai réussi à étirer pendant trois ans. Ç'a été le commencement. Si j'y suis restée par la suite, c'est que je ne voulais pas être dans la situation de gens que j'ai connus, qui faisaient des retours d'Europe jamais réglés. Ils traînaient ça toute leur vie[79]. » C'est sans déchirement qu'elle est rentrée au Québec en 1997. Ses romans écrits en France parlent beaucoup de Québec, alors que le premier qu'elle a écrit depuis son retour au Québec se situe à Paris. Voilà un bel exemple d'aller-retour réussi.

Conclusion

Au terme de ce parcours, quelques traits généraux méritent d'être relevés. D'abord que l'Europe des Québécois, c'est avant tout la France, en second lieu l'Angleterre, et enfin l'Italie, qui intéressa d'abord en

---

79. Robert Chartrand, « Anne Hébert : La distance nécessaire », dans *Le Devoir*, samedi 19 et dimanche 20 juin 1999, p. D3.

relation avec le Vatican, mais qui est devenu aussi avec le temps, peut-être à la faveur d'une forte immigration italienne à Montréal, une destination très prisée (mais pas assez, semble-t-il, pour que le gouvernement du Québec conservât là-bas une Délégation). Les autres pays d'Europe n'existent pas de manière prégnante dans l'imaginaire des Québécois, sauf certains d'entre eux qui, à partir de la révolution tranquille, furent perçus comme des alliés sur le plan culturel, comme la Belgique et la Suisse.

Deuxièmement, il y a une historicité du voyageur québécois en Europe. Jusqu'en 1830, le Canadien se sent solidaire de ce qui se déroule en Europe et il lui arrive de s'y rendre dans un but nettement politique. L'intérêt pour la politique européenne est encore présent chez Crémazie mais ne le sera plus, par la suite, que par nécessité, les deux grandes guerres obligeant les Québécois à définir leurs alliances. Il est tout de même remarquable qu'au XXe siècle, les récits de nos voyageurs se fassent à peu près muets sur tout ce qui concerne la politique, la vie sociale, l'économie européennes. La préoccupation dominante devient alors la culture et le mode de vie.

Enfin, on aura remarqué que l'Europe sert bien souvent de miroir aux Québécois, qui y découvrent un point de vue leur permettant de mieux évaluer leur propre valeur. L'appréciation de ce qui se fait en Europe est souvent déterminée par les conflits qui agitent la société québécoise. L'Europe séduit, certes, mais n'oublions pas que le Québécois cherche aussi à séduire l'Europe, surtout la France cela va de soi. C'est ainsi que depuis longtemps le jugement de l'Europe sur le Québec a été reçu comme une caution, témoin le Salon du livre de Paris de 1999 où le Québec était reçu comme invité d'honneur : on n'a pas manqué de se questionner sur le fort contingent d'écrivains qui s'y est rendu dans l'espoir d'obtenir un peu de visibilité, comme si Paris allait se révéler l'Eldorado de la culture.

Des Québécois en Europe, une histoire complète reste à faire, qui puiserait non seulement dans les témoignages publiés, mais également dans les correspondances privées, dans les journaux intimes demeurés inédits. On considérera à juste titre comme une singularité le fait que je n'aie pas parlé de Jacques Ferron alors que mon livre est tout imprégné de lui ; Ferron, le seul écrivain québécois (à part Ducharme, peut-être) qui ait choisi délibérément de ne jamais mettre les pieds en France, mais qui a tout de même visité la Pologne et en est revenu marqué[80]. J'ai aussi passé outre dans cette étude les témoignages laissés par Adolphe-Basile Routhier[81] et par Louis-Antoine Dessaules[82]. Pour cette fertile période de la fin du XIXe siècle, d'autres documents pourraient être examinés, comme le journal *Paris-Canada*, « organe bimensuel des intérêts canadiens et français », fondé en 1884 par le diplomate Hector Fabre. Ce journal contenait entre autres une

80. Voir Betty Bednarski, « Les lettres polonaises » dans *Jacques Ferron : le palimpseste infini*, sous la dir. de Brigitte Faivre-Duboz et Patrick Poirier, Montréal, Lanctôt, 2002, p. 295-310.
81. Adolphe-Basile Routhier, *À travers l'Europe. Impressions et paysages*, Québec, Typographie de P.-G. Delisle, tome I : 1881, 410 p. ; tome II : 1883, 408 p. ; *À travers l'Espagne. Lettres de voyage*, Québec, A. Côté et Cie, 1889, 406 p.
82. Voir E. Gubin et Y. Lamonde, *Un Canadien français en Belgique au XIXe siècle. Correspondance d'exil de L.-A. Dessaules (1975-1878)*, Bruxelles, Académie royale de Belgique, 1991, 190 p.

rubrique intitulée « Les Canadiens à Paris ». À la même époque, existait à Paris une association appelée *La Boucane*, qui réunissait les « Canadiens et amis du Canada » et qui tenait ses réunions au Café de l'Univers, place du Théâtre-Français[83]. Au début du siècle, le journal canadien *La Patrie* publiait même une chronique, signée par L.-X. Lenoblet-Duplessis, correspondant à Paris, intitulée « Nos artistes canadiens à Paris ». Plus près de nous, chez nos contemporains, peut-on imaginer la somme de témoignages qui pourraient être recueillis ? Je ne parle pas ici de simples récits de voyage mais bien de documents relatant un séjour prolongé en terre européenne. Car, encore une fois, le travail qu'imposerait l'étude de cette incommensurable documentation ne se limite pas à un inventaire des expériences vécues outre-mer. L'interrogation que j'ai soulevée et dont je n'ai que commencé à dessiner les motifs, concerne les conditions de possibilité d'une reprise, par le sujet, de l'expérience à l'étranger au moment de son retour au sein de la communauté d'origine. Tous les documents évoqués nous permettent de découvrir à quel point ces lieux d'outre-mer furent investis d'un imaginaire puissant, porteur de questionnements sur la propre identité des sujets québécois, mais ouvert également, jusque dans le sentiment parfois dramatique de l'inadéquation, à l'aventure d'une réelle transmission.

---

83. Voir Odette Legendre, *Alfred Laliberté, sculpteur*, Montréal, Boréal/Société Radio-Canada, 1989, p. 87.

Bibilographie sélective

AQUIN, Hubert, *Journal, 1948-1971*, Montréal, Leméac, coll. « Bibliothèque québécoise », 1992, 416 p.

—, *Point de fuite*, Montréal, Le Cercle du livre de France, 1971, 164 p.

AUBERT DE GASPÉ, Philippe, *Mémoires*, Tours, Maison Alfred Mame et Fils, Montréal, Granger Frères Limitée, [1930], vol. 1, 360 p.

BAILLARGEON, Pierre, « Souvenirs de Normandie », dans *Le Choix. Essais*, Montréal, Hurtubise HMH, 1969.

CRÉMAZIE, Octave, *Œuvres II : Prose*, Ottawa, Éditions de l'Université d'Ottawa, 1972, 440 p. (Texte établi par Odette Condemine).

DUMONT, Fernand, *Genèse de la société québécoise*, Montréal, Boréal, coll « Boréal compact », 1996, 400 p.

ÉTHIER-BLAIS, Jean, *Voyage d'hiver*, Montréal, Leméac, 1986, 176 p.

—, Jean, *Paul Morin*, Montréal/Paris, Orphée/La Différence, 1991.

FRÉCHETTE, Louis, *Satires et polémiques II*, édition critique par Jacques Blais, Luc Bouvier et Guy Champagne, Montréal, Presses de l'Université de Montréal, coll. « Bibliothèque du Nouveau Monde », 1993, 1332 p.

GALARNEAU, Claude, *La France devant l'opinion canadienne (1760-1815)*, Québec, Presses de l'Université Laval, coll. « Cahiers de l'Institut d'histoire », 1970, 401 p.

GALLICHAN, Gilles, « Mgr Plessis et le journal de son voyage en Europe », dans *Les Cahiers des Dix*, n° 54, Sainte-Foy, Éditions La Liberté, 2000, p. 61-97.

GARNEAU, François-Xavier, *Voyage en Angleterre et en France dans les années 1831, 1832 et 1833*, Ottawa, Éditions de l'Université d'Ottawa, 1968, 375 p.

GAULIN, André, *Entre la neige et le feu : Pierre Baillargeon, écrivain montréalais*, Québec, Presses de l'Université Laval, 1980, 323 p.

GRANDBOIS, Alain, *Visages du monde*, Montréal, Presses de l'Université de Montréal, coll. « Bibliothèque du Nouveau Monde », 1990, 788 p.

—, *Proses diverses*, Montréal, Presses de l'Université de Montréal, coll. « Bibliothèque du Nouveau Monde », 1996, 479 p.

GROULX, Lionel, *Mes mémoires*, Montréal, Fides, 1970, 4 tomes.

GUBIN, E. et Y. LAMONDE, *Un Canadien français en Belgique au XIXe siècle. Correspondance d'exil de L.-A. Dessaules (1975-1878)*, Bruxelles, Académie royale de Belgique, 1991, 190 p.

HARDY, René, *Les Zouaves. Une stratégie du clergé québécois au XIXe siècle*, Montréal, Boréal Express, 1980, 312 p.

HÉBERT, Bruno, *Philippe Hébert, sculpteur*, Montréal, Fides, 1973, 157 p.

HERTEL, François, *Un Canadien errant : récits, mémoires imaginaires*, Paris, Éditions de l'Ermite, 1953, 203 p.

LAMONDE, Yvan, « Rien ne peut venir que de nous-mêmes », *Argument*, vol. 1, n° 2, printemps 1999, p. 53-62.

LEFEBVRE, Germain, *Pellan : sa vie, son art, son temps*, La Prairie, Marcel Broquet, 1986, 215 p.

LEGENDRE, Odette, *Alfred Laliberté, sculpteur*, Montréal, Boréal/Société Radio-Canada, 1989, 331 p.

MONTPETIT, Édouard, *Souvenirs*, Montréal, Thérien Frères, 1955, 3 tomes.

MORIN, Léo-Paul, *Musique*, Montréal, Beauchemin, 1945, 440 p.

NEVERS, Edmond de, *Lettres de Berlin et d'autres villes d'Europe*, Texte établi, présenté et annoté par Hans-Jürgen Lüsebrink, Québec, Nota Bene, 2002, 298 p.

RAJOTTE, Pierre, *Le Récit de voyage au XIXe siècle. Aux frontières du littéraire*, Montréal, Triptyque, 1997, 282 p. (avec la collaboration de Anne-Marie Carle et François Couture).

ROQUEBRUNE, Robert de, *Cherchant mes souvenirs (1911-1940)*, Montréal, Fides, coll. « Nénuphar », 1968, 244 p.

ROUTHIER, Adolphe-Basile, *À travers l'Europe. Impressions et paysages*, Québec, tome I : *1881*, 410 p. ; tome II: *1883* , 408 p. ; *À travers l'Espagne. Lettres de voyage*, Québec, A. Côté et Cie, 1889, 406 p.

ROUTIER, Simone, *Adieu, Paris ! Journal d'une évacuée canadienne*, Montréal, Beauchemin, 1940, 159 p.

—, Simone, *Paris. Amour. Deauville*, Paris, Éditions Pierre Roger, 1932, 161 p.

ROY, Gabrielle, *La Détresse et l'enchantement. Autobiographie*, Montréal, Boréal, coll. « Boréal compact », 1988, 512 p.

SALES LATERRIÈRE, Pierre-Jean de, *Nouveaux journaux de voyage (1824, 1826, 1827 & 1829)*, Montréal, Cahiers de l'ALAQ (Bernard Andrès et Pierre Lespérance, dir.), n° 4, été 1995, 110 p.

TARDIVEL, Jules-Paul, *Notes de voyage en France, Italie, Espagne, Irlande, Angleterre, Belgique et Hollande*, Montréal, Eusèbe Sénécal & Fils, 1890

TRÉTEAU, Jean, *François Hertel : l'homme et l'œuvre*, Paris, Le Cercle du livre de France, 1986, chap. 6.

Chapitre 5

L'imaginaire migrant de Jean Basile

Si de nombreux Québécois dans l'histoire ont été amenés à repenser le rapport à l'origine et au pays natal à la faveur de séjours à l'étranger, l'installation au Québec d'un nombre imposant d'immigrants situe cette interrogation au cœur même de la Cité. À nouveau, c'est toute la question de la fondation qui est mise en jeu. Une négociation s'effectue entre des récits originaires dissemblables que les aléas des processus migratoires mettent en contact. Du coup, les accès d'origine *deviennent facteurs de tensions au sein même de la communauté québécoise. La Référence historique est grevée par l'exigence civique du vivre-ensemble.*

Sur le plan culturel, le métissage a toujours existé mais les bouleversements sociaux suscités par l'immigration lui donne une dimension politique accrue. Il ne s'agit plus seulement d'emprunter à l'autre, d'en assimiler ce qui convient à notre propre émancipation ; le corps-à-corps avec l'étranger en un lieu partagé entraîne un brouillage des accès qui liaient le sujet social québécois à son récit d'origine. Dans ce contexte, le métissage ne va plus de soi *car il signifie la dissolution du soi rassembleur dans un ensemble où diverses origines se font concurrence.*

Ce texte constitue ma modeste contribution à ce problème très actuel. Mon idée sur le métissage est qu'il vaut mieux l'envisager en termes de désir, *ce qui implique aussi le heurt, la lutte, le malentendu, plutôt que dans l'optique d'un mélange harmonieux. Il convient cependant que soit introduit dans la lutte un esprit de jeu capable d'aérer le sérieux des enjeux posés. Le rapport de Jean Basile au Québec a connu toutes les fluctuations de la relation érotico-polémique : désir, introjection, humiliation, frustration... Pourquoi l'ai-je choisi plutôt qu'un autre ? Effet d'interpellation purement subjectif : je n'ai appris que tout récemment qu'il n'était pas Québécois d'origine et ma mère, quand j'étais adolescent, me le citait en exemple d'un critique dont le niveau d'exigence était salutaire à la vie culturelle québécoise.*

AVANT D'ABORDER LA MANIÈRE dont la superposition de cultures contribue à l'épaisseur signifiante de la démarche créatrice d'un Jean Basile, il me paraît essentiel d'exposer à partir de quels paramètres s'orientera ma réflexion. Que cherchons-nous à savoir et à comprendre au juste lorsqu'il est question d'« écriture migrante » ? Si nous adoptons un point de vue particularisant, il s'agira d'analyser comment l'exil et le déracinement ont pu influer sur l'écriture de certains auteurs, en insistant sur la manière dont ils ont récupéré des éléments de leur culture d'origine. De là, notre réflexion peut s'étendre à des considérations plus générales touchant la fin de la modernité et la postmodernité, dont l'un des caractères essentiels résulte précisément d'une situation mondialement généralisée de *migrations*, d'*échanges*, de *déplacements*. Cela, on le sait très bien, ne va pas sans remettre radicalement en question les découpages nationaux de la littérature.

Si telle était la seule et unique question traitée, nous aurions tout le loisir de nous pencher sur les parcours littéraires d'auteurs tels que Joyce, Nabokov, Beckett, Lautréamont, Conrad, Gary, Gombrowicz, Rushdie et de nombreux autres. Or, le fait de circonscrire notre corpus à la seule littérature canadienne fait intervenir un tout autre régime de questions, articulées cette fois non plus seulement autour d'œuvres particulières, mais également autour de l'*institution* qui en assume la diffusion et la valorisation. Malgré vingt-trois ans passés en Argentine, Gombrowicz est considéré comme un auteur polonais. Pourquoi ? Parce que son œuvre a été écrite en polonais et publiée par des éditeurs polonais (fussent-il installés à Paris pour des raisons politiques, comme Kultura). Conrad et Rushdie, eux, sont classés parmi les écrivains britanniques et Lautréamont, né à Montevideo, est pour tous un écrivain français. Louis Hémon aussi est un écrivain français, mais une œuvre de lui, la fameuse *Maria Chapdelaine*, est inscrite au Dictionnaire des œuvres littéraires du Québec (DOLQ), pour des raisons qui sont évidentes à tous : non seulement a-t-elle été écrite au Québec et traite-t-elle d'un sujet canadien, mais son influence a été si décisive sur les écrivains québécois qu'elle est devenue le modèle d'un genre. Bref, le croisement des cultures dans l'interprétation que l'on fait de textes littéraires produits par des immigrés, est un phénomène relatif. Il n'est pas facile de débrouiller ce qui rend le fait significatif dans certains cas alors qu'à d'autres moments il paraît assez insignifiant pour être complètement négligé. La question, en tout cas, crée un étrange symptôme lorsqu'on la situe dans le cadre de la littérature québécoise car cette littérature n'a pas, comme la française ou l'anglaise, un pouvoir d'assimilation très élevé, étant elle-même très peu affirmée à l'échelle mondiale. C'est ainsi que les écrivains d'origine étrangère installés au Canada rendent volontiers visible leur « étrangeté » et qu'on a tôt fait de présenter cette littérature comme « multiethnique ».

Il faut en outre dissiper un mirage en ce qui concerne la littérature *canadienne* : celle-ci n'existe pas en tant que telle comme ensemble structurellement articulé. Ce qui existe, c'est, d'une part, la littérature canadienne anglaise, d'autre part, la littérature québécoise[1]. Cette observation ne m'est nullement dictée par une volonté forcenée de maintenir ces deux littératures dans leur solitude respective, mais simplement par la plus stricte observation de la réalité institutionnelle. Il n'y a pas que deux langues officielles au Canada, que les citoyens de ce pays seraient libres de parler indifféremment et alternativement comme bon leur semble. Quand un écrivain nouvellement arrivé au Canada choisit une langue, il choisit du même coup une culture, une histoire, une tradition littéraire, un réseau institutionnel, une communauté de pairs qui seront ses premiers interlocuteurs. Écrire en français, cela signifie que votre texte sera publié par un éditeur francophone, qu'il sera diffusé auprès d'un public francophone, qu'il sera évalué par des critiques francophones dans des journaux et revues francophones. Cette réalité est clairement marquée dans les universités étrangères où il n'existe que très peu d'affinités, voire de contacts, entre les centres d'études québécoises et les centres d'études canadiennes, malgré plusieurs tentatives cherchant à les harmoniser. Cela, du reste, ne relève pas d'une quelconque mauvaise volonté mais bien d'une réalité institutionnelle qu'aucun œcuménisme ne saurait surmonter.

L'auteur qui retient pour l'instant mon intérêt, Jean Basile, a quant à lui taillé sa place dans l'univers culturel du Québec. Sa démarche m'intéresse autant pour la dimension existentielle qu'y impose le déracinement, que par ses incidences institutionnelles. On peut en effet se demander, à partir de l'aventure

---

1. Les littératures amérindienne, acadienne et franco-ontarienne existent, elles, sur le plan factuel, mais ne présentent pas un fort degré d'institutionnalisation.

créatrice de Basile, dans quelle mesure la culture québécoise a su s'ouvrir à une démarche telle que la sienne. Inversement, on peut vérifier jusqu'à quel point la culture québécoise a pu *inspirer* cette même démarche, la permettre en quelque sorte, autant d'un point de vue institutionnel (par la publication/réception) que d'un point de vue créatif. En d'autres termes, je tenterai de définir ici un modèle fondé sur la notion d'*échange*.

La dialectique entre le don et l'accueil

La question de l'échange peut être envisagée de deux manières : du point de vue du *don* ou de l'*accueil*. Le don : l'écrivain apporte avec lui un bagage culturel dont il fera profiter la communauté qu'il choisit, posture qui peut donner lieu à différents types d'énonciation, de la mélancolie de l'exil à l'affirmation d'une origine autre (et, ce faisant, garante d'originalité). L'accueil : l'écrivain tente d'intégrer la culture du pays hôte, de la faire sienne, soit par identification, soit par volonté de s'intégrer, soit par souci de se l'approprier, voire de la transformer en y injectant sa propre singularité. Cette dernière posture peut occasionner une lecture « autre » de l'histoire et de la société du pays d'accueil, mais seulement jusqu'à un certain point, comme j'essayerai de le montrer plus loin. Dans le cas de l'accueil comme de celui du don, nous sommes en présence d'un dialogue entre cultures, dont l'interface est un sujet plus ou moins identifié, façonné, interpellé par l'une ou par l'autre. Et même si les termes de cette dialectique sont chargés de positivité, il ne faut pas non plus négliger les *heurts* qui ponctuent nécessairement la rencontre de complexes originaires diversifiés dans un même espace culturel. Alors qu'elle était plutôt ténue par le passé, cette dimension agonistique est devenue plus sensible depuis le début des années quatre-vingt et le parcours de Basile rend d'ailleurs la césure bien visible, comme nous l'établirons.

Nous appuyant sur ces prémisses, il s'impose de ne pas limiter notre examen aux œuvres elles-mêmes, à leurs qualités internes ; il faut l'étendre également aux processus de réception en nous posant la question : cette « différence » qu'apporterait le regard de l'œuvre a-t-elle été effectivement perçue et, si oui, de quelle manière ?

Cela dit, le *facteur d'étrangeté* n'est pas toujours l'élément dominant, soit dans l'écriture, soit dans la lecture que l'on fera des œuvres. Si la question est nettement thématisée chez un Naïm Kattan par exemple (ce qui entraîne inévitablement une prise en considération de la question de la part de la critique), d'autres textes, comme ceux de Jacques Folch-Ribas ou de Ying Chen, pour n'en nommer que deux, font oublier cette dimension. Ils demandent à être lus comme des textes littéraires, point final, sans faire intervenir des considérations interculturelles.

Le cas de Jean Basile est très intéressant parce que cet auteur a exploré à la fois la dimension du don et celle de l'accueil. Et il ne l'a pas fait uniquement en tant qu'écrivain, son activité de ce point de vue s'étant étendue sur plusieurs formes d'interventions culturelles. On peut dire de Basile qu'il a *adopté* le Québec, plus particulièrement Montréal ; il en a fait son lieu, le territoire de sa recherche existentielle aussi bien qu'artistique.

Autre fait notable : il n'y a pas de nostalgie chez lui, sinon peut-être de ses parents. Pas non plus de volonté exprimée de retourner là-bas, en France ou en Russie, à tel point que plusieurs ont ignoré les origines étrangères de Jean Basile. Quant au Montréal de Basile, il est en partie son *invention*. Il ne l'a pas adopté tel quel, il a aussi cherché à y inscrire une mythologie, un regard, une voix, qui prennent leur source en différents lieux.

Bref, et aussi curieux que cela puisse paraître, Basile a été un *cosmopolite enraciné*.

Mais l'autre question se pose aussi : le Québec a-t-il adopté Jean Basile ? En tant que citoyen, certainement, et d'une manière très visible puisqu'il a occupé au *Devoir* et à *La Presse*, la fonction convoitée de journaliste culturel. Du point de vue de la création et de l'imaginaire profond, c'est autre chose. Admiré au tout début, il a été un peu boudé par la suite. Mais les raisons de cette fermeture ne tiennent sans doute pas toutes dans ses origines ; elles sont peut-être factuelles (un critique, en général, surtout s'il est sévère comme l'était Basile, attire la hargne), elles sont peut-être esthétiques (la qualité de ses textes n'est pas reconnue unanimement), ou même morales (Basile, dès les années soixante, affichait une sexualité que plusieurs qualifieraient de « divergente »). La question, ici, ne saurait être vidée.

Éléments biographiques

Jean Basile Bezroudnov (1932-1992) est né à Paris où il a passé, si l'on excepte quelques intermèdes, les trente premières années de sa vie. Son père avait quitté la Russie à la suite de la prise de pouvoir par les bolchéviques. Ingénieur de formation, il s'était converti en peintre décorateur. La mère de Basile était française, possiblement la fille naturelle de Jean-Baptiste Vincent, le compositeur de la célèbre chanson « Le temps des cerises ». Elle exerçait le métier de couturière et mourut assez jeune, en 1940. Basile l'a donc assez peu connue mais il en a conservé un souvenir très vif. Quant à son père, il s'embarqua pour le Canada avec son fils et c'est à Joliette qu'il mourut, en 1969.

La première éducation de Basile se déroula à l'école russe de Meudon, qui accueillait les fils d'exilés. Les références aux personnages rencontrés et aux événements vécus dans cette école sont nombreuses dans l'œuvre de Basile, surtout dans *Le Piano-trompette*. Pendant l'Occupation, Basile fut évacué en Bretagne ; c'est alors qu'il s'initie ardemment à la littérature, qu'il avait commencé à découvrir au chevet de sa mère mourante, en compagnie de qui il lisait le *Sans famille* d'Hector Malot, titre qui deviendra emblématique dans l'imaginaire de l'écrivain.

Son activité littéraire commence très tôt puisque, dès l'âge de 16 ans, il fonde une revue d'inspiration gidienne, intitulée *Prétexte*. Ce projet est interrompu pendant la guerre d'Indochine alors que Basile est affecté aux transmissions. Au début des années cinquante, il fonde une autre revue, *Juventus*, qui milite pour la révolution homosexuelle tout en s'opposant à la pédérastie grécisante qui régnait alors dans ce milieu. Toute cette période qui précède l'arrivée de Basile au Canada (début des années soixante) est narrée de façon plus ou moins transposée dans *Le Piano-trompette*, puis de manière plus directement autobiographique dans *Keepsake* (posthume).

Peu après son arrivée au Canada, plus précisément en 1962, Jean Basile décroche un poste de correcteur d'épreuves au *Devoir*. Il s'étonnera plus tard qu'on lui ait accordé cette fonction alors qu'il démontre une

« dangereuse étourderie » quand il lit une copie[2]. Son véritable talent se situe du côté du journalisme. Aussi, *Le Devoir* lui fait-il confiance jusqu'à lui proposer, après un certain temps, la responsabilité des pages culturelles (cinéma, musique, littérature). On peut voir en Basile, avec Jean Éthier-Blais, l'un des plus fameux critiques littéraires des années soixante au Québec. Et aussi l'un des plus redoutés…

Sa carrière journalistique prend une autre orientation à partir de 1970, avec la fondation de la revue *Mainmise*, lancée en compagnie de Christian Allègre et de Georges Khal et qu'il dirigera à leurs côtés jusqu'en 1973. Le premier numéro de *Mainmise* paraît le 20 octobre 1970, en plein cœur des événements qui bouleversèrent le Québec à cette époque. Malgré l'absence de contenu directement politique dans la revue et une relative indifférence aux questions nationales, ses directeurs la percevaient tout de même comme « révolutionnaire », au point de craindre qu'on ne vînt les emprisonner, ce qui fait dire rétrospectivement à Christian Allègre qu'ils ne manquaient pas de naïveté ![3]

Révolutionnaire, *Mainmise* l'est certes à sa manière, mais cette activité ne vise pas les pouvoirs politiques. Contrairement à *Parti pris*, par exemple, la revue n'entend pas dénoncer le colonialisme, ni même l'impérialisme culturel et politique. En fait, sa philosophie ne repose en rien sur une lecture marxiste de l'histoire (ce qui lui fut reproché par les militants de l'époque). Son opposition au monde du politique et à l'*establishment* est dictée par une volonté de libérer l'individu

---

2. Raymond Martin, « Interview de Jean Basile », *Mœbius* (La solitude), n° 39, hiver 1989, p. 9.
3. Christian Allègre, *Lettre à l'auteur*, avril 1998.

de ses servitudes pour qu'il puisse développer son potentiel créateur. Cette aspiration s'affiche donc comme « contre-culturelle », philosophie dont la revue *Mainmise* est devenue le symbole le plus frappant au Québec.

La revue avait pour devise : « Organe québécois du rock international, de la pensée magique et du gay sçavoir ». Les sujet traités étaient nombreux : philosophie, éducation, agriculture, alimentation, médecine, musique, sexe (un texte du numéro 2 portait sur l'orgasme féminin, ce qui a entraîné le renvoi de Basile du *Devoir)*, mystique, communauté, drogue, etc. Alors que la plupart des militants pour la libération du Québec cherchent des solutions dans l'affirmation d'une identité à reconquérir, *Mainmise* affiche un parti pris nettement internationaliste : « Nous croyions très fermement au fait qu'une culture n'évolue, ne devient forte, ne devient elle-même qu'en se confrontant à d'autres cultures, qu'en s'assimilant des éléments extérieurs, en les faisant siens, en les moulant dans son esprit propre[4]. » Ignorant toute forme de protectionnisme frileux contre « l'invasion de la culture américaine », la revue ouvre donc toutes grandes ses portes aux influences californienne et française. Même si ses directeurs sont plutôt favorables à l'indépendance du Québec, ils se montrent hostiles à la fois au nationalisme et au marxisme-léninisme. Cette hostilité peut sans doute s'expliquer par l'expérience européenne des trois directeurs. Dans le cas de Basile, cela ne fait aucun doute : il était le fils d'un russe chassé par le bolchévisme et cette idéologie anti-individuelle lui faisait horreur, à lui lecteur de Tourgueniev, Tolstoï, Tchekhov, Proust, Gide, Huysmans et Durrell.

---

4. *Idem.*

Signes hétéroculturels

Un seul survol des titres de Basile permet de repérer les traces des diverses cultures à partir desquelles se déploie sa *singularité* – j'insiste sur ce mot, j'y reviendrai dans ma conclusion. Par exemple, les signifiants russes sont mis en évidence dans la trilogie des années soixante, par ailleurs intitulée « Amor-Roma ». Dans *La Jument des Mongols*[5], Basile s'amuse avec évidence à exploiter la polysémie du mot « mongol » en québécois. On sait qu'en français, outre le fait de désigner un peuple, le mot mongol identifie une maladie, la trisomie (quoique l'on dise maintenant plutôt : mongolien). Par dérivation, les Québécois appellent « mongoles » les personnes bêtes, ou encore, celles qui s'amusent à jouer l'idiotie (mais cet usage, correction politique oblige, tend à disparaître). C'est le cas des personnages principaux de ce roman, intelligents mais aussi écervelés, et la jument est clairement identifiée, dans le texte, au personnage d'Armande, qui meurt en partie sacrifiée par l'irresponsabilité chronique des autres protagonistes. Ce titre inscrit donc un élément de distanciation de l'auteur à l'égard de ses personnages, que l'on serait par ailleurs tenté de tenir pour des porte-parole de sa pensée. Ce titre associe donc, en un même signifiant, des références russe, française et québécoise.

C'est aussi le cas avec les deux autres romans de la trilogie, soit *Le Grand Khan*[6] et *Les Voyages d'Irkoutsk*[7].

---

5. Jean Basile, *La Jument des Mongols*, Montréal, l'Hexagone, 1988 [1964], coll. « Typo », 224 p.
6. Jean Basile, *Le Grand Khan*, s. l., Éditions Estérel, 1967, 288 p.
7. Jean Basile, *Les Voyages d'Irkoutsk*, Montréal, Hurtubise HMH, 1970, 176 p.

Dans les deux cas, les rapports avec la diégèse sont assez flous. *Le Grand Khan* représente le narrateur tel qu'il s'imagine dans ses fantasmes de grandeur, et *Les Voyages d'Irkoutsk* l'errance des protagonistes, stimulée par l'absorption de drogues hallucinogènes, qui font alors une entrée massive dans l'univers romanesque de Basile (au moment même où il commence à en faire la promotion dans *Mainmise*).

La Russie reviendra de façon affirmée dans le dernier texte publié du vivant de Basile, *Adieu… je pars pour Viazma !*[8] Il s'agit d'une pièce de théâtre largement inspirée de Tchekhov. Ce texte est un collage de citations refondues en un univers théâtral assez cohérent. Ce livre se veut en outre un dernier hommage de Basile à son père. C'est toutefois dans le dernier roman de l'écrivain, *Le Piano-trompette*, publié en 1983, que la Russie s'impose comme une source vive d'imaginaire. Ce roman précède toutes les théories sur le métissage et l'hybridation, mais il en constitue l'un des exemples les plus éclatants. Voici un extrait de ce que nous donne à lire le texte en quatrième de couverture :

> Comment peut-on être tout en même temps Russe d'origine, Français de culture et Québécois de nationalité ? C'est la question que se pose M. Barnabé, le personnage central de ce roman. Celui-ci serait-il l'éternel métèque, l'éternel étranger sans patrie contre qui toutes les forces jettent leur dévolu ?
>
> Il y en a pour tous les goûts dans cette joyeuse épopée à travers les âges : Raspoutine, Fulcanelli et, bien sûr, un vieux chamane esquimau, Khara Girgan, mais

8. Jean Basile, *Adieu… je pars pour Viazma ! Tragi-farce, d'après des récits de Tchékhov*, Montréal, l'Hexagone, 1987, coll. « Théâtre », 156 p.

aussi Marcelline, la tenancière de l'Hôtel Tropicana, Tatqatsa la toute jeune, les Costauds du Faubourg à m'lasse, les Voyageurs transparents et bien d'autres encore qui se sont donné rendez-vous dans Montréal devenue banalement l'Île, en proie à la décomposition et à la défenestration alors qu'elle est lentement envahie par les cochons.

Il est à noter, et cet extrait l'atteste, que l'altérité ne repose pas entièrement sur la référence russe, ni même française. En fait, Basile nous entraîne bien au delà des questions strictement nationales et linguistiques, en une narration qui juxtapose également différentes temporalités. Ce double dépaysement (national-linguistique et temporel) est posé dès les premières pages :

> Jambon pointe le doigt dans la direction de M. Barnabé.
>
> – Et toi, qui es-tu ? hurle le père C.
>
> M. Barnabé rougit de honte. Il ne sait pas. Il ne tient pas tellement à le savoir.
>
> – Eh bien ? dit le père C. en s'impatientant.
>
> – Je suis Russe, bredouille le Fils d'Encouragement.
>
> Un immense soupir de soulagement ébranle l'atmosphère paisible du réfectoire.
>
> L'un des plus graves problèmes de M. Barnabé est son accent. Il ne sait jamais lequel prendre. Il en essaie un, puis un autre. Généralement le résultat est déplorable. C'est ainsi qu'il n'a pas de véritable identité. Il va et vient. Nul havre ne l'accueille où il serait tout à fait chez lui.
>
> C'est un métèque.

> Bien avant le Grand Gel, déjà adulte et citoyen honorable de son nouveau pays, il s'asseyait parfois à la taverne Régis. Devant un verre de bière, il tentait de prendre part à la conversation. Il essaie de parler selon les lois de l'élocution particulière du milieu.
>
> Son rêve est d'être comme tout le monde.
>
> L'assistance se tord de rire. La piètre tenue de ses jurons et de ses blasphèmes font qu'il est recalé à l'examen. Il est rouge de honte. Il avale une gorgée de bière et souhaite rentrer sous terre.
>
> Mais ce n'est pas la première expérience de ce genre. À huit ans déjà, il a provoqué un accès d'hilarité collective dans une voiture de seconde classe du métro parisien, à la station Javel. Il a dit le mot « merde » en roulant le « r » comme Tolia son honorable père et palefrenier du Prince Heureux. L'effet est irrésistible.
>
> À cette époque lointaine, le Fils d'Encouragement aurait donné gros pour être aussi français que les Dupont et les Durand. Mais ce n'est pas si simple[9].

Pour mieux clarifier la question de la temporalité, voyons de manière plus systématique comment s'entrecroise l'espace-temps de ce roman qui, d'ailleurs, est défini par le narrateur comme une *saga*.

1) Comme l'atteste l'extrait précédent, la narration alterne sans problème, dans le compte rendu de la vie de M. Barnabé (dit aussi le « Fils d'Encouragement »), de l'enfance à l'âge adulte.
2) Le point de vue narratif lui-même (le « je » narrateur) se situe dans une sorte d'extra-temporalité : c'est l'ange gardien de M. Barnabé

9. Jean Basile, *Le Piano-trompette*, Montréal, VLB Éditeur, 1983, p. 19.

qui transcrit, depuis le ciel, les sons tirés du piano-trompette. Le fait nous est révélé à la toute fin du roman dans une forme de chute finale qui entraîne une réinterprétation de l'ensemble du roman :

> Le Fils d'Encouragement a l'intention d'interpréter *Au clair de la lune* ou quelque chose d'approchant. Le piano-trompette en décide autrement. [...] Il faut se faire une raison. Ce n'est pas un piano. Ce n'est pas davantage une trompette. Les sons sont ceux d'un orgue mystique et puissant qui ébranle l'atmosphère de ses colonnes d'air. Ils envahissent la pièce. Ils montent jusqu'au plafond. Ils débordent pour sortir par les portes et les vitrines afin de rejoindre le ciel. // C'est là que moi, ange gardien du Fils d'Encouragement, je les reçois et les décode. Je viens d'en remplir dix cahiers[10].

3) Dans la diégèse, un personnage tel que Raspoutine traverse les âges : on suit son périple depuis la Russie jusqu'à Montréal.
4) Montréal même n'est pas le Montréal d'aujourd'hui mais celui d'une époque ultérieure, celle d'après le « Grand Gel » : l'opposition est constante dans le roman, entre l'avant et l'après de ce cataclysme naturel.

Ces quelques considérations méritent d'être situées dans le cadre plus large de l'œuvre complète produite par Basile qui, manifestement, depuis ses tout premiers débuts, explore et développe la forme de l'*hybridation*. De celle-ci, nous relevons cinq catégories :

---

10. *Ibid.*, p. 403.

1) Les *signifiants référentiels* chez Basile renvoient à des univers culturels multiples : la Russie, la France, le Québec, l'Italie à travers Pasolini, la culture amérindienne (chamanique en particulier), etc. Il importe de préciser que ces références ne constituent pas qu'une seule liste d'intérêts variés mais qu'elles se juxtaposent, s'entrecroisent, se répondent l'une l'autre.

2) Les *signifiants intertextuels* : le travail de la citation est systématique chez Basile, qui d'ailleurs le déclare ouvertement dans la préface à l'édition française de *La Jument des Mongols* : « Un point de détail qui a tout de même son importance : j'use de citations que je ne mets pas entre guillemets comme il est coutume de le faire[11] ». Certains de ses livres, comme *Adieu... je pars pour Viazma !*, sont directement inspirés de l'œuvre d'un autre écrivain.

3) Le *métissage générique* : utilisation du dialogue théâtral dans la trilogie, publication d'un *Journal poétique*[12], projet d'un livre resté inachevé que Basile décrivait en ces termes : « Par bravade, je me suis lancé dans un trois mille pages. Ce devait être un immense roman, qui se terminerait, pensais-je, par une immense pièce de théâtre, le tout entrecoupé d'un immense journal et d'immenses intermèdes poétiques, comme l'apparition de Vénus sur le Saint-Laurent, en face de la maison de Gatien Lapointe qui en mourait d'une crise cardiaque, etc[13]. »

4) Le *métissage linguistique et stylistique* : insertion du joual et de l'italien dans *Iconostase pour Pier Paolo*

11. Jean Basile, *La Jument des Mongols*, Paris, Grasset, 1966, p. 8.
12. Jean Basile, *Journal poétique (1964-1965)*, Montréal, Éd. du Jour, 1965, 95 p.
13. Raymond Martin, *art. cit.*, p. 24.

Pasolini[14], différents niveaux de langage dans *Le Piano-trompette* ; l'écriture de Basile cherche également à se faire rencontrer, d'un point de vue stylistique, le bas et le haut, le populaire et l'élitiste, ce qui correspond bien à la philosophie prônée par *Mainmise*, qui accordait au rock autant d'importance, sur le plan culturel, qu'à tout autre type de musique « savante ».

5) Le *téléscopage spatio-temporel* dans *Le Piano-trompette* (voir plus haut).

À cela pourrait s'ajouter, sur le plan thématique, une mise en scène de la sexualité assez déroutante au regard des paramètres habituels, surtout dans *Le Piano-trompette* où la plupart des personnages sont bisexuels. Dans toute l'œuvre de Basile, on voit alterner des scènes homosexuelles et hétérosexuelles, de telle sorte qu'il devient difficile de le classer dans une catégorie. Il s'agit véritablement d'une sexualité polymorphe.

En introduction, j'ai insisté sur la dimension du *don*, c'est-à-dire sur les différentes manières dont Basile a intégré dans son écriture son expérience française et ses origines russes, pour ainsi les offrir au lecteur québécois[15]. J'ai évoqué également d'autres types d'identifications, entre autre à Pasolini. En parlant de *Mainmise*, il a aussi été question de l'influence américaine. La vie de Basile montre bien en outre à quel point il a fait sa place dans les institutions québécoises.

---

14. Jean Basile, *Iconostase pour Pier Paolo Pasolini. Discours poétique sur les gays, le féminisme et les nouveaux mâles*, Montréal, VLB Éditeur, 1983, 116 p.

15. Le lecteur virtuel de Basile, sauf pour ses premies romans publiés également en France, est québécois. Les livres des éditeurs québécois des années soixante jusqu'aux années quatre-vingt, en effet, n'étaient pas distribués en France.

Quelques mots s'imposent donc à ce stade-ci pour rendre compte de la dimension *accueil*, que l'on pourrait tout aussi bien appeler *appropriation*.

Peu d'écrivains immigrés ont autant intégré, exploré, ingéré la culture québécoise, que ne l'a fait Jean Basile. Bien sûr, la question linguistique ne posait pas vraiment un problème, malgré les petits incidents dus à l'accent. L'appropriation de Basile a touché le *territoire* et l'*histoire*. Du côté du territoire, c'est l'appropriation de la topographie montréalaise qui ressort avec le plus d'évidence, à un point tel que Basile a déjà été considéré comme le « romancier de Montréal ». Certains passages de ses romans sont dignes d'une anthologie ; c'est d'ailleurs le destin qu'ils connurent puisqu'on les retrouve dans deux grands choix de textes sur Montréal publiés au début des années quatre-vingt-dix[16]. Un seul extrait permettra de se faire une idée du ton employé par Basile pour décrire Montréal :

> Je me dis dans mon berceau de mousseline que Montréal est un terrain de chasse comme un autre, que je pourrais bien y installer mon Safari de la rue Saint-Jacques au boulevard Métropolitain et voyant ceci comme dans un kaléidoscope, tournant l'appareil optique d'un centième de tour, tout changeant, puis, examinant avec une attention plus grande les modestes ou les grandes variations, voir par exemple la Place Ville-Marie sur la gare Windsor ou au contraire le Reine Elizabeth et le CIL de quelques milles distants et des bâtiments comme des visages et des gestes, tout se mêlant dans un grand mouvement, ou

---

16. Monique LaRue et Jean-François Chassay, *Promenades littéraires dans Montréal*, Montréal, Québec Amérique, 1989, 276 p.

> bien commençant par le détail, pour imiter le peintre de fresques fétichiste des pieds et finissant celui du cent troisième personnage étant bien obligé de dessiner le reste[17].

En maints passages de ce livre, arpenter Montréal acquiert pour le narrateur valeur de symbole pour son acte d'écriture en cours.

Parlant des raisons qui l'avaient conduit à donner autant de place à Montréal dans ses textes romanesques, Basile fait bien ressortir la dialectique entre le don et l'accueil dont son œuvre offre le témoignage :

> À cette époque, on considérait que Montréal n'avait rien d'intéressant, que c'était une ville ennuyeuse et morne.
>
> Moi, j'avais tout de suite adoré Montréal, alors Montréal devient mon « lieu ». Ce fut une déclaration d'amour en quelque sorte. Et j'écrivis *La Jument des Mongols*.
>
> J'étais tellement fier de Montréal que, lors de la publication de ce roman chez Grasset, j'insistai pour que l'on écrive sur la couverture que j'étais né à Montréal, ce qui n'était pas vrai. Pourtant, ce ne fut pas un mensonge non plus puisque c'est à Montréal que je suis né romancier[18].

Ainsi, la reconnaissance par Basile de ce que le pays adopté a pu apporter à sa vie s'accompagne d'une volonté déclarée de le mettre en valeur et d'amener ses habitants à le considérer d'une autre manière, ce dont témoigne également l'inscription, en exergue au *Grand Khan*, du seul passage de l'œuvre de Proust où il est

17. Jean Basile, *Le Grand Khan*, *op. cit.*, p. 40.
18. Raymond Martin, *art. cit.*, p. 20.

question des Canadiens français : « Quelques-uns réclamaient surtout des Canadiens, subissant peut-être à leur insu le charme d'un accent si léger qu'on ne sait pas si c'est celui de la vieille France ou de l'Angleterre ». Mais ce qui était pour Basile un clin d'œil complice n'eut pas l'heur de plaire aux lecteurs québécois, qui n'apprécièrent pas que le soldat canadien, déjà dégradé au rang de « chair à canon », fut également évoqué en tant que « chair à plaisir » des pédérastes parisiens[19].

Ailleurs, l'appropriation passe par la citation d'écrivains québécois comme Ducharme et Aquin. De fait, « naître à Montréal comme romancier » ne doit pas être pris qu'au pied de la lettre mais bien en un sens institutionnel : Basile est un écrivain québécois dans la mesure où son œuvre s'est taillée une place au sein de l'univers culturel québécois, publiée par des éditeurs québécois et commentée par les journaux québécois. Citer Aquin et Ducharme, c'est aussi s'inscrire dans une démarche, revendiquer une filiation, à tout le moins une parenté. Les références littéraires de Basile ne se limitent certes pas au corpus québécois, pas plus que celles de Ducharme ou d'Aquin, mais leur inscription dans le corps du texte est une manière de signaler une complicité. C'est toutefois dans *Joli tambour*[20] que l'appropriation historique se manifeste avec le plus d'évidence. Il s'agit d'une pièce de théâtre inspirée d'un livre de Raymond Boyer, *Crimes et châtiments au Canada français du XVIIe au XXe siècles*. La pièce met en scène un jeune homme condamné à mort pour sodomie qui, pour

---

19. Voir Jean Basile, *Keepsake I*, Montréal, VLB Éditeur, 1992, p. 31-32.
20. Jean Basile, *Joli tambour. Pièce en dix-neuf tableaux*, Montréal, Éd. du Jour, 1966, coll. « Théâtre », 168 p.

racheter sa faute, se voit offrir d'officier dans le rôle peu convoité de bourreau. La préface du livre ne laisse aucun doute sur la volonté de l'auteur d'engager avec le Québec un dialogue complice. On y retrouve également la même dialectique qui avait guidé Basile à propos de Montréal : d'une part, l'histoire du Québec lui fournit la matière première de son œuvre, d'autre part, il se propose d'une certaine manière, grâce au regard neuf qui est le sien, de révéler aux Québécois des aspects de leur propre histoire qui leur avaient échappés :

> Ce livre [l'ouvrage de Boyer] m'a révélé d'une façon péremptoire que l'histoire du Québec recèle des trésors propres à la littérature et que l'on n'a pas assez exploités.
>
> Plus particulièrement, le peuple québécois, trop souvent figé dans une attitude conventionnelle, jaillit, à la lecture de ce livre, hors de son cadre étroit et éclate d'un dynamisme, d'une joie de vivre, d'autant plus curieux que Raymond Boyer ne nous y entretient que de délinquants, de juges, de gardiens. [...]
>
> J'y ai trouvé, surtout, une jointure possible qui me permettait de réaliser un vieux rêve. À savoir d'écrire une pièce de théâtre dont le matériel serait purement québécois sans condescendre au folklore, qu'il soit ancien ou moderne[21].

Le propos, on le voit, conjugue la reconnaissance (le fait de *nommer* l'être de l'autre, d'en découvrir la valeur) et la provocation (l'amener à se voir autrement, transformer le rôle qu'il s'est donné dans le récit de son histoire). L'« attitude conventionnelle » des Québécois, la condescendance dans le folklore, sont le fait d'une

---

21. *Ibid.*, p. 9-10.

démarche historique qui avait dominé jusqu'alors, celle d'un abbé Groulx par exemple, qui avait cherché à gommer la composante « délinquante » de l'esprit québécois pour ne magnifier que son héroïsme et sa « noblesse ».

En réalité, le dialogue que Basile a tenté d'instaurer avec le lectorat québécois s'est soldé en grande partie par un échec. Surdité de ce lectorat ou impuissance de l'œuvre à le conquérir ? Je ne saurais en décider. Pour Basile, la déception fut amère et il l'interpréta comme un refus des Québécois de se laisser transformer par le regard de l'autre. L'enthousiasme démontré initialement par l'écrivain à prendre part à l'aventure québécoise cédera la place à une désidentification. Il en résultera *Le Piano-trompette*, roman qui présente un Montréal ravagé par un cataclysme et dans lequel les Québécois, parqués dans un Faubourg à m'lasse de misère, sont dénommés « les Costauds » et font figure d'ignorants analphabètes. Le héros, quant à lui (M. Barnabé) fait partie du « clan » des métèques. On comprend alors pourquoi ce roman a pu plaire à des critiques hostiles à la dimension « identitaire » du nationalisme québécois et promoteurs d'un « cosmopolitisme » fondé sur le métissage et l'esprit migrant[22].

L'imaginaire migrant (conclusion)

Que conclure de ce parcours ? J'ai parlé plus haut de « singularité ». Il faut en effet remarquer que le métissage poussé très loin dans l'œuvre de Basile ne dérive

22. Voir Simon Harel, *Le Voleur de parcours. Identité et cosmopolitisme dans la littérature québécoise contemporaine*, Longueuil, Le Préambule, 1989, coll. « L'Univers des discours », 320 p.

pas de mots d'ordre idéologiques et n'est en fait accompagné d'aucun discours justificateur (comme c'est le cas, pour donner un exemple assez clair, chez Régine Robin). Le piège du multi ou transculturalisme, en effet, serait, tout en prétendant combattre un credo, de chercher à en imposer un autre beaucoup plus pernicieux. La posture de Basile est à la fois plus déterminée et plus ingénue : elle consiste à mettre de l'avant la spécificité de son histoire personnelle, à se créer une personnalité à travers les expériences, les lectures, les influences, pour faire de la vie un acte créatif qui se renouvelle sans cesse. Ce mouvement, Basile l'effectue aussi bien sur le plan sexuel que politique ou culturel. Son homosexualité, par exemple, emprunte la voie de la transgression à la manière d'un Genêt, d'un Gombrowicz ou d'un Pasolini. D'où certaines prises de position contre les mouvements gays qui veulent normaliser cette pratique, en faire un clone de la relation hétérosexuelle traditionnelle[23].

Le *migratoire* chez Basile n'est pas la figure d'un déracinement mais bien la figure d'une liberté sans cesse rejouée. Il n'est pas refus d'occuper un lieu ou de revendiquer une origine mais affirmation d'une volonté de s'inventer, en rompant s'il le faut avec une identité passée. Basile a choisi le Québec et la langue française comme lieux d'accomplissement d'un projet visant à y inscrire l'Autre. Il ne joue pas l'Autre contre l'identité québécoise mais il les met en contact. Il a cherché à être lui-même, dans son corps et dans sa voix, le lieu de ce contact, ce qui rend son œuvre irrécupérable, justement parce que singulière.

---

23. Voir Jean Basile, *Iconostase pour Pier Paolo Pasolini, op. cit.*, p. 11-18.

Ce projet a-t-il réussi ? Oui et non. La réussite d'une œuvre littéraire tient à la fois à ses qualités intrinsèques et à la faculté des lecteurs d'en percevoir la valeur. Marquée par une forme d'inachèvement, parfois brouillonne, faisant alterner les tours de force stylistiques et une certaine lourdeur narrative, l'écriture de Basile n'a pas vraiment réussi à s'imposer. Pourtant, ses qualités sont nombreuses, son audace et sa richesse, indéniables. Quoique son jugement ait pu être en partie dicté par l'amitié qu'il portait à Basile, Jean Éthier-Blais le présente comme un romancier dont l'influence est attestée :

> Dans le cas de Jean Basile, l'action directe sur le milieu montréalais a connu un immense retentissement. Jean Basile s'est volontiers fait le propagandiste des idées les plus avancées de la nouvelle génération d'hommes qui apprennent à penser. A-t-il cru à la naissance d'une civilisation, faite d'acide et de liberté ? J'en doute fort, ne serait-ce que parce que ses œuvres démontrent qu'il est l'homme de mouvements multiformes. Il y a chez ses personnages une ironie sous-jacente et un désenchantement qui lui interdisent de sombrer dans la foi totale en quoi que ce soit[24].

Rétrospectivement, on observe que la reconnaissance accordée à Basile a reposé sur des considérations plutôt thématico-idéologiques que formelles et stylistiques : représentation poussée de l'univers urbain et du milieu « contre-culturel », parti pris pour le métèquat et le métissage culturel, etc.

La participation à des « mouvements multiformes » est peut-être ce qui a nui le plus à la postérité littéraire

24. Jean Éthier-Blais, « Les Carnets de Jean Éthier-Blais », Montréal, *Le Devoir*, 24 février 1979, p. 22.

de Basile. Il était difficile pour un lectorat soumis à une représentation assez rigide de l'écrivain de bien comprendre la démarche d'une personnalité mouvante comme celle de Basile, qui intercalait entre des œuvres littéraires aux ambitions, on peut le dire, assez élevées, des ouvrages « grand public » sur le taoïsme, la cocaïne, le sexe ou le tarot des amoureux. Il était d'autant plus difficile de le cerner qu'il pratiquait volontiers l'auto-ironie, inquiet au point de remettre constamment en question ses engouements, ses fixations. Comme il l'avouait avec amertume à Raymond Martin, il était aux yeux de tous un journaliste, un militant de la contre-culture, mais rarement un écrivain à part entière : « Quand on me voit, on dit toujours : "Ah ! *Le Devoir*..." ou "Ah ! *Mainmise*...", ou maintenant "Ah ! *La Presse*". On ne dit jamais : "Ah ! *Le Piano-trompette*" ou "Ah ! *Les Mongols*..." C'est vexant ![25] » De même, ils sont peu nombreux à savoir que les paroles de l'une des pièces les plus fameuses du groupe de rock québécois Offenbach, « Promenade sur Mars », ont été tirées du recueil de Basile, *Journal poétique*. Ce poème se termine sur des mots qui synthétisent d'ailleurs avec justesse un leitmotiv de son œuvre, le caractère fuyant de la beauté et de la vérité sur soi, l'état d'exil par rapport à ce que l'être porte en lui de plus cher. L'énonciateur de ce poème « espionne de la fenêtre » la « promeneuse avec son chien » et conclut qu'elle se meut dans un autre univers que le sien, « où l'homme que je suis// quoi qu'il en pense n'a pas accès// ni de près// ni de loin[26]. » Voilà qui résume également le rapport de Basile, jusqu'à ce jour, à la célébrité littéraire.

---

25. Raymond Martin, *art. cit.*, p. 19.
26. Jean Basile, *Journal poétique*, *op. cit.*, p. 89.

Bibliographie sélective

BASILE, Jean, *La Jument des Mongols*, Montréal, l'Hexagone, coll. « Typo », 1988 [1964], 224 p.

—, *Le Grand Khan*, s. l., Éditions Estérel, 1967, 288 p.

—, *Les Voyages d'Irkoutsk*, Montréal, Hurtubise HMH, 1970, 176 p.

—, *Adieu... je pars pour Viazma ! Tragi-farce, d'après des récits de Tchekhov*, Montréal, l'Hexagone, coll. « Théâtre », 1987, 156 p.

—, *Le Piano-trompette*, Montréal, VLB Éditeur, 1983, 404 p.

—, *Journal poétique (1964-1965)*, Montréal, Éditions du Jour, 1965, 95 p.

—, *Iconostase pour Pier Paolo Pasolini. Discours poétique sur les gays, le féminisme et les nouveaux mâles*, Montréal, VLB éditeur, 1983, 116 p.

—, *Keepsake I*, Montréal, VLB éditeur, 1992, 146 p.

—, *Joli tambour. Pièce en dix-neuf tableaux*, Montréal, Éditions du Jour, coll. « Théâtre », 1966, 168 p.

HAREL, Simon, *Le Voleur de parcours. Identité et cosmopolitisme dans la littérature québécoise contemporaine*, Longueuil, Le Préambule, coll. « L'Univers des discours », 1989, 320 p.

LARUE, Monique et Jean-François CHASSAY, *Promenades littéraires dans Montréal*, Montréal, Québec Amérique, 1989, 276 p.

MARTIN, Raymond, « Interview de Jean Basile », *Mœbius* (« La solitude »), n° 39, hiver 1989, p. 5-27.

Troisième partie

PROJECTIONS DÉLIBÉRANTES

Chapitre 6

Avenir d'une passation

Legs de Jacques Ferron

Retour sur Ferron, après une ouverture sur les « navigateurs » de la culture québécoise. Ferron serait du côté des « arpenteurs » ? Sans doute, mais un arpenteur du temps et des discours, tout autant sinon plus que de l'espace. En tout cas, il a tout de même imaginé un Saint-Élias destiné à « briser l'écrou du golfe ». Nos navigateurs d'aujourd'hui n'ont pas aperçu cette modeste embarcation et l'écrou, de toutes façons, s'est brisé sous l'effet d'autres forces. Ainsi, le destin du geste ferronien est à repenser.

S'il était relativement facile de montrer, en première partie de ce livre, en quoi la pensée de Ferron sur le pays a pu transformer de l'intérieur le nationalisme groulxien, plus exigeante s'avère la confrontation de cette pensée avec la réalité culturelle et politique du Québec d'aujourd'hui. Irréductible à un programme politique précis, l'œuvre de Ferron est tout de même portée par une conception de la culture qui implique une interrogation sur le lien communautaire. J'ai cherché à évaluer l'ampleur de cette interrogation et ce qui pouvait en résulter pour nous, aujourd'hui, dans le rapport que nous entretenons avec nos références symboliques. Hommage, donc, mais non pas louange, panégyrique ou oraison funèbre : le texte ferronien est encore trop frémissant pour être ainsi statufié. Et l'on peut se demander si l'échec que nous lui attribuons n'est pas d'abord d'une culture qui méconnaît ce qu'elle a produit de mieux...

> J'aurais préféré écrire des œuvres qui n'aient pas ce caractère politique. Toute œuvre qui a un caractère politique est récupérée. J'en ai souffert et j'ai souhaité que mes cadets, plus tard, n'aient pas à avoir ces préoccupations. C'est devenu finalement une œuvre de combat, alors que ce n'est pas du tout ce que j'envisageais comme œuvre littéraire.[1]

Aux héritiers

OUVRIR LA QUESTION DU LEGS D'UN AUTEUR, question essentielle en littérature puisque la transmission est la condition première de la survie, entraîne automatiquement que soit prise en considération l'identité du légataire. Car c'est l'héritier, ici, qui détermine en grande partie le sens de l'héritage. Qui est-il ? Quels sont ses intérêts dans l'affaire ? Quel usage fait-il de ce bien ? Quel pouvoir a-t-il de le remettre en circulation ? J'ai en tête ce commentaire que faisait Gombrowicz aux laudateurs polonais de figures comme Chopin, Mickiewicz, Copernic ou Marie Curie. L'écrivain provoquait ses

1. Jacques Ferron et Pierre L'Hérault, *Par la porte d'en arrière : Entretiens*, Montréal, Lanctôt Éditeur, 1997, p. 181-182.

compatriotes en ces termes : « Pour moi, vous êtes tous plus importants que Mickiewicz. Ni moi ni personne ne jugera la nation polonaise sur Mickiewicz ou Chopin, mais d'après ce qui se passe et se dit ici même dans cette salle[2]. »

Donc, vous et moi : Ferron. Quelle sorte de messe célébrerons-nous ? À quoi le ferons-nous servir ? À quelles projections ? Comment nous affirmerons-nous à travers lui, le prenant pour prétexte ? Personnellement, il m'importe d'envisager ce que je deviens et ce que je fais de ma parole dans l'acte de commenter un écrivain. Quelle est cette improbable communauté que j'appelle de mes vœux ? Suis-je un héritier ? Ou peut-être un simple notaire automandaté pour le partage des biens ? Car, à n'en pas douter, un désir a commencé à se manifester à l'aube du vingtième anniversaire de la mort de l'écrivain : qu'héritage il y ait et qu'il n'ait pas été épuisé ! Traduite dans les termes d'un critique ou d'un amateur de littérature, cette métaphore signifierait : que le texte ferronien puisse encore nous permettre de renouveler notre parole et notre pensée, et en cela de redéfinir notre être en relançant notre désir. Je ne suis pas loin de supposer en effet que les récentes interrogations sur l'héritage de Ferron soient nées d'une inquiétude quant au pouvoir de l'œuvre de susciter de nouvelles lectures. Comme si l'amour ou la sympathie que l'on porte à cet écrivain encore assez proche de nous pour que certains le considèrent comme un compagnon de route, d'autres comme un frère aîné (sinon comme un père), nous conduisait à désirer pour lui (et pour notre amour) des gages de pérennité.

---

2. Witold Gombrowicz, *Souvenirs de Pologne*, Paris, Christian Bourgois, coll. « 10/18 », 1984, p. 89.

Je n'ignore pas la diversité des lectures de Ferron parues depuis une dizaine d'années, lectures qui ont, avec *maestria*, désengoncé son œuvre de son carcan nationaliste. C'est ainsi qu'on a pu apprécier à sa juste valeur l'immense culture de l'écrivain et l'ancrage de ses textes dans une symbolique qui renvoie aux fondements mythiques de l'Occident. On a tiré au jour également un Ferron aux prises avec l'élucidation d'une folie qui l'interpellait mais qui lui faisait peur et que son écriture, formée à une école plus symboliste et rationaliste (Valéry, Alain...), parvenait mal à épouser. Par ses jeux intertextuels subtils et variés, par sa fantaisie créatrice digne des plus grands, Ferron s'impose sans conteste comme l'un des écrivains les plus originaux et les plus riches que le Québec ait produit. Il n'en demeure pas moins que tous ces entours et détours du côté de l'« autre Ferron » ne réussissent pas complètement à rendre caduc le questionnement sur le *geste fondamental* qu'accomplit cette œuvre, sur sa visée, sur son inscription historique et sa propre lecture d'un destin collectif si fortement thématisé dans maints de ses textes qu'il est impossible de n'en pas tenir compte. De ce point de vue, l'avenir du texte ferronien semble réellement compromis. Je parle de son avenir en tant que texte « vivant », en tant que texte rejouable au présent dans sa posture, dans sa structure, ou encore dans sa symbolique, par les sujets d'aujourd'hui.

On aura compris que la présente réflexion adopte le point de vue d'un héritier bien précis. Non pas simple lecteur bénévole intéressé aux mondes imaginaires et aux effets de style, non pas par ailleurs – dans ce cas-ci – critique littéraire à la recherche de points de jonction entre un auteur et les théories à l'ordre du jour, mais sujet historique interpellé par la question du statut du

Québec aux yeux de ses habitants et au sein de la confédération canadienne. Pour éviter tout malentendu, j'aimerais en outre préciser que ma démarche ici n'a rien d'un révisionnisme teinté de culpabilité. La légitimité des prises de position de Ferron en ce qui concerne le destin national est pour moi totale. L'héritier que je suis n'y trouve aucun motif de honte, pas plus qu'il n'éprouve le malaise que provoquerait le fait d'aimer l'œuvre d'un auteur qui aurait émis des idées aujourd'hui décriées. Ce n'est pas le malaise qui provoque les interrogations et remises en question qui suivent, mais la volonté d'élucider ce qu'il en est aujourd'hui du combat mené par Ferron, et dans quelle mesure je peux en adopter les termes. On se souviendra des dernières pages de *L'Appendice aux « Confitures de coings »* où Ferron, après un courageux pèlerinage autobiographique, en vient à écarter l'héritage de la mère pour adopter celui du père. Geste dramatique quand on sait l'importance qu'avait dans son cœur cette « mère cadette ». Que ma réflexion aboutisse à une prise de distance ou à une adhésion, voilà la démarche souveraine qui l'inspire.

Des effets de la proximité

Je ne poserais pas ce genre de question, je n'aurais pas ce type d'exigence à l'égard d'une œuvre, si celle de Ferron n'était si proche, si le désir qui l'habite et la détermine en partie n'était encore brûlant pour moi comme pour bon nombre de Québécois. Dans cent ans, il nous sera sans doute possible d'examiner ces textes comme on analyse ceux de Balzac, de Zola ou de n'importe quel classique, c'est-à-dire comme des témoignages d'une époque, des symbolisations de contradictions personnelles ou sociales. De ce point de vue, peu nous importe que les convictions de ces auteurs aient connu l'échec. Ronsard a perdu son combat contre la montée d'un nouvel esprit hostile à sa conception du religieux et du poétique ; Agrippa d'Aubigné a perdu en partie son combat contre le pouvoir catholique ; l'œuvre de Chateaubriand est le somptueux chant du cygne d'un déclassé ; Victor Hugo semble l'avoir emporté sur Napoléon III mais c'est pure illusion, celui-ci étant tombé bien des années après la publication des *Châtiments*, et pour des raisons extérieures à ce livre. On pourrait multiplier les exemples : on a découvert en Leopardi un précurseur de Nietzsche, mais seulement après coup, trop tard, à un moment où son œuvre ne pouvait plus être appréciée et comprise qu'à l'aide d'un appareil critique imposant. Telle est l'ironie de l'histoire, cette amère « plaisanterie » circonscrite par Kundera dans son premier roman. L'Histoire suit son chemin et les écrivains n'y peuvent pas grand chose. On dit souvent que littérature et idéologie ne font pas bon ménage et c'est vrai, mais pas au sens où les œuvres qui durent seraient celles exemptes d'idéologie, chose impensable. Ainsi, une fois la Cause tombée, la *voix* demeure et c'est elle qui continue de nous interpeller chez Hugo ou d'Aubigné. Ce qui traverse les siècles chez ces auteurs, ce n'est pas la défense de telle ou telle conviction, mais, par exemple, l'*acte de résistance et de contestation* en tant que tel, de même que le point de vue sur l'humain et la force poétique qui en résultent.

Ferron est trop près de nous pour que nous nous adonnions à ce genre de lecture, et cela, même s'il nous est possible, dès maintenant, d'admirer son habile dialectique, son style elliptique, à la fois incisif et équivoque, sa lucide ironie, son humanisme un peu désenchanté… Il y a encore chez un écrivain comme Ferron, ce qu'on pourrait appeler une *vision du monde*, vision complexe, cela dit, anxieuse et irréductible à une interprétation monologique. Bien que Ferron ne soit en rien un auteur à thèse, ses textes invitent à un procès des valeurs sociales, tentent d'opposer à la réalité des règles dominantes un langage et un imaginaire capables de les renverser ou, plus modestement, de les invalider. La proximité de Ferron n'est donc pas que temporelle, elle est avant tout historiale : les valeurs qui informent toute sa démarche nous sont très proches, on pourrait même dire qu'elles sont encore vivantes et sensibles ; cependant, elles sont agonies de toutes parts et effectivement à l'agonie, d'où, à mon avis, le léger désarroi, l'inquiétude, ou encore la mélancolie qu'entraîne la pensée de sa succession. Des écrivains comme Réjean Ducharme ou Anne Hébert ne provoquent pas ce genre de questionnement, eux qui se sont contentés de « faire de la littérature » sans se frotter aux discours sociaux autrement que sur le mode désengagé, chez Hébert, du symbolisme « intemporel », chez Ducharme, de la parodie nihiliste[3].

3. Ce qui n'empêche pas Hébert, histoire oblige, de rejouer symboliquement le trauma fondateur de l'identité québécoise, par exemple dans *Le Premier jardin*, ni Ducharme de figurer dans *L'Hiver de force* l'impasse existentielle et praxique de la nécessaire survivance (voir à ce sujet l'interprétation qu'en donne Serge Cantin dans *Ce pays comme un enfant*, Montréal, l'Hexagone, 1997, p. 153-157).

Le sentiment d'échec et les pièges de la mélancolie

Vu d'un certain angle, le projet ferronien aurait toutes les apparences d'un échec. Mais quand on parle de victoire ou d'échec, il faut toujours préciser : au regard de quoi ? C'est un fait que, lorgnant du côté des ambitions initiales de l'écrivain, de ses idées au sujet de la médecine, de son humanisme ou de ses conceptions politiques, j'aboutis invariablement, après un moment d'entrain que suscite quand même son écriture rebelle et incisive, sur un chemin sans issue au fond duquel on peut lire un écriteau : « Cause perdue » ! Il en résulte une certaine forme de mélancolie, de celles qui nous font dire : « Dommage ! Ç'aurait pu être si beau ! » Cette mélancolie n'est pas toujours perceptible dans les textes de fiction de Ferron, traversés la plupart du temps par un parti pris de positivité en lui-même symptomatique et devenu curieusement inopérant au moment où Ferron formula le projet de se débarrasser de son double Maski pour affronter seul et sans artifice l'écriture du *Pas de Gamelin*. La mélancolie – qui est une forme de fatigue devant une situation bloquée ; certains diraient : le signe d'un deuil non résolu – est plus sensible dans les derniers entretiens de l'écrivain, au cours desquels, délesté de la faconde présomptueuse du jeune premier, il redouble de modestie et se déclare « écrivain mineur[4] ». Encore faut-il l'entendre aussitôt vanter les mérites de cette catégorie d'écrivains, promus à l'oubli mais néanmoins très influents auprès de

4. Jacques Ferron et Pierre L'Hérault, *Par la porte d'en arrière*, *op. cit.*, p. 219-220.

leurs contemporains. Aujourd'hui, Ferron ne saurait être considéré comme mineur ; la littérature québécoise n'est pas encore assez riche de chefs-d'œuvre pour le faire passer dans l'ombre. Toutefois, la pérennité n'est pas qu'une affaire de commémoration, il faut aussi évaluer ce qui reste d'une œuvre, où se trouve son héritage : chez les seuls universitaires et les écrivains, ou bien diffus dans la culture populaire ? De fait, il n'y a d'héritage, comme je le soutenais au début, que s'il y a des héritiers, c'est-à-dire des individus désireux et capables de s'emparer d'un objet de transmission[5]. Ferron a fait en sorte que son œuvre soit le lieu d'un passage. C'est comme si elle n'avait pas été conçue pour être achevée, mais en attente d'achèvement, que celui-ci ait lieu dans les développements de la littérature ou dans le destin du peuple québécois[6].

---

5. Sans un Joyce, par exemple, parlerait-on encore de Dujardin ? Ses lauriers seraient définitivement coupés, il ne serait pas un « précurseur » mais le simple auteur d'une œuvre un peu singulière mais non marquante.
6. Dans le contexte actuel, il est jugé par plusieurs inapproprié de nommer « Québécois » les seuls Canadiens français. J'aborderai cette question épineuse dans le dernier chapitre de ce livre. Pour l'instant, je m'en remets à l'acception qui s'imposait jusqu'à tout récemment et je désigne par « peuple québécois » l'ensemble des citoyens du Québec, quelle que soit leur provenance, qui participent à l'élaboration d'une culture francophone en ce pays et qui assument leur appartenance au groupe culturel autrefois nommé « canadien-français ». Ceux qui refuseraient de s'inscrire dans cette histoire spécifique (pas forcément de caractère nationaliste) demeurent des Québécois sur le plan civique, c'est-à-dire des citoyens du Québec, mais non pas sur le plan culturel qui m'intéresse ici de façon prioritaire.

La mélancolie, je ne l'invente pas. Elle a déjà été observée par son ami Pierre Vadeboncœur[7]. Elle accompagne le sentiment d'un échec non pas strictement politique mais avant tout culturel au sens large. Lui qui déclarait être venu à la politique pour sauver l'héritage français en Amérique, donc son œuvre, n'écrivait-il pas à la fin d'un fragment du *Pas de Gamelin* : « Aurais-je vécu inutilement dans l'obsession d'un pays perdu ?[8] » Comme ses contemporains, Miron et Aquin principalement, Ferron a vécu le dilemme entre le désir d'une écriture libre et forte et l'urgence de créer une communauté capable de rendre cette écriture viable. On connaît les thèses sur l'acculturation des Québécois, sur leur aliénation ou leurs réflexes de semi-colonisés – le « semi » est une nuance apportée par Ferron aux thèses de ses contemporains. Elles auront conduit Miron à ne plus publier et Aquin à récuser la pratique de l'art dans une société qui le réduit à un divertissement inoffensif. Il y a quelque chose d'autosacrificiel chez ces écrivains qui n'ont pas voulu se hausser au-dessus de leur communauté, mais ont plutôt cherché à l'instruire, à l'appeler vers le haut, prenant à bras-le-corps sa faiblesse et son *manque d'être*. Mais il faut tout de même observer combien cette démarche agonique, c'est-à-dire combative et menacée de mort, a pu être un facteur d'engendrement créatif. En d'autres termes, le « manque d'être » s'est converti pendant un certain temps en

---

7. Voir sa préface à Jacques Ferron, *La Conférence inachevée. Le Pas de Gamelin et autres récits*, édition préparée par Pierre Cantin et Marcel Olscamp, Outremont, Lanctôt Éditeur, coll. « PCL/petite collection lanctôt », 1998, p. 11.
8. Jacques Ferron, « Les deux lys », dans *La Conférence inachevée*, p. 231.

marque d'être, en topique de reconnaissance collective. La prise de conscience a interpellé une partie de la collectivité (mais non pas toute !), des solidarités se sont créées, une certaine euphorie s'est emparée des esprits. La souffrance enfin exprimée se transformait en révolte et, forte de l'impulsion donnée par une visée commune, devenait principe de jouissance. Chez certains, le goût de la célébration était si poussé qu'ils ont pu croire le grand soir arrivé du seul fait de l'avoir déclamé ! Voilà où conduit parfois une trop grande confiance dans la performativité du langage… D'autres contradictions virent le jour, dont l'une, très subtile : puisque nous trouvons le sentiment de notre être-commun dans la mise en scène de l'être-contre, la sortie du complexe polémique devient quelque chose d'apeurant. Donc, l'Ennemi nous est nécessaire, de même que notre identité de victimes[9]. Ce n'est pas tout, dans ce processus une autre contradiction se profilait, encore plus sournoise : comme l'espoir et la révolte avaient trouvé assez vite des sommets d'expression, qu'avions-nous à ajouter d'ici à ce que le projet connaisse sa logique résolution politique ? Ne risquions-nous pas de tomber dans une forme de ressassement exaspéré ? On avait mis le projet entre les mains d'un parti qui, tant bien que mal, se débrouillait avec la réalité et, de concession en concession, le projet s'étiolait, répétant ses mots de passe jusqu'à devenir la caricature de lui-même. Les plus lucides s'en rendaient compte, mais comment la critiquer de l'intérieur sans saboter la Cause en entier ? Le désarroi devenait profond et il continue de l'être. La ferveur, qui a porté tant

9. Cette logique fonctionne à plein régime chez un Pierre Falardeau, par exemple.

d'écrivains, surtout les poètes, sombre inexorablement dans la morosité : Godot, que l'on attendait, n'arrivera pas. S'il arrive, ce sera trop tard : la fête est terminée ; ses convives, lassés, l'ont désertée.

Nous, les héritiers, comment recevons-nous cette littérature qui mettait en scène la lutte des Québécois vers leur émancipation, que ce soit par la dénonciation de ce qui contribuait à leur état d'infériorité et à leur perte de dignité, ou par la valorisation de ce qui devait constituer le fonds culturel et linguistique de ce peuple ? Car le propos déborde largement la stricte question de l'indépendance politique. Il renvoie de manière plus cruciale au sentiment que les Québécois ont d'eux-mêmes comme culture spécifique, à la définition de leurs points de repères historiques et symboliques.

Ferron a pris part de manière active et réfléchie à ces questionnements et j'essaierai plus loin de montrer en quoi il y fut original. La question posée maintenant est celle de l'infléchissement qu'a pu prendre cette action sous la pression de l'histoire. Doit-on considérer que le message est passé, que l'influence des intellectuels et écrivains des années soixante a déjà eu lieu, que tout cela a pu trouver sa place dans la culture d'aujourd'hui, moyennant quelques ajustements, et ce, malgré les deux échecs référendaires ? En toute sincérité, je suis personnellement incapable de répondre à cette question par l'affirmative. Je ne m'en tiendrai qu'au cas de Ferron. Comme on le sait, l'écrivain s'en est souvent pris à Pierre Elliott Trudeau dans des textes polémiques parfois assez incisifs. Mais si l'on posait la question : lequel des deux esprits, celui de Ferron et celui de Trudeau, prédomine dans la société québécoise actuelle, il faudrait répondre sans conteste : celui de Trudeau. Et je serais tenté d'ajouter : même chez les représentants politiques du nationalisme québécois ! On trouve chez ces derniers très peu de traces des lectures historiques proposées par Ferron, de la socialité qu'il préconisait, de la posture critique et stylistique qui était la sienne. Cette observation m'amène à formuler une question pour moi irrésolue, celle du rapport entre un lettré comme Ferron et le peuple québécois lui-même.

Ferron et la culture populaire

L'insuccès de la « vision du monde » ferronienne – entendons par là, non pas une idéologie bien définie dans le cadre politique, mais un certain point de vue sur la réalité, tel que traduit dans ses fictions comme dans ses articles – peut s'expliquer à partir de diverses raisons historiques et politiques. Mais le plus troublant serait que cet insuccès ait pour origine l'hiatus existant entre le peuple et ses intellectuels et écrivains, pour la plupart nationalistes. Constat troublant car Ferron compte parmi ces écrivains qui ont beaucoup fait pour enraciner leur production littéraire dans le populaire, en évitant par ailleurs toute forme de populisme racoleur. Je dirais même que l'un des soucis majeurs de Ferron durant sa vie d'écrivain fut de contester l'historiographie officielle – autant canadienne que québécoise – au profit d'une histoire véritablement populaire. Ethnographe sans diplôme, il s'est passionné pour tout ce qui traduisait un imaginaire tiré de l'existence propre des Québécois, de leur manière d'habiter et de nommer le territoire. Il a mis en valeur, à travers personnages et légendes, ses traits les plus ingénieux. Cela fut fait – témoins tous ses livres – sans aucun paternalisme et sans tomber dans le piège de la folklorisation car, à l'instar d'Aquin, Ferron avait à cœur le devenir historique du monde québécois comme *culture globale*[10]. Travail de fondation qui part de la base et se déclare donc hostile à une notion convenue de la culture qui puise sa norme dans l'idéalité abstraite des manuels scolaires, apanage d'une classe dominante ayant fondé son autorité sur le déni et le mépris de ses racines. Le « peuple », chez Ferron, n'est pas une appellation contrôlée ou une étiquette, une simple monnaie d'échange du discours politicien. Ce n'est pas non plus ce « peuple » des romantiques et de maints nationalismes, tenu à distance en même temps que magnifié, de toutes façons abstrait, conceptuel comme l'est également le « peuple » du discours de gauche ou du catholicisme social. Le « peuple » fut d'abord pour Ferron une rencontre avec ce que la vie pouvait porter de plus vrai, de plus essentiel. Ce n'est pas rien pour un brébeuvois formé aux côtés des Trudeau et des Pelletier que de se voir accouché existentiellement par des familles chez qui il se rendait pratiquer, justement, des accouchements : « À fréquenter les pauvres gens j'ai trouvé une conscience : la leur. Une justice : leur bien. Une vérité : ne pas les tromper. Une ambition : les exprimer[11]. » Ferron, médecin et écrivain, parcourt le pays jusqu'en ses recoins les plus délabrés, et il y rencontre l'humaine

---

10. Cette « culture globale » est défendue par Hubert Aquin dans « La fatigue culturelle du Canada français », dans *Mélanges littéraires II. Comprendre dangereusement*, édition critique établie par Jacinthe Martel avec la collaboration de Claude Lamy, Montréal, Bibliothèque québécoise, 1995, p. 65-110.
11. Cité par Marcel Olscamp dans la préface à *Gaspé-Mattempa*, Montréal, Lanctôt Éditeur, coll. « PCL/petite collection lanctôt », 1997, p. 10.

condition des Rosaire, Aline, Marsan, Haffigan, de nombreux curés et Mithridates, hommes et femmes sans qualité mais porteurs d'une vérité dont il cherche à témoigner à l'encontre précisément des discours qui prétendent parler au nom du peuple. De ce point de vue, son rapport au populaire me paraît soutenir le rapprochement avec celui de Rabelais – mais il existe une différence structurelle que j'analyserai un peu plus loin.

Devant tous ces faits, on peut trouver surprenant le peu d'échos qu'a pu obtenir l'œuvre de Ferron au sein de la culture populaire du Québec, comme si le Québec, mis à part quelques intellectuels et écrivains, n'avait pas trouvé là matière à définition de soi. De toutes ces figures, allégories et inventions verbales dont Ferron fut un grand producteur, du travail passionné qu'il a fourni pour exhumer le dépôt signifiant des générations qui avaient investi le territoire concret, qu'est-ce qui a bien pu circuler en dehors des circuits lettrés, si l'on excepte peut-être l'image du « pays incertain » ? À trente ans de distance, ne voit-on pas un peu de pensée magique dans l'enthousiasme d'un Jean Marcel qui écrivait :

> Grâce à Jacques Ferron le pays du Québec est désormais une terre aussi fabuleuse que l'Arabie. L'opération demandait certes de l'audace, mais elle a réussi. Si bien qu'il ne serait plus convenable désormais de dresser la géographie du pays sans tenir compte du cataclysme considérable que son œuvre a provoqué[12].

On peut bien sûr évoquer la difficulté de l'œuvre, mais il ne s'agit pas ici du fait que ces textes soient lus

---

12. Jean Marcel, *Jacques Ferron malgré lui*, Montréal, Parti pris, coll. « Frères chasseurs », 1978, p. 15.

par l'ensemble des classes sociales. Ce qui compte, c'est leur infiltration, même sous forme d'ersatz ou de fragments. On peut observer également le fait que même chez les individus capables d'approcher cette œuvre, hormis les héritiers que nous sommes, le rayonnement réel de Ferron n'est pas considérable. Le succès d'estime dont il jouit n'empêche pas le maintien d'une grande méconnaissance de ses textes et de sa pensée[13].

Il est arrivé à Ferron, mais très rarement, de manifester une certaine amertume devant la culture québécoise : « Si j'étais Haïtien, surtout Capois comme il ne me déplairait pas du tout, je n'aurais pas la moindre considération pour ce pays nommé Québec qui ne s'est pas inventé de mythologie, ni pour ses habitants, prétentieux barbares qui n'ont pas d'autre mérite que d'être un peu moins quétaines que les Ontariens[14]. » Et quelques pages plus loin : « Certes, pour le Québec il est heureux d'avoir un poète comme Paul-Marie Lapointe, mais pour lui est-ce un avantage ?[15] » Sommes-nous ici devant le traditionnel syndrome d'autoflagellation dont le florilège au Québec n'a de cesse de s'amplifier, à un point tel qu'une partie de notre sentiment y loge et s'y nourrit ? Dans son essai antinationaliste, Daniel Poliquin critiquait le mépris professé par nombre d'intellectuels à l'égard du Québécois ordinaire, soi-disant « aliéné » parce que

---

13. La preuve en est qu'à l'automne 2003, Radio-Canada a refusé de présenter le documentaire de Jean-Daniel Lafond intitulé *Le Cabinet du docteur Ferron*, sous prétexte que l'écrivain n'était pas assez connu du public. Le documentaire a finalement été diffusé sur les ondes de Télé-Québec.
14. Jacques Ferron, *Escarmouches*, *op. cit.*, p. 163.
15. *Ibid.*, p. 166.

peu enclin à adopter la foi nationaliste[16]. En réalité, des propos comme ceux à peine cités sont rares chez Ferron qui nous a habitués à un autre ton, et j'attends de pied ferme celui qui songerait à l'accuser de mépris à l'égard du peuple. Toute son entreprise, c'est clair, témoigne du choix assumé de travailler à partir de la forme québécoise, d'extirper toutes les potentialités de son apparente pauvreté. Il faut donc conclure que son amertume puise à une autre source que le mépris ou le ressentiment. Ainsi, dans le contexte où elle apparaît, la remarque au sujet de Lapointe se transforme en observation sociologique : « La deuxième chose, que j'ai à dire, n'est pas sans m'inquiéter ; on me comprendra par le truchement de Hemingway, un auteur qui a une cote internationale seulement parce qu'il est originaire d'un grand pays. Eût-il été croate, ce Monsieur Hemingway, que le monde l'aurait ignoré. C'est ce qui est arrivé à Hawthorne et à Melville, quand les États-Unis étaient un pays sans importance, et pourtant ils sont tous deux de très grands écrivains, des écrivains méconnus auprès desquels un Hemingway célébré n'est qu'un rien-du-tout[17]. » Remarque à laquelle fait d'ailleurs écho Gérard Tougas lorsqu'il réfléchit, à la même époque, sur la fortune internationale de la littérature québécoise : « C'est illusion pure que de croire que les chefs-d'œuvre s'imposent et que les auteurs se font connaître par on ne sait quelle évidence littéraire[18]. » Ainsi, Lapointe rehausse le niveau de notre littérature mais la

16. Daniel Poliquin, *Le Roman colonial*, Montréal, Boréal, 2000, 256 p.
17. Jacques Ferron, *Escarmouches, op. cit.*, p. 166.
18. Gérard Tougas, *Destin littéraire du Québec*, Montréal, Québec Amérique, 1982, p. 19.

situation québécoise l'empêche d'obtenir la reconnaissance que sa valeur devrait lui procurer.

Quant à la première citation, elle est sans équivoque l'expression d'une amertume, bien que teintée d'ironie car elle découle d'un éloge de Maximilien Laroche et d'une interrogation sur ce qui peut bien pousser ce dernier à se montrer aimable envers les Québécois. À l'époque, Ferron constate le fossé qui existe entre la population du Québec et quelques écrivains, comme Tremblay, Blais, Beaulieu ou Perreault, qui ont judicieusement décidé de rompre avec l'« élitisme, où ils étaient plats, sinon délirants, et de rejoindre notre peuple à sa base, dans ses classes les moins distinguées où se trouvent ses chances de renouvellement et de survie, où se perçoivent les signes de son pourrissement et de sa mort[19]. » Malheureusement, ce geste créateur est mal reçu du public en général, ce qui déconcerte Ferron : « C'est quand même un point à considérer dans l'histoire littéraire d'un pays que le refus de la réalité de la part du public[20]. » Pourtant, argue-t-il, « une œuvre ne serait pas marquante si elle ne dérangeait pas le lecteur. Ce qui m'impressionne, c'est que le plus souvent qu'autrement nous nous défendons contre elle en semblant tenir pour acquis que nous formons un peuple progressiste, évoluant très vite[21]. » Pour plusieurs intellectuels contemporains de Ferron, une telle difficulté à affronter le réel devait être interprétée comme une réaction de colonisés, terme que Ferron reprend dans son sens littéral pour l'associer à la jeunesse : « Quand on est jeune, tourné vers

19. Jacques Ferron, *Escarmouches*, *op. cit.*, p. 157.
20. *Ibid.*, p. 156.
21. *Ibid.*, p. 157.

l'avenir, on souffre mal le retard culturel de la collectivité. On donne dans l'élitisme à la façon de tous les colonisés et provinciaux du monde[22]. »

Poliquin dirait que cette réaction du jeune est saine, comme l'est celle de francophones ontariens qui, un jour, ont adopté l'anglais pour donner les meilleures chances de réussite à leurs enfants. Il n'y a pas lieu de les juger, soutient-il, de les accuser de traîtrise. Sans doute, et l'on voit bien que Ferron cherche à s'expliquer la réaction du jeune plus qu'à la juger. Il n'empêche qu'il voit dans ce déni de soi et de la réalité, au profit d'une image plus idéalisée, une réaction qui annule toute tentative de dépasser la contradiction historique. Incidemment, qu'un francophone choisisse d'élire l'anglais comme langue de tous les jours, grand bien lui fasse et personne n'est en droit de le lui reprocher, mais ce n'est tout de même pas lui qu'on félicitera pour son apport à une culture francophone vivante et stimulante. Comment, au contraire, ne pas voir en son geste l'un des nombreux témoignages de l'agonie qui gagne la culture francophone en Amérique ? Ce caractère agonique de la situation est aussi l'un des traits du rapport de Ferron à la culture populaire. Et lorsqu'on sait tous les espoirs qu'il a fondés et toute l'énergie qu'il a déployée dans l'élaboration d'une culture lettrée *instruite* de culture populaire, à tout le moins en dialogue avec elle, que ce soit amoureusement ou de manière antagoniste, on s'étonne de ne pas trouver dans son œuvre un plus grand nombre de passages où se serait exprimée son amertume. Il semble au contraire avoir appliqué au Québec les principes de son double Maski à l'égard de la Gaspésie : « Maski n'a jamais dit de mal de la Gaspésie et jamais n'en dira[23]. »

22. *Ibid.*, p. 158-159.
23. *Ibid.*, p. 41.

En vérité, le fait d'aborder avec Ferron la question du rapport des intellectuels et écrivains québécois au peuple et au populaire me conduit à penser qu'il s'agit d'une question immense et fort complexe, qui mériterait d'être analysée – mais avec un sens dialectique développé – dans une perspective historique globale. Spontanément, me viennent à l'esprit deux figures emblématiques de notre cinéma : l'Alexis Tremblay de Pierre Perreault et l'Elvis Gratton de Pierre Falardeau. D'autres types pourraient être recensés, mais ces deux-là me paraissent exemplaires, à l'extrême opposé l'un de l'autre : d'une part, un populaire digne, enraciné, riche d'un savoir-faire et d'un savoir-dire malheureusement obsolètes, déclassés, en voie de disparition ; d'autre part, le populaire épais, aliéné et déraciné, faux gagnant qui a vendu son âme à l'idéologie dominante, en réalité tout aussi impuissant que le premier à fonder quoi que ce soit. Le peuple de Ferron, lui, se situe quelque part entre les deux, mais plus près bien entendu d'Alexis Tremblay que d'Elvis Gratton (ou de tous les Ti-Mé qui peuplent le corpus de nos humoristes). Le peuple de Ferron n'est pas emblématisé par une figure en particulier, il n'est pas circonscrit non plus, comme le monde de Michel Tremblay, dans une classe ou dans un quartier. Le peuple de Ferron est plutôt balzacien ou, pour reprendre la comparaison hasardée plus haut, rabelaisien. J'entends par là que la veine populaire ferronienne se manifeste chez des personnages répartis sur tous les échelons de la vie sociale, ce qui veut dire qu'aucun personnage en particulier n'incarne le « peuple » et que si peuple il y a, c'est par effet de la dynamique qui donne à la communauté le pouvoir de s'inventer, tant économiquement que symboliquement. Le peuple de Ferron est formé d'individus très contrastés que l'on reconnaît avant tout à leur façon de s'exprimer, trait que l'on retrouve chez Rabelais, d'autant plus que cette expressivité n'est pas dépourvue d'humour. Tendue entre l'archaïque et le moderne, entre l'oral et l'écrit, la culture populaire et la culture savante, entre l'autobiographique et la lecture du collectif, l'écriture de Ferron brosse le programme d'une utopie digne de Thélème et, de fait, elle n'a pas plus renversé la marche du monde que la vision avancée par le père de Gargantua.

Mais puisque j'en suis à insister tellement sur Rabelais, il serait temps que j'énonce ce que j'ai annoncé plus tôt, soit cette différence structurante entre le destin réservé aux œuvres de nos deux médecins-écrivains. Je dirai les choses simplement et brièvement. Le monde populaire rabelaisien est la concrétion d'une tradition orale pluriséculaire, d'ailleurs déjà partiellement passée à l'écrit au moment où Rabelais écrivait. Mais le plus important est que cette tradition était extrêmement vivante, solidement ancrée dans l'esprit du peuple lui-même, ce qui veut dire qu'une conscience de classe existait avec ses représentations et ses modes d'expressions privilégiés. Fût-elle boudée ou méprisée par l'élite, cette culture populaire n'en était pas moins forte et vivante, liée à un terroir lui-même riche de traditions (festives, culinaires ou autres). Chez Ferron, la réalité est toute différente, le populaire ne trouve sa voix chez lui qu'à la faveur d'une attention soutenue, d'une écoute particulièrement active de l'écrivain (qui plus est, parfois au corps défendant des classes populaires elles-mêmes). C'est à partir de débris de culture que Ferron s'emploie à recréer un univers populaire quelque peu habitable et cohérent. C'est encore lui qui insuffle une dimension mythique à des gestes qui apparemment n'en ont aucune. À défaut de monuments, de vestiges matériels, il part en quête de traces, de mots, d'appellations pouvant receler une beauté oubliée. Dès le début de *Rosaire*, le voici qui déterre des toponymes abandonnés comme le « Bec-fin », «un nom de bonne venue, de formation populaire», magasin d'alimentation ainsi désigné parce que situé à l'angle de deux rues formant une pointe, ou encore ce rang du « Coteau-Rouge » qui longeait un champ de canneberges et qui a reçu ensuite le nom tellement moins poétique de boulevard Sainte-Foy, en honneur, semble-t-il, d'un échevin nommé DeFoy. Contre le vent du présent qui efface tout sur son passage et contre les colporteurs de récits artificiels qui génèrent de l'insignifiance, dresser une communauté redevenue organique dans l'humus de sa propre histoire sans cesse réélaborée, n'est-ce pas là l'un des aspects majeurs du projet ferronien, la jouissance à laquelle il convoque son lecteur ? Des chercheurs nous ont donné à lire il y a quelques années un « autre Ferron », celui qui, sur la fin, s'est mis à sonder la folie ordinaire, et la sienne propre. Mais n'est-ce pas là le *même* Ferron à un autre stade – le plus crucial, le plus agonique – de sa démarche signifiante, en train d'explorer le défaut d'origine, le cul-de-sac symbolique du sujet québécois dépossédé de sa mémoire ? Et si l'amertume signalée plus haut tirait de là sa source ?

Nationaliste ?

Qu'en est-il donc de ce Ferron politique, celui des relectures de l'Histoire dans *Historiettes* et *Du fond de mon arrière-cuisine*, celui des prises de position contre Trudeau, celui des *Confitures de coings* et de *Papa boss* ? Je veux aussi considérer le Ferron du *Salut de l'Irlande* et du *Ciel de Québec*, ce Ferron qui assume les contradictions historiques des Québécois et cherche à en défaire les nœuds, proposant pour cela une posture renouvelée à leur égard. Que ferons-nous désormais de celui qui écrivait : « Il faut faire vite, derrière nous les ponts sont coupés, il n'y a plus de salut que dans l'occupation complète du pays...[24].» Se trompait-il ? Et s'il avait raison, alors il faut croire qu'il n'y a plus de salut possible (mais pour qui, ô héritier ?) car ce « il faut faire vite » commence à joliment dater... Le lecteur d'aujourd'hui qui embrasserait un tel programme ne pourrait que sombrer dans la mélancolie ou la dépression. Il vaudrait mieux dans ce cas n'y voir qu'une séduisante utopie, l'avènement d'un renversement historique tant souhaité des Ferron, Aquin, Miron et Perreault n'ayant décidément pas eu lieu. Mais malheur à celui qui rêverait, à rebours de l'histoire, de sauver ces « pères » de l'échec qu'ils ont connu au même titre que cet autre père défait, René Lévesque, dont Ferron enviait la destinée parce que, disait-il, il avait francisé l'électricité.

Je rouvre donc à dessein cette dimension politique au cœur de l'œuvre de Ferron, principalement parce que la question est douloureuse et que plusieurs aimeraient mieux l'évacuer. Il y a là comme une situation de coinçage symbolique dont les lecteurs, et plus généralement les Québécois, font les frais. Je suis conscient que me confronter à ce Ferron-là comporte certains

---

24. Jacques Ferron, « Appendice aux Confitures de coings ou Le congédiement de Frank Archibald Campbell », dans *Les Confitures de coings*, Montréal, l'Hexagone, coll. « Typo », 1990, p. 190.

risques, dont le plus terrifiant serait de me retrouver pris comme tant d'autres dans les paradoxes insolubles, véritables marécages de la pensée, qu'entraîne la croyance en une souveraineté politique garante de la souveraineté littéraire. Mais comment évacuer de l'œuvre de Ferron, encore une fois, ce qui constitue à mon sens l'une de ses motivations principales : la volonté de fonder un langage, un univers symbolique, une culture qui seraient reconnus comme l'apport original des Québécois à l'Histoire ? Qu'il soit question de fondation, de transmission ou de legs, on est inévitablement ramené non seulement au projet ferronien mais aussi à sa réception, c'est-à-dire à la manière dont il survit dans l'histoire de la littérature, certes, mais surtout dans la culture actuelle telle qu'elle est vécue par le commun des mortels, à tout le moins par les citoyens qui ont accès à la culture. C'est pourquoi je crois utile de répéter que le destin de l'œuvre de Ferron ne doit pas être mesuré à la seule réalisation de l'indépendance du pays. Il n'y a pas d'eschatologie proprement dite dans la pensée de cet écrivain ; toutefois, on y trouvera quelque chose qui reste de l'ordre de l'inaccompli, comme si le récit qu'il a inventé nécessitait une *reprise*, une réactualisation progressive.

Depuis la publication des plus récents travaux sur Ferron, bien mal venu serait celui qui oserait dire que son nationalisme en est un du ressentiment, frileux, fermé étroitement sur lui-même et hostile à l'étranger. Mais bien mal venu serait également celui qui prétendrait trouver dans les grands *managers* actuels du nationalisme des héritiers de Ferron. Cette constatation me porte à considérer comme désastreuse toute forme de fidélité qui endosserait le rêve que se formait Ferron d'un Québec futur sans considérer à quel point la donne politique a changé depuis sa mort. Décédé en 1985, Ferron n'a pas eu le temps de constater les effets du remaniement constitutionnel de 1982. Associé au phénomène global de la mondialisation, ce remaniement a contribué à complexifier d'une manière irréversible la composition démographique du pays et le statut des minorités autres que la francophone, mais surtout son rapport à la Référence, c'est-à-dire à ce qui avait jusque-là formé le socle de la relation entre le Canada anglais et le Québec, soit le pacte confédératif. En regard de ce qui prévaut à l'heure actuelle, la socialité imaginée et souhaitée par Ferron, sur la base des valeurs qu'il jugeait les plus dignes d'être préservées du passé, est nettement rendue impraticable. Je m'attacherai dans les pages qui suivent à relever quelques facteurs historiques qui compromettent jusqu'à un certain point l'avenir du texte ferronien.

L'héritage de Trudeau ou la fin d'un récit

Dans un article portant sur le semi-échec que fut *Le Ciel de Québec*, en tant que roman épique ou de fondation, François Chaput soutient que l'un des facteurs ayant déplacé les enjeux des textes « nationalistes » des années soixante est, outre les deux défaites référendaires, l'entrée dans la postmodernité, c'est-à-dire dans un type de culture où l'historique est chassé au profit de l'immédiat, un monde, surtout, où l'idée-même d'État-nation est désormais désuète[25]. Cela dit, il

---

25. François Chaput, « L'épopée québecquoise de Jacques Ferron », in *L'autre Ferron*, sous la dir. de Ginette Michaud avec la collaboration de Patrick Poirier, Fides-CÉTUQ, coll. « Nouvelles études québécoises », 1995, p. 79-87.

faut rappeler que l'idéal de Ferron, sur le plan politique, n'était pas la constitution d'un État-nation. Ferron se serait fort bien accommodé d'un fédéralisme à la Suisse à l'intérieur duquel le Québec aurait eu pour seule langue officielle le français. Voilà une autre option que l'Histoire n'a pas retenue. Bien plus, un mouvement très clair se dessine qui cherche à relativiser la présence des francophones au Canada : ils sont désormais, aux yeux d'un nombre croissant de Canadiens, « une minorité parmi d'autres ». Voilà l'une des conséquences majeures du legs politique de Trudeau, plus précisément du remaniement constitutionnel de 1982[26]. L'idée que les Québécois francophones fassent valoir leur histoire pour légitimer leur statut particulier est de moins en moins reçue ; le Canada appartient à tout le monde et les « de souche » n'y ont pas plus de droits que les autres. On voit bien quel malentendu risque de se glisser ici, car la revendication de Ferron au sujet de la langue ne s'appuie pas sur une question de race ou de racines, mais bien sur une question historique : quelle que soit la provenance d'un individu, le fait d'adopter le français et de reconnaître l'histoire des Québécois fait de lui un Québécois. Or, ce n'est pas exactement ce qui se passe : les îlots ethniques se rigidifient et les nationalistes qui, dans les années soixante, étaient identifiés à la gauche, sont maintenant perçus comme des réactionnaires vaguement racistes, ce qui a souvent pour conséquence d'éloigner d'eux les immigrants. Que peuvent, face à cela, les audacieuses et très stimulantes relectures de l'Histoire façonnées par Ferron ? À titre

---

26. À ce sujet, lire l'essai de Christian Dufour, *Lettres aux souverainistes québécois et aux fédéralistes canadiens qui sont restés fidèles au Québec*, Montréal, Stanké, 2000, 144 p.

d'exemple, l'enjeu ne semble plus très crucial si l'on doit privilégier Chénier plutôt que Dollard comme héros national, ou si l'on doit lire la Rébellion plutôt que la Conquête comme acte fondateur de l'identité québécoise. De toutes façons, aux yeux de plusieurs, la fondation symbolique n'a pas beaucoup d'importance : le seul lien véritable s'établit autour des droits des citoyens et de la Loi juridique. Ce déplacement des enjeux rend inopérante une grande part des stratégies symboliques développées par Ferron. Si l'écrivain a su traiter avec beaucoup de subtilité et d'originalité l'antagonisme entre le francophone et l'anglophone, il a mal armé son œuvre contre un Ennemi beaucoup plus difficile à cerner : un certain nihilisme qui se traduit par l'abandon de la pensée historique comme fabrique d'identité. La démarche de Ferron, comme écrivain et comme essayiste, est tellement ancrée dans cette pensée historique qu'elle est évidemment menacée par un type de pensée qui voudrait en faire fi.

Pendant cent cinquante ans, des Québécois ont tenté de renverser l'observation de Durham à leur sujet : il fallait prouver qu'ils n'étaient pas un « peuple sans histoire ». Or, cette assertion longtemps jugée injurieuse est en passe aujourd'hui de devenir un mot d'ordre. Pourquoi ? Parce que l'histoire est encombrante, parce que l'histoire empêche les individus que nous sommes de nous fantasmer comme des atomes en libre orbite. La notion d'héritage est surannée ; l'époque serait plutôt à la dilapidation. Contre la lourdeur d'une pensée et d'une écriture qui doivent composer avec l'héritage reçu, vive la divine liberté de l'individu sans attaches, capable de se créer une généalogie personnelle, choisie à la carte (ou au catalogue des grands magasins). Cette philosophie, extrêmement séduisante du point de vue individuel, peut vite s'avérer une catastrophe pour une communauté mal assurée de sa fondation, car il se crée en elle un effet de dispersion qui interrompt le processus de résistance qu'elle offrait aux pouvoirs de massification qui eux, ne cessent de gagner du terrain. Cette résistance, je la vois à l'œuvre dans les textes de Ferron. Mais la question que je pose ici est la suivante : une telle résistance, de la manière dont elle s'élabore dans ces textes, confine-t-elle ses fidèles lecteurs dans une posture mélancolique, au sens où les stratégies déployées par l'écrivain seraient injouables aujourd'hui autrement que sur le mode tragique de la « cause perdue » ?

Solitude du passeur

Je me suis souvent interrogé sur le sens du sous-titre des recueils *Escarmouches* : « La longue passe ». Comment entendre cela ? Au sens où l'on dit traverser une bonne ou une mauvaise passe ? Au sens de « rapport sexuel avec une prostituée » ? Bien que la prostituée ait sa place dans l'univers ferronien, la « longue passe » des *Escarmouches* me paraît étrangère à cette signification. On pourrait évoquer la « passe » comme mouvement habile de la main (« Check la passe ! »). En réalité, deux acceptions retiennent particulièrement mon attention : la *passe d'armes*, c'est-à-dire la joute oratoire, l'échange d'arguments. Simultanément, la longue passe peut être interprétée comme *transmission*, sens que l'on peut entendre par exemple au hockey lorsqu'un défenseur fait une longue passe au joueur d'avant qui réussit ainsi à se dégager de l'adversaire et à filer vers le but. Mais sans l'ailier pour la recevoir, la longue passe n'est plus qu'un dégagement, la plupart du temps refusé. Est-ce ce qui se produit du côté de Ferron ? Le Québec a-t-il poursuivi sa course, le laissant planté là, seul, le témoin entre les mains ?

Figure très respectée des années soixante et soixante-dix, Ferron apparaît néanmoins dans toute sa solitude lorsqu'on analyse sa redéfinition à la fois critique et respectueuse du régionalisme québécois. Gilles Marcotte a soutenu déjà que l'univers ferronien se situe « côté village[27] ». Ferron régionaliste ? Je suis prêt à défendre cette idée, mais en montrant que, tout en reprenant à son compte certains traits de ce mouvement, il en subvertit complètement les fondements idéologiques, de même que – et ce point est capital – la posture énonciative[28]. Pour évaluer la marginalité de Ferron à ce sujet, il faut considérer à quel point il a refusé d'adhérer à l'un des diktats majeurs de ses camarades nationalistes, la pensée de la *rupture*[29]. Avec le recul, Ferron apparaît comme l'écrivain de

---

27. Gilles Marcotte, « Jacques Ferron, côté village », in *Littérature et circonstances*, Montréal, l'Hexagone, coll. « Essais littéraires », 1989, p. 243-258.
28. J'ai défendu cette perspective dans le chapitre premier du présent essai.
29. Une anecdote révélatrice à ce sujet : à ses amis de *Parti pris* qui se demandaient, rêvant d'indépendance, quelle place on réserverait aux Anglais, Ferron posait la question : « "Mais qu'est-ce que nous allons faire des curés ?" Je voulais leur faire une place. Miron trouvait ça drôle » (Jacques Ferron et Pierre L'Hérault, *Par la porte d'en arrière*, *op. cit.*, p. 179). Pour un exposé sur la pensée de la rupture et l'absolutisation de la solution politique, on lira avec profit Yves Couture, *La Terre promise. L'absolu politique dans le nationalisme québécois*, Montréal, Liber, 1994, 224 p.

l'agonie d'un monde, mais aussi du renouveau de la parole sur ce monde qui s'en va. En tant que passeur, il a eu à cœur, on le sait, de renouveler l'art des conteurs, de le transformer en écriture. Ferron a cherché à mettre en lumière un certain génie propre au Québécois et à lui donner ses lettres de noblesse en le faisant passer au rang de tradition. Qu'est-ce qu'une tradition ? Ce n'est pas en soi quelque chose de figé, quoi qu'on en pense, ne survivant que de la répétition du même. Non, il y a aussi dans la tradition un principe de renouvellement. Il y a tradition à partir du moment où certaines structures de diffusion assurent la transmission d'une manière de faire ou de penser. La tradition a quelque chose à voir avec l'institution, mais elle demeure relativement autonome par rapport à elle. Par exemple, il ne fait aucun doute qu'il existe une institution littéraire spécifique au Québec. Toutefois, l'institution, qui voit à l'enseignement et à la consécration des textes, n'est pas pour autant un gage de tradition. Pour que cette dernière existât, il faudrait que les œuvres qui s'écrivent prennent appui sur les œuvres qui ont précédé, les retravaillent et en réaménagent les signifiants. Il me semble que Ferron a accompli quelque chose de ce genre, peut-être pas dans le sens d'une subversion, mais à tout le moins d'une relecture active des œuvres du passé québécois. Premièrement, le Québec n'a pas connu, je crois, d'écrivain aussi au fait que lui de tout ce qui s'était publié depuis l'époque de la Nouvelle-France, non seulement du côté des œuvres littéraires, mais aussi des monographies paroissiales, des ouvrages apologétiques, des relations, des annales, des correspondances, des chroniques, etc. En tant que polémiste, par exemple, il se voyait dans la filiation d'Arthur Buies. À ses débuts au théâtre, il cherche à combler l'espace vacant laissé par le *Félix Poutré* de Fréchette. En tant que conteur, il puise évidemment à la tradition orale, mais il s'emploie également à retracer les développements de légendes comme celle de la « chasse-galerie », en essayant de la transposer dans un contexte moderne. Ferron évalue à différentes reprises l'héritage de Louis Hémon, sa démarche d'écrivain, son approche stylistique. Il prend aussi position, le fait est connu, sur l'héritage symbolique de Saint-Denys Garneau. Ferron évalue la portée des œuvres de la même manière qu'il considère le parcours des personnes qu'il croise sur son chemin. En relisant ses *Escarmouches*, j'ai été frappé à quel point l'évaluation des origines sociales est chez lui méthodique : il s'explique de nombreux comportements, littéraires, politiques ou autres, en recourant à la généalogie du nom et à la topographie du lieu de naissance. Cette démarche serait beaucoup plus risquée aujourd'hui, mais dans les années soixante et soixante-dix, elle était encore signifiante. Sur quelles bases quelqu'un est-il arrivé à construire sa personnalité, voilà ce qui intéresse Ferron au plus haut point. En regard de la littérature, il exerce une forme toute personnelle de sociocritique en s'appuyant sur les mêmes valeurs sociales que je viens d'énoncer. Le respect de Ferron va aux écrivains qui ont enraciné leur démarche dans leur vivre, qui ont précisément assumé leur héritage pour le retravailler de l'intérieur. Par contre, il a peu de considération pour ceux qui, entérinant un préjugé de classe, ont été conduits à mépriser leur communauté, le meilleur exemple étant celui de Trudeau qui, aux dires de Ferron, aurait construit son style personnel sur le mépris des origines populaires du père, du sien propre à Pearson, en passant par Duplessis. L'attitude de Ferron à l'égard du père est d'une tout autre nature, comme l'a fort bien montré Ginette Michaud[30].

« Étudier les termes dans le contexte de Batiscan »

Parmi les réflexions qu'on a pu écrire sur le destin de l'œuvre de Jacques Ferron, il me faut revenir sur celle qu'a engagée naguère Gilles Marcotte car elle me paraît épingler quelques éléments de discussion incontournables. On perçoit dans les pages que Marcotte consacre à Ferron une oscillation constante entre la reconnaissance de la valeur esthétique de l'œuvre et une réserve assez clairement analysée devant sa *portée symbolique*. Je pense que cette ambivalence est assez fréquente chez les critiques de Ferron, même si elle n'est pas toujours admise. J'ai souvent entendu des lecteurs me dire, par exemple, qu'ils lui vouaient une admiration globale, au point même d'en faire l'un des cinq plus grands écrivains de l'histoire littéraire du Québec, mais qu'ils ne considéraient aucun de ses textes comme un chef-d'œuvre incontestable. Je m'en tiendrai ici à l'opinion de Marcotte car il a tenté mieux que quiconque, il me semble, d'élucider ce qui, selon lui, formerait la limite de l'œuvre ferronienne. Commençons par un passage éloquent, tiré de *Littératures et circonstances* :

30. Voir « Fragments d'origine », dans *Papiers intimes. Fragments d'un roman familial : lettres, historiettes et autres textes*, Montréal, Lanctôt Éditeur, « Cahiers Jacques Ferron », 1997, p. 17-118. Voir aussi ce que j'en dis dans le présent livre, à la fin du chapitre 3.

> Voici, par exemple, une des œuvres les plus considérables et les plus riches qui aient été produites au Québec depuis vingt ans, celle de Jacques Ferron. Cette œuvre semble se refuser obstinément à l'exportation. [...] les lecteurs étrangers [...] ne savent trop que faire de cette œuvre capricieuse, truffée d'allusions à d'obscurs personnages de notre histoire, d'une langue à la fois classique, venue tout droit du dix-huitième siècle français, et très moderne par ses virevoltes et ses ellipses. J'imagine assez bien les raisons de cet insuccès à l'exportation : la première, la plus importante – en dehors des questions de mode –, étant que chez Ferron l'imaginaire n'est pas toujours assez vaste et assez puissant pour transformer en une matière accessible à tous, utilisable par tous, les éléments bruts que son œuvre charrie. Cela dit, concédé, je tiens mordicus à l'œuvre de Ferron ; elle m'est nécessaire, parce qu'en elle s'effectue une opération de décantation et de remise en œuvre de quelques-uns des mythes fondamentaux de notre culture[31].

Plus loin dans le même livre, le critique consacre une étude complète à l'écrivain. Il s'agit alors d'interroger ce qui structure et limite l'imaginaire ferronien. Marcotte commence par critiquer la propension de Ferron à définir ses personnages sur la base de leur appartenance ethnique : avant d'être un individu, on serait d'abord pour Ferron, Écossais, Irlandais, Acadien ou Québécois. Cette observation pourrait être interprétée autrement, à la lumière de ce que j'avançais plus haut : Ferron s'intéresse, chez ses personnages (et même chez les personnes réelles avec lesquelles il a entretenu des relations), à tout ce qui concerne leur

31. Gilles Marcotte, *Littérature et circonstances*, *op. cit.*, p. 88-89.

histoire et leur *provenance*. Cela inclut l'ethnie, mais aussi l'histoire familiale (le nom, la généalogie, la relation aux parents, etc.), le statut social, le lieu de naissance, le lieu de formation, l'ancrage religieux, les rencontres déterminantes, bref, tout ce qui a contribué à forger la personnalité du sujet, son héritage direct, ce avec quoi il a dû se débrouiller.

Marcotte observe ensuite un trait qui semble l'agacer quelque peu, qui concerne cette manière de tout ramener sur le plan de la familiarité. Ainsi, les puissances de ce monde sont « dépouillées de leur côta-queue » et jaugées par Ferron à partir de leurs aspects les plus ordinaires : Northrop Frye est transformé en aimable lapin, le diable et le bon Dieu, complètement démystifiés, sont traités à hauteur d'homme (Ferron n'est pas homme à éprouver « le poids de Dieu »), les mythes littéraires et les grands personnages de l'histoire ne sont plus que des acteurs de « l'historiette québécoise », les étrangers, enfin, ne deviennent protagonistes du récit ferronien qu'une fois enquébecquoisés. Marcotte aurait pu ajouter à ce tableau la politique de francisation de tous les mots anglais. Ce parti pris de familiarité est résumé par le propos du docteur Fauteux, un personnage du *Saint-Elias*, disant que devant un problème il faille « étudier les termes dans le contexte de Batiscan[32] ». Pas de perspective universelle, donc : le monde, c'est d'abord le village et l'humanité, c'est la tribu. On ne peut contrôler son destin et rester authentique, dirait Ferron, qu'en situant sa pratique à cette échelle. Il ne fait aucun doute que l'observation de

32. *Ibid.*, p. 247-248. Le passage en question se retrouve dans Jacques Ferron, *Le Saint-Élias*, Montréal, coll. « Typo », 1993, p. 59.

Marcotte ne s'interprète, ici, qu'à la lumière d'un système de valeurs qui fera de la perspective ferronienne quelque chose de positif ou de négatif. Pour les uns, « étudier les termes dans le contexte de Batiscan » témoignera d'une vision courte et ethnocentrique qui travaille à gommer toute intrusion de l'altérité ; d'autres, au contraire, y verront l'attitude souveraine d'une communauté capable de nommer sa propre situation historique en évitant de faire appel à des théories élaborées à partir de contextes autres que le sien. (J'éviterai pour l'instant de creuser ce débat et me contenterai de remarquer, à l'intention des premiers, que cette attitude est ce qui a permis à Ferron de prendre ses distances non seulement à l'égard des modèles littéraires français, mais également des théories qui présentaient le Québécois comme un colonisé et un aliéné.)

Il ressort tout de même clairement que Marcotte, lui, eut souhaité un Ferron mieux apte à transcender cet univers villageois fait de ragots, de petits faits, d'allusions hermétiques à quiconque ne participe pas à la vie intime de la tribu, de confidences « entre nous » qui tournent au papotage redondant. Marcotte, en définitive, reproche à Ferron de n'avoir pas fait en sorte que ce « Québec à nous » devienne le « Québec de tous », «un lieu imaginaire complet » comme peut l'être l'Arabie des *Mille et une nuits*. On en revient donc au critère de l'exportabilité. Mais ce n'est pas tout, Marcotte évoque au passage ce qui formerait sans doute un point aveugle dans l'œuvre de Ferron, l'indice même de son échec symbolique (si l'on accepte bien sûr le critère de l'exportable universalité). C'est qu'en arrière-plan de la mythologie positive élaborée par Ferron comme une utopie sociale redonnant leur place légitime aux marginaux, aux exclus, se profile une mythologie négative faisant du poète tragique le grand exclu de ce projet. C'est bien sûr la « hargne » répétée de Ferron à l'égard d'Orphée-Saint-Denys Garneau qui permet à Marcotte d'avancer ce point de vue. Qui niera que cette relation d'amour-haine entre Ferron et le poète ne soit symptomatique d'une difficulté à intégrer dans sa cosmologie québécoise la faiblesse, le doute, la souffrance : « N'est-on pas amené, par ces multiples dénonciations, à penser que Ferron voit dans Saint-Denys Garneau la fragilité, le risque même de la parole – de toute parole, y compris la sienne ?[33] ». Ainsi, la fascination de Ferron pour la perte, la folie, « l'envers du monde, la nuit des forces obscures », est compensée, voire dominée par la posture d'un écrivain qui ramène les choses sous un jour moins apeurant et qui refuse de « s'aventurer trop loin sur les terres mouvantes de l'écriture[34] ».

Je ne désire pas affronter frontalement le point de vue de Marcotte. De toutes façons, je pourrais dans une certaine mesure y souscrire (il suffit d'aborder la question d'un certain angle, c'est-à-dire « dans les termes de la critique littéraire légitimée »). Je n'ai pas cessé, dans cette étude, de m'interroger sur l'héritage de Ferron, sur ce qu'il pouvait encore inspirer à un lecteur du XXIe siècle. J'ai poussé la question jusqu'à me demander, mis à part son « exportabilité », s'il pouvait encore inspirer chez les Québécois d'aujourd'hui un rapport vivant et créatif à leur propre culture. Il s'avérait douloureux de me demander si Ferron peut encore être rejoué et récité, ne serait-ce qu'« entre nous », mais je l'ai fait avec le plus d'honnêteté possible, en écartant toute tentation de lui conférer de la

---

33. *Ibid.*, p. 255.
34. *Ibid.*, p. 256.

valeur sur la seule base des textes, films, récitals et pièces de théâtre produits sur ou à partir de lui ces dernières années. J'ai écarté aussi le point de vue du partisan qui défend sa cause (« Ne touchez pas à notre Ferron ! »). Mon point de vue n'engage que moi, d'ailleurs. Lorsque Pierre Cantin déclare trouver ses délices à la lecture de Ferron, lorsque Lévy-Beaulieu le présente comme l'un de ses modèles, lorsque Michèle Magny dit y avoir retrouvé des racines lointaines, il ne me viendrait pas à l'idée de les contester et je me dois de conclure que Ferron est vivant, du moins pour quelques *happy few*. Mais le contrat que je passe avec le lecteur est autre, car s'il ne fallait que s'en tenir à des statistiques de lecteurs satisfaits, Ferron trouverait certes ses preneurs, mais en moins grand nombre toutefois que d'autres auteurs moins significatifs malgré leur popularité. Le contrat critique que je passe avec le lecteur consiste donc à évaluer dans quelle mesure l'œuvre est fondatrice (d'une norme esthétique, d'une éthique lectoriale, d'une pensée et d'une posture spécifique à l'égard de la culture, etc.) ; je propose qu'on se demande si l'on peut faire intervenir cette œuvre au cœur des questions que doit affronter l'individu contemporain.

Devant une œuvre difficile, nous exigeons en effet que nos efforts soient payés en retour, qu'elle nourrisse notre esprit, notre sensibilité, notre intelligence du monde. Certains voudraient même qu'elle se transforme en insigne d'un pouvoir symbolique que l'on pourrait exhiber devant l'étranger (imaginons le plaisir qu'il y aurait à dire : « Vous avez Proust, soit ! Nous, nous avons Ferron ! »), ce qui, à bien y penser, n'est qu'une autre manière de ne pas lire. Les exigences fixées par Marcotte et les critères que je me suis donnés pour évaluer la portée du texte ferronien disent déjà qu'il s'agit d'une œuvre peu commune, capable de canaliser sur elle un certain nombre d'espérances. Or, l'œuvre de Ferron soutient pour moi l'exigence de cette demande. Il suffit que je me figure ce que serait l'histoire littéraire québécoise sans le passage de Ferron pour que j'obtienne réponse à mes interrogations : un Québec sans Ferron serait certainement beaucoup plus triste, plus pauvre et rachitique. Il y manquerait une voix assimilable à aucune, déliée, primesautière, qui rompt constamment avec les consensus et fait entendre le point de vue de l'oublié. Il y manquerait aussi un magnifique *lecteur* de la culture québécoise, quelqu'un qui a parcouru en s'en délectant toutes ses épaisseurs et ses replis.

Contrairement à Gilles Marcotte, j'estime que la revendication du « contexte de Batiscan » est une grande découverte, qui ne remet pas en cause par ailleurs le commerce que nous pourrions entretenir avec les œuvres étrangères. Adopter les termes de Batiscan consiste à réfléchir à partir du concret d'une situation et à prendre en considération la communauté à qui l'on s'adresse, son histoire, son langage, ses besoins spécifiques. C'est fonder une culture en partant de la base plutôt que de lui dicter des normes étriquées qui ne conviennent pas à son gabarit. Lorsque Ferron aborde une œuvre artistique québécoise, il a l'intelligence de ne pas la déchiffrer à partir de critères élaborés empruntés à des autorités dans un autre espace/temps. S'il se penche sur le cas de Gauvreau, par exemple, ce n'est pas pour montrer en quoi le poète automatiste serait meilleur ou inférieur aux surréalistes français. Pour Ferron, Gauvreau mérite d'être compris dans sa dynamique propre, à partir des contradictions réelles qui l'ont lacéré. Est-ce à dire que les grandes œuvres de France ou d'ailleurs ne nous sont d'aucune utilité ? Ce serait méconnaître Ferron que de le croire car il fut un lecteur curieux et perspicace des œuvres étrangères. Il convient donc sur cette question de dépasser l'antinomie classique entre ouverture à l'étranger et repli sur soi. Si examiner les questions dans les termes de Batiscan signifie un rejet de *l'autorité* des schèmes de pensée empruntés afin de privilégier un jugement élaboré à partir de la situation concrète et vécue, ce geste n'est pas pour autant une évacuation de tout ce qui ne serait pas soi : délogé de sa position d'autorité, l'Autre est néanmoins convié à un *dialogue* d'autant plus authentique et stimulant qu'on ne s'est pas placé en position d'infériorité par rapport à lui. C'est ainsi que procède Ferron lorsqu'il pose un regard sur l'œuvre de Camus : commenter *L'Étranger* est alors l'occasion d'une vertigineuse réflexion sur la constitution du moi, sur la haine que lui voue Pascal, sur le rapport du moi à Dieu et à l'humanité, sur sa chute, au Québec, de la croix à la soupière, sur le processus de socialisation qui distingue nettement le moi d'un Québécois du moi de l'Algérois représenté dans *L'Étranger*. Il va de soi qu'à l'égard des figures d'autorité de la culture, un tel dialogue prend souvent la forme d'un rapport de force – seuls les écrivains médiocres se soumettent trop facilement, aspirent à ressembler au modèle, veulent qu'on leur attribue les mêmes qualités… Pas universel, Ferron ? Marcotte dénigre le point de vue de l'arrière-cuisine. Mais l'arrière-cuisine est un lieu de retrait d'où s'entend l'envers des discours tenus dans le salon, d'où l'on peut voir ce que les pouvoirs préfèrent tenir caché. C'est aussi un lieu de résistance à l'oubli de l'histoire, de dialogue avec les fous, les marginaux, les oubliés.

Gilles Marcotte se trompait aussi lorsqu'il écrivait en 1965 – il a peut-être changé d'opinion depuis – que

La Nuit était « le fruit – très peu sain – d'un vieux nationalisme antianglais qui ne cesse pas de mourir »[35]. Je pense avoir démontré au chapitre 2 que *La Nuit* – et à sa suite *Les Confitures de coings* – signent la *fin* de cet antagonisme entre le Québécois et l'Anglais. Et s'il s'y effectue une telle révolution symbolique, c'est précisément parce que Ferron perce la nature mimétique de l'antagonisme et en délivre son héros. Au cœur de cette démarche, une plongée dans l'origine qui conduit à son décentrement, à une rupture de sa fixation imaginaire. J'ai cru voir dans ce parcours initiatique le motif symbolique d'un passage crucial pour le Québec : processus dialectique où le deuil *amoureux* de l'origine serait la condition d'une ouverture à l'Autre. Pour moi, ce n'était rien de moins qu'un dépassement *en acte* (et non seulement en intention) de l'antagonisme fondateur au Québec entre le régionalisme particularisant et l'exotisme universalisant.

La réflexion de Ferron ne s'est pas arrêtée là. Dans *Rosaire*, ce roman qu'il jugeait « médiocre », sans doute parce que trop dépouillé, le Ferron « créateur de mythes » pousse la lucidité historique jusqu'à se placer devant l'impossibilité actuelle du mythe ou, pour parler plus justement, devant son agonie moderne. Sa recherche d'une utopie communautaire québécoise ne l'a pas obnubilé au point de lui faire perdre de vue ce qui se passait vraiment. J'aime ce Ferron désenchanté qui délaisse l'allégorie et se penche sur le drame humain dans toute sa nudité. Je vois dans ce petit roman-journal qu'est *Rosaire* l'une des analyses les plus péné-

35. Cité in Jacques Ferron, *Les Confitures de coings et autres textes*, Montréal, Parti pris, coll. « Projections libérantes », 1977, p. 262.

trantes de ce qu'a pu signifier, au Québec, la mutation de la Révolution tranquille. Si l'histoire « médiocre » de Rosaire Gélineau laisse le fabuliste désemparé, au point qu'il se croit abandonné des Muses, c'est bien parce qu'à travers elle se reflète la mise à mort d'un univers symbolique et l'entrée dans une ère d'anomie. Dans ce roman, Ferron trouve le moyen de présenter la complexité des rapports de force entre les différentes instances qui interviendront dans la vie du personnage principal, un niais que le narrateur s'est donné pour mandat de sauver d'un diagnostic de folie : médecins, psychiatres, bonnes sœurs, curés, policiers, politiciens, services sociaux, fonctionnaires en tous genres, ils y vont tous de leur boniment pour régler le cas de Rosaire. Mais le plus fort dans ce roman est que le narrateur, d'abord institué en héros ou chevalier servant, conclut après coup à l'échec, allant même jusqu'à tourner le dos à la prétention qui l'avait animé. La fin du mythe, ici, ne touche pas que la collectivité québécoise traditionnelle, amputée de ce qui faisait sa dignité, mais également la capacité qu'aurait la littérature de transformer la réalité. Gilles Marcotte, il faut bien le mentionner, avait perçu, dès 1981, le combat que se livrent dans ce roman le « désir de mythifier » et le réalisme démystifiant. Mais alors que Marcotte déclarait le « match nul » entre les deux, je fais plutôt confiance à l'écrivain qui déclare avoir exécuté Maski, geste qui signe le deuil de l'imaginaire comme voie de salut.

Ces divers déplacements de perspective, d'un roman à l'autre, constituent autant de minirévolutions symboliques. Il faut malheureusement observer que ces faits n'ont pas été enregistrés. Il suffit d'écouter, pour s'en rendre compte, ce que disent depuis le début des années quatre-vingt-dix les adversaires du nationalisme et aussi ce que répondent plusieurs défenseurs de ce dernier. Le Québec de Ferron restera un Québec *inédit*, se présentera aux générations futures comme *altérité*. Une utopie délestée de son eschatologie et devenue rappel de possibles sacrifiés. Qu'importe, la voix de Ferron continue malgré tout d'être audible et d'agir, cette voix narquoise qui nous invite à prendre nos distances à l'égard des fixations idéologiques, à ne pas nous laisser leurrer par les mots d'ordre et les beaux sentiments. Car enfin, quelle est-elle cette voix qu'on entend en lisant Ferron, qui nous le rend si vivant, qui nous projette au delà de cette misère morale et intellectuelle créée par l'espace idéologique ? Au terme de cette méditation critique introduite sur le thème de la mélancolie, il me sied de prêter l'oreille à d'autres formes de modulations.

Le Ratoureur

J'évoquerai donc pour terminer un Ferron concret, non pas le créateur de mythes mais ce corps-Ferron qui traverse, tel un Ratoureur, les corps sociaux et les discours organisés. Ratoureur est le nom français que la sociologue Nicole Gagnon, enchantée par Ferron depuis la parution de *L'Amélanchier*, propose en remplacement du mot anglais *trickster* et du contestable « décepteur » proposé par Lévi-Strauss[36]. Ce terme de Ratoureur convient bien à un écrivain qu'on lit rarement sans avoir la bouche marquée en coin d'un sourire et qui, agile comme un renard, trouve toujours le moyen de décontenancer son lecteur.

36. Proposition émise dans un courrier électronique adressé à l'auteur, le 9 mars 2004.

Cet écrivain si peu autoritaire me fait don en tout premier lieu d'une autorité que lui garantit sa qualité d'exception à la règle. L'exceptionnalité de Ferron se vérifie, par exemple, dans son style polémique. Je ne parle pas seulement ici de sa rhétorique ou de son habileté à manier la langue ; j'entends bien davantage son « style de jeu », sa posture, son intelligence situationnelle. Et aussi ce courage d'entrer en lice, de chicaner, d'être à l'occasion impertinent mais sans jamais perdre de vue qu'il s'agit d'un jeu. Il suffit d'un coup d'œil sur ses lettres aux journaux pour constater en comparaison le peu de relief et de personnalité des interventions publiées dans nos quotidiens d'aujourd'hui. C'est bien clair, on ne sait plus s'amuser, on s'enrobe dans un langage de spécialiste qui étouffe toutes nos audaces. Pendant deux ou trois décennies, Ferron s'est manifesté dans différents champs de la culture (médecine, littérature, politique, histoire, etc.), ne cessant d'interpeller, de questionner l'envers des apparences (« La réalité se dissimule derrière la réalité »). Cet écrivain singulier, qui ne faisait rien comme les autres, qui avait le don d'aborder les problèmes depuis des perspectives insoupçonnées, est aussi celui qui, curieusement, a développé le plus haut degré de *sociabilité*. Ce n'est pas une mince tâche pour un écrivain d'aujourd'hui car la structure du champ littéraire lui commande plutôt de ne pas se mouiller, de conserver à l'égard des collègues une distance respectueuse (on ne sait jamais quand on aura besoin d'eux...), de fétichiser l'œuvre dans le déni de son historicité et de la relation qu'elle instaure entre les membres d'une communauté. N'est-il pas évident qu'aujourd'hui plus personne ne se met en jeu vraiment à fond, que la discussion est absente, sinon dans le cadre de polémiques ponctuelles, commandées et formatées du reste par les journaux. Des idées sont échangées à l'occasion, mais chacun reste sagement à sa place et il est rare qu'on revienne à la charge. Quand on lit Ferron, au contraire, c'est tout le Québec et le Canada des années soixante et soixante-dix qui s'animent. On a abondamment (et à juste titre) commenté le Ferron cartographe, celui qui a nommé le territoire. Il serait temps d'envisager l'ensemble des réseaux sociaux qu'il a tissés, sinon parcourus transversalement. Cette riche onomastique, qui met en mouvement un univers de personnages dignes de la *Comédie humaine*, outre qu'elle permette une circulation inusitée du sujet d'un champ de discours à d'autres qui lui sont habituellement dissociés, nous fait entrer également dans toute la complexité du Québec de la Révolution tranquille.

Ferron mérite d'être évalué autrement qu'à partir de l'effet de solidarité induit par le nationalisme ; il faut l'examiner aussi en *compétition* avec les autres écrivains et intellectuels québécois, rapports de force qui vont de la critique amicale (Parti pris) à l'opposition ouverte (Trudeau), en passant par la taquinerie (Miron, Robert Cliche), l'interrogation sceptique (Vallières, le FLQ), la satire pernicieuse (Bessette) et le combat réglé (Frank Scott). On verra alors surgir la figure de Ferron comme une exception, celle d'un « Ratoureur » en perpétuel déplacement sur l'échiquier idéologique.

Exception veut dire aussi solitude, effort à contre-courant. Au moment où, dans les années soixante, on s'affairait à tout jeter par-dessus bord, Ferron, lui, s'attachait à récupérer ce que le monde ancien avait encore à nous dire. Le rapport qu'il tisse alors avec Lionel Groulx est des plus intéressants. Au lieu de le repousser agressivement, il le nargue, fait obstacle à son hégémonie, s'amuse du malentendu qui pousse Groulx, irrité, à écrire à propos des contempteurs de son Dollard qu'ils sont l'expression d'un peuple décadent « acharné à salir son lit et à détruire sa propre histoire[37] ». Fatigant, le Ferron, fourrant son nez partout, vif à débusquer les petites menteries et mystifications, à déterrer les oubliés de l'histoire.

Ainsi donc, pour répondre définitivement à l'interrogation au sujet de sa survie, je dirai que l'expérience-Ferron ne nécessite pas d'assomption au delà du fait qu'il aura été et demeurera (avis aux successeurs)… cette exception.

37. Lionel Groulx, *Dollard est-il un mythe ?*, Montréal, Fides, 1960, p. 8.

Bibliographie sélective

AQUIN, Hubert, « La fatigue culturelle du Canada français », dans *Mélanges littéraires II. Comprendre dangereusement*, édition critique établie par Jacinthe Martel avec la collaboration de Claude Lamy, Montréal, Bibliothèque québécoise, 1995, p. 65-110.

CHAPUT, François, « L'épopée québecquoise de Jacques Ferron », dans Ginette Michaud, dir., avec la collaboration de Patrick Poirier, *L'Autre Ferron*, Montréal, Fides-CÉTUQ, coll. « Nouvelles études québécoises », 1995, p. 79-87.

DUFOUR, Christian, *Lettres aux souverainistes québécois et aux fédéralistes canadiens qui sont restés fidèles au Québec*, Montréal, Stanké, 2000, 144 p.

FERRON, Jacques et Pierre L'HÉRAULT, *Par la porte d'en arrière : Entretiens*, Montréal, Lanctôt Éditeur, 1997, 320 p.

—, *La Conférence inachevée. Le Pas de Gamelin et autres récits*, édition préparée par Pierre Cantin et Marcel Olscamp, Outremont, Lanctôt Éditeur, coll. « PCL/petite collection lanctôt », 1998, 302 p.

—, *Gaspé-Mattempa*, Montréal, Lanctôt Éditeur, coll. « PCL/petite collection lanctôt », 1997

—, *Les Confitures de coings*, suivi de *L'Appendice aux Confitures de coings ou le congédiement de Frank Archibald Campbell*, Montréal, l'Hexagone, coll. « Typo », 1990, 208 p.

—, *Escarmouches. La Longue passe*, Montréal, Leméac, 1975, 2 tomes.

MARCEL, Jean, *Jacques Ferron malgré lui*, Montréal, Parti pris, coll. « Frères chasseurs », 1978.

MARCOTTE, Gilles, « Jacques Ferron, côté village », dans *Littérature et circonstances*, Montréal, l'Hexagone, coll. « Essais littéraires », 1989, p. 243-258.

MARCOTTE, Gilles, « À quoi sert une littérature nationale ? », dans *Littérature et circonstances*, Montréal, l'Hexagone, coll. « Essais littéraires », 1989, p. 85-90.

POLIQUIN, Daniel, *Le Roman colonial*, Montréal, Boréal, 2000, 256 p.

Chapitre 7

Qu'est-ce qu'un écrivain québécois ?

La réflexion que je soumets maintenant nécessitait une forme souple et ouverte. J'ai l'habitude un peu obsessionnelle d'écrire des textes qui prétendent ne rien laisser au hasard, tendus par l'effort de tout agencer comme dans une mécanique d'horlogerie où chaque morceau fonctionne en dépendance des autres. Il s'agit d'une illusion, cela va de soi, car les grains de sables prolifèrent et menacent constamment de tout enrayer. J'ai bien essayé, pour ce dernier chapitre, de produire un texte compact, solidement argumenté, mais j'ai flairé aussitôt qu'il me faudrait, pour y arriver, opérer une réduction de la réalité et sacrifier ma liberté de penser au profit d'une fausse cohérence. J'ai donc opté pour un traitement plus indiscipliné, et à mains nues. Certaines questions sont piégées et telle m'est apparue d'emblée la question que je pose ici. Plutôt que de la rejeter, je me suis dit qu'il valait la peine, pour une fois, de projeter ce piège dans le monde et d'observer ce qui s'ensuivrait. Bombe ? Mais non ! tout au plus une souricière où se pincer les doigts.

Jeudi

IL ARRIVE QUE LA CRÉTINERIE FRAPPE À NOTRE PORTE et que nous sommes tenus de lui répondre. Parce que la crétinerie, parfois, se fait très insistante et l'on se demande alors si elle n'aurait pas un message à nous livrer, une sorte d'oracle qu'il faudrait décrypter. En tout cas, le malaise que la crétinerie provoque – cet espèce de bégaiement qui nous gagne malgré nous – est suffisant pour signaler qu'elle ne nous est pas du tout indifférente, que nous entretenons même avec elle un rapport des plus intimes. Depuis plusieurs semaines, voici que me harcèle une question que je n'ai pas appelée et qu'il m'arrive de trouver complètement insignifiante. Alors que j'en suis à la toute fin de mon ouvrage et que j'aimerais bien m'en sortir élégamment, une puissance secrète me traîne dans un quiz absurde, me tance impérativement de définir aux yeux de tous ce qu'est un écrivain québécois. Je sais pourtant depuis belle lurette que rien de bien décisif ne peut émerger de tels questionnements : qu'est-ce que la littérature québécoise ? Qu'est-ce qu'un écrivain québécois ? Qu'est-ce qu'un Québécois, d'abord ? Et puis même : qu'est-ce qu'un écrivain ? Il y a toujours quelque chose de oiseux dans les questions générales, mais ce qui m'étonne par-dessus tout, ce qui vraiment me renverse, c'est la charge explosive qu'elles peuvent contenir... J'ai fait le test :

puisque la question se posait à moi, je l'ai proposée à d'autres et eux aussitôt de s'enflammer, d'en faire presque une affaire d'État, de me dire qu'il est temps de « tirer cela au clair », de « mettre les pendules à l'heure ». Ils évoquent alors *L'Arpenteur et le navigateur* – « La polémique que le livre a suscitée montre bien que le sujet est brûlant, non ? » –, les déclarations provocatrices de Jacques Godbout faisant de Mordecai Richler le meilleur romancier québécois. On me parle même des collègues qui, sur le point d'entreprendre une vaste histoire de la littérature québécoise, en sont à se demander s'ils ne devront pas y inclure les Québécois écrivant dans une autre langue que le français. Et même le doux et respectueux Pierre Nepveu, croisé dans un colloque, qu'il me pardonne de le citer : « Laurent et moi préparons une réédition de notre anthologie des poètes québécois et plusieurs nous demandent si on y inclura les poètes anglophones ». Dame ! la question est donc vraiment sérieuse… À l'ordre du jour ! Me voilà mandaté pour une mission délicate et peut-être même risquée ! L'avenir de nos institutions est en jeu ? Et cet ami à qui je demandais de jeter un coup d'œil sur mon manuscrit, qui me le remet en disant : « Pour que ta pensée aboutisse vraiment, il manque à ton livre un dernier chapitre où tu définirais ce qu'est un écrivain québécois et ce qu'il en est aujourd'hui de son rapport à l'histoire, à l'origine ». Quoi ? La question aurait brûlé mes lèvres depuis le début, à mon insu ?

Vendredi

En réalité, ce n'est pas d'hier qu'on me pousse à m'interroger sur le sujet. Maintenant que j'y pense, je me souviens qu'il y a plusieurs années – n'était-ce pas aux lendemains du référendum de 1995 ? –, j'ai proposé au CRSH un projet de recherche sur l'histoire de la polémique au Québec. Mon projet a été recalé en partie parce que je n'avais pas inclus dans mon corpus des textes tirés de publications anglophones. À bon entendeur, salut ! Tout le monde sait en effet que les anglophones et les francophones du Québec partagent le même espace public, que les journalistes de la *Gazette* polémiquent continuellement avec ceux du *Devoir* pour le bénéfice des citoyens qui lisent indifféremment l'un ou l'autre de ces journaux, et que tous ces débats concourent au développement d'une commune tradition littéraire et intellectuelle. En tout cas, si tel n'est pas le cas, nous devons faire en sorte que cela soit. Et, premièrement, nous devons réinventer notre histoire de manière à plonger tout le monde dans le même bain. « Nous ». Ai-je bien dit « nous » ? Jamais un pronom personnel n'a été aussi chargé de contenu implicitement politique et idéologique. Je dois surveiller mon réflexe ethnocentrique. Je sens que mon livre au complet risque d'être rendu obsolète du fait que je n'y parle que de la littérature francophone du Québec.

Samedi

Très légitimement, un écrivain pourra revendiquer la liberté d'écrire en dehors de catégories inventées par les intellectuels et les idéologues. Richler déclarait très justement en entrevue : « Quand vous êtes écrivain, vous devez livrer la marchandise. D'autres se chargeront de l'étiqueter, d'une manière ou d'une autre. Moi, je livre la marchandise[1]. » Mais qui dit marchandise dit marché. Qui dit marché dit valeur, classement, hiérarchie : que choisit-on de privilégier et pour quelles raisons ? À qui cela profite-t-il ?

Lundi

J'ai passé la fin de semaine à lire du Dany Laferrière. Jusqu'ici, j'avais négligé cet écrivain dont j'entends parler depuis la publication de son premier roman. Je ne sais pas pourquoi, préjugé littéraire : le personnage médiatique me faisait croire qu'il donnait dans le facile. Je me trompais. Il a maintenant complété un cycle de dix volumes, on peut dire qu'il a une œuvre derrière lui et je lui trouve une voix vraiment bien personnelle, une posture qui me rappelle parfois Gombrowicz – que Laferrière d'ailleurs déclare avoir lu et relu. Je parle ici de posture publique, pas de l'œuvre en tant que telle, quand même d'une toute autre tonalité que celle de l'incomparable Gombrowicz.

Des questions emmerdantes, de celles que le discours social nous impose en supposant qu'inévitablement, *par la force des choses*, elles nous concernent, Laferrière en a reçu lui aussi son lot. Il en parle très bien dans *Je suis fatigué*[2]. L'une des raisons, dit-il, qui lui font préférer le Québec à la France, est qu'ici on lui laisse la paix avec le thème du colonialisme. Par contre, il n'échappe pas aux classifications : « Fatigué surtout de me faire traiter de tous les noms : écrivain caraïbéen,

---

1. Mordecai Richler « Mordecai Richler, un témoin honnête de son temps », *L'Impossible*, n° 1, septembre 1992, p. 91.
2. Dany Laferrière, *Je suis fatigué*, Montréal, Lanctôt Éditeur, coll. « PCL/petite collection lanctôt », 2001, 144 p.

écrivain ethnique, écrivain de l'exil. Jamais écrivain tout court[3]. » Son éditeur a compris le message et lance la question au lecteur en quatrième de couverture : « Dany Laferrière, écrivain trop peu connu, qu'on a qualifié, à tort ou à raison – à vous d'en juger – d'écrivain haïtien, québécois, canadien, français, caribéen, africain… » Le quiz, à nouveau. En filigrane, on entend bien ici le discrédit accordé à ce genre de considérations, et pourtant… Et pourtant, c'est rentable, n'est-il pas, de les mettre en jeu, ne serait-ce que pour les discréditer ? C'est là peut-être, au fond, ce qui me pousse à explorer davantage la maudite question au lieu de la rejeter dans les limbes : parce qu'elle est à la fois emmerdante et commode, parce que sa duplicité saute aux yeux, parce qu'on ne saurait totalement s'en passer, vu que la non-identité n'existe pas, pas plus que l'identité totalement singulière et souveraine. Un écrivain authentique ne peut supporter les étiquettes, fussent-elles des plus prestigieuses. Toutefois, s'il arrive à se construire un espace bien à lui, c'est *également* à partir des matériaux qu'il fait mine de rejeter. Laferrière a l'honnêteté de l'avouer : « Il me faut admettre tout de même qu'une bonne trouvaille conceptuelle peut attirer les projecteurs sur votre travail. […] Hors du centre, tout écrivain doit se faire précéder d'un label phosphorescent qui permet de l'identifier de loin (surtout la nuit), sinon comment le retrouver dans la masse de livres qui encombrent toutes les bonnes librairies ? Peut-on s'amener tout nu avec son livre sous le bras ?[4] » Habile et rusé – c'est-à-dire déterminé à sauver sa peau –, Laferrière dénonce le malentendu tout en sachant en profiter.

3. *Ibid.*, p. 38.
4. *Ibid.*, p. 86.

N'empêche que j'envie l'aisance avec laquelle il se dégage d'une autre notion obligée, celle de *métissage*. D'abord circonspect lorsqu'on le confronte à cela – « Je ne suis pas très au fait de ces choses-là. J'avoue que je n'ai mené aucune recherche de ce côté. » –, voici qu'il pointe du doigt le piège sous-jacent : « Bon, j'ai l'impression de traverser un champ de mines. Me faire sauter à cause d'un sujet qui ne m'intéresse même pas, ce serait vraiment dommage [me rappeler cette phrase, en certaines occasions]. Une légère distraction et on tombe dans un autre univers. Comme dans les cauchemars [Monique LaRue pourrait sûrement nous en parler !]. Juste avant que les types s'amènent en brandissant leurs machettes, je dois confirmer, si on en doutait, que je déteste le ghetto, même conceptuel. La niche intellectuelle[5]. » Et voilà, Laferrière s'en est tiré : plutôt que de débattre de la question et de s'y embourber, il se déclare d'emblée hors-jeu ; pour lui, l'essentiel se passe ailleurs. D'accord, mais moi, me dis-je ? Mais moi qui n'ai pas d'œuvre littéraire à revendiquer comme terrain de jeu en dehors du champ miné de ces questions, moi le prof d'université dont la fonction sociale consiste non pas à créer de l'émotion – fonction que s'accorde Laferrière en tant qu'écrivain –, mais à produire un discours intelligible sur les enjeux que pose la littérature, à explorer tous les tenants et aboutissants des concepts qui circulent, aucune pirouette ne m'est permise et je serais mal venu de conclure comme le fait Laferrière : « Quand j'entends le mot *métissage*, je sors mon pénis » ! Ce n'est pourtant pas la tentation qui manque… Pour m'amuser, il ne me resterait, *sérieusement*, qu'à décrypter la métaphore du pénis, organe obligé du métissage à bien y penser.

5. *Ibid.*, p. 85-86.

Dans *Comment faire l'amour à un nègre sans se fatiguer*, Laferrière s'est arrêté sur le stade préliminaire de la reproduction métissée, celui du fantasme qui organise la rencontre du Nègre et de la Blanche. Plutôt que de célébrer la fusion de l'Un et de l'Autre pour l'avènement d'une humanité régénérée – credo dans lequel nous baignons en ce moment –, Laferrière jette la lumière sur le malentendu qui rend « impossible », comme le disait Lacan, le rapport sexuel : « C'est ça, le drame, dans les relations sexuelles du Nègre et de la Blanche : tant que la Blanche n'a pas encore fait un acte quelconque jugé dégradant, on ne peut jurer de rien. C'est que dans l'échelle des valeurs occidentales, la Blanche est inférieure au Blanc et supérieure au Nègre. C'est pourquoi elle n'est capable de prendre véritablement son pied qu'avec le Nègre. Ce n'est pas sorcier, avec lui elle peut aller jusqu'au bout. Il n'y a de véritable relation sexuelle qu'inégale. LA BLANCHE DOIT FAIRE JOUIR LE BLANC, ET LE NÈGRE, LA BLANCHE[6]. » Mais Laferrière n'est pas un moraliste : tout cela, laisse-t-il entendre, est jouissif en diable, le malentendu est aussi une porte ouverte sur le refoulé originel : « Je veux baiser son inconscient. C'est un travail délicat qui demande un infini doigté. Vous pensez : baiser l'inconscient d'une fille de Westmount ! [...] Pousser le débat racial jusque dans ses entrailles. Es-tu un Nègre ? Es-tu une Blanche ? Je te baise. Tu me baises. Je ne sais pas à quoi tu penses au fond de toi quand tu baises avec un Nègre. Je voudrais te rendre, là, à ma merci. [...] Atteindre ton âme WASP. Baise métaphysique[7]. » Chez

6. Dany Laferrière, *Comment faire l'amour à un nègre sans se fatiguer*, Montréal, Typo, 2002, p. 48.
7. *Ibid.*, p. 81.

Laferrière, cette expérience ne franchit pas le cap de la reproduction. Pas de métissage, donc : les origines ne communiquent que dans le fantasme. À moins qu'il y ait enfant…, mais je n'ose creuser cette éventualité pour l'instant. Je suis fatigué.

Lundi après-midi

Il y a de ces hasards, parfois. Ce matin, après avoir écrit ce qui précède, je me rends à Montréal pour régler quelques trucs et qui est-ce que j'entends à la radio ? Nul autre que Laferrière. Il ne saurait rejoindre davantage mes préoccupations lorsqu'il déclare : « Je ne crois pas que je suis un Haïtien, ni un Québécois ni quoi que ce soit ; je suis d'abord moi et, ensuite, quelqu'un qui est né en Haïti, qui a été élevé par sa grand-mère, par sa mère, avant que ce soit une nationalité.[…] En France, ils cherchent à savoir d'où je viens. Quand, par exemple, je viens avec un groupe d'écrivains québécois, ils disent que je suis un écrivain québécois – alors là, c'est quand je passe par le chemin de la Délégation du Québec, ou quand je suis avec des Français un peu plus indépendantistes, ou quand je vais en Bretagne ou en Corse ! Et quand la France veut faire un grand ramdam folklo-colonial, genre ils invitent tous ceux de la Caraïbe, Martinique, Guadeloupe… alors il faut que je sois Haïtien, sinon ils ne m'invitent pas ! (rires)[8]. »

Les propos de Laferrière montrent bien l'antagonisme qui peut se développer – plus ou moins ouvert,

8. Dany Laferrière, « Entrevue avec Marie-France Bazzo », *Indicatif présent*, Radio-Canada, 5 janvier 2004 : <http://www.radio-canada.ca/radio/indicatifpresent/>.

plus ou moins déclaré – entre l'écrivain et l'institution qui le prend en charge : « C'est très difficile de lire un livre parce que les gens lisent avec la notion du territoire. Il faut d'abord qu'on sache d'où vous venez pour dire quel type d'écrivain vous êtes. Si vous venez de la Caraïbe, vous êtes un écrivain de l'expérience coloniale. Si vous venez du Québec, vous êtes un écrivain de l'expérience identitaire. Après, ils vont vous catégoriser par la race, ensuite par le genre… […] Le premier responsable [de cet état de fait], c'est l'université, qui a été paresseuse dans cette histoire-là. De manière fonctionnaire, les professeurs se sont spécialisés très rapidement dans la littérature francophone, la littérature féministe, la littérature de la négritude… pour avoir tout simplement des postes, des champs de recherche… Et, au lieu de nous dire tout simplement que c'était « pour la job », ils nous ont dit : c'est ça, la lecture. Bien sûr, il y a à l'intérieur de tout cela des gens qui font d'autres lectures[9]. »

Une chose m'intrigue : Laferrière ne dit pas comment il est perçu *par les Haïtiens*. Il ne dit pas s'il lui plairait d'être reçu dans son pays d'origine comme un écrivain haïtien. Quel est le cours du Laferrière en Haïti ? S'en préoccupe-t-il seulement ?

Mardi

On ne saurait définir absolument ce qu'est un écrivain, sinon pour ménager un territoire à l'objet idéal – ce qu'a fait Barthes en créant la catégorie des « écrivants », manière subtile de se débarrasser d'une foule

9. *Ibid.*

d'illégitimes prétendants au trône. On ne saurait non plus décréter de manière définitive ce qu'est un Québécois. Ces identités, nullement scientifiques, nous font entrer dans le domaine de la lutte. C'est ma définition contre la tienne. Ai-je le goût de lutter pour ça ? *A priori*, non. Il faut évaluer quel coefficient de liberté cela peut me procurer. Si la définition que je donne de moi m'enferme et me limite, alors elle n'est tout juste bonne qu'à être jetée aux orties.

« J'en arrive maintenant à une question véritablement diabolique et qui sera une sorte d'épreuve du feu : si l'on vous disait que, pour demeurer Québécois, il vous faut renoncer à une partie de ces valeurs humaines [que sont l'intelligence, la noblesse, la faculté d'évolution, la franchise et la sincérité], que vous ne pourrez rester Québécois qu'à condition de devenir pires en tant qu'êtres humains – un peu moins doués, moins intelligents, moins nobles –, consentiriez-vous à ce sacrifice afin de maintenir le Québec ?[10] ».

Mercredi

Jusqu'à tout récemment, il allait de soi qu'un écrivain québécois était un écrivain francophone du Québec, pas forcément « de souche » mais à tout le moins intégré à la vie culturelle d'ici, « en commerce » au sens propre et au sens figuré avec tout ce qui, de près ou de loin, travaillait à l'élaboration d'une culture québécoise francophone vivante. Cela allait de soi d'autant plus que le

---

10. Witold Gombrowicz, *Journal*, Paris, Gallimard, coll. « Folio », 1995, tome 1, p. 151; dans le texte original, « Québécois » se lit « Polonais ».

nom de « Québécois » était une invention de Canadiens français désireux de se définir autrement qu'à partir de la référence canadienne. Quand je cherche à m'expliquer l'ambiguïté actuelle de ce nom, je vois bien qu'elle a avant tout une origine politique. Le nom de « Québécois » comme symbole du désir nationaliste-séparatiste (mais que plusieurs fédéralistes du Québec ont aussi adopté) a trouvé son expression politique dans la revue *Parti pris*, puis dans le Parti québécois qui, au départ, était nettement un parti au service des intérêts des Québécois de langue française, plus particulièrement (mais pas exclusivement) des Québécois dits « de souche » (mais j'aimerais mieux que l'on parle de ceux qui reconnaissent une part d'eux-mêmes dans l'histoire canadienne-française, comment exprimer cela en un seul mot commode ?). Parvenu au pouvoir, ce parti s'est trouvé dans une position délicate, celle de traduire en termes politiques le désir qui l'avait fait naître tout en reconnaissant les droits des citoyens anglophones ou allophones du Québec, citoyens qu'il fallut désigner dès lors, eux aussi et de manière pleinement légitime, des Québécois (comme on dit des Manitobains et des Ontariens)[11]. C'est ainsi que le discours officiel s'est trouvé déchiré entre deux manières de définir le Québécois : le Québécois comme citoyen de la province de Québec et le Québécois comme membre d'une communauté culturelle spécifique, soit la culture francophone de

---

11. En réalité, le problème s'est posé même avant l'accession au pouvoir du Parti québécois, à preuve ce passage du livre de Marcel Rioux consacré aux Québécois et publié en 1974 : « Assez paradoxalement, le terme de Québécois exclut les minorités francophones du Canada mais inclut la minorité anglophone du Québec. » (*Les Québécois*, Paris, Seuil, coll. « Le temps qui court », p. 12).

cette même province, voire du Canada français en général.

Pendant longtemps, la littérature a réussi à se tenir à l'écart de cette duplicité et l'on continua spontanément à désigner sous le nom de « littérature québécoise » la seule littérature francophone du Québec. Même chose à l'étranger où les « études québécoises » sont plus souvent qu'autrement distinctes (parfois jusqu'à l'antagonisme) des « Canadian Studies », lesquelles incluent les écrivains anglophones du Québec. Toutefois, la réalité sociopolitique s'est mise à gangrener peu à peu la représentation que l'on se faisait de cette littérature ; dans le discours national, des voix dissidentes sont apparues, issues d'une nouvelle conjoncture qui brisait la relative homogénéité du corpus québécois. La publication de *La Québécoite* en 1983 marque certainement l'entrée dans une nouvelle ère. Arrivée au Québec en 1974, Régine Robin est active dans la vie culturelle d'ici mais déclare sans ambages ne pouvoir s'identifier à ce qui, jusqu'alors, a été désigné comme « québécois ». Elle privilégie en contrepartie l'élaboration d'une « parole immigrante », paradigme qui peu à peu a détrôné l'avant-garde formelle qui s'était implantée quelques années auparavant, qui elle aussi voulait rompre avec la tradition nationaliste mais continuait tout de même de se définir comme « québécoise ».

Voilà comment je me représente la situation quand j'essaie de me la raconter le plus simplement possible. Je devrai sans doute revenir sur *La Québécoite*, souvent considéré comme un texte inaugural, sinon fondateur. Ce livre, toutefois, ne me paraît pas représenter une rupture aussi radicale qu'on serait tenté de le croire. Il a largement tiré sa force d'impact d'une tradition intellectuelle bien québécoise, celle qui consiste à présenter la culture d'ici comme étroite, étouffante, insuffisante et provinciale. Toutefois, alors que les gens du cru ne savaient trop comment donner une réalité institutionnelle identifiable à ce sentiment qui, dès lors, les orientait tout naturellement vers l'élection d'un ailleurs représenté par la France (évasion la plupart du temps ratée), Régine Robin offrait à ce désir de l'ailleurs la possibilité de se vivre ici et permettait à la dissidence de s'organiser en positivité, en nouvelle communauté dotée d'un certain poids politique. Je pense que si nous en sommes à nous demander ce qu'est au juste un écrivain québécois, cela est dû en grande partie à cette présence, au sein de la culture francophone, d'individus qui s'excluent volontairement de la Référence québécoise (telle que théorisée principalement par Fernand Dumont). Pour mesurer à quel point le phénomène est nouveau, il suffit de se rappeler qu'il n'y a pas si longtemps, des écrivains comme Jean Basile, Michel Van Schendel, Jacques Folch-Ribas, Monique Bosco et Naïm Kattan prenaient place dans la culture d'ici, y mettant en jeu leur propre origine sans que cela ne déstabilise la définition institutionnelle de l'écrivain québécois. Et maintenant, si je jette un coup d'œil du côté du récent *Traité de la culture*, j'observe qu'à part une série de textes sur l'institution, la critique, la littérature populaire, l'édition et la carrière d'écrivain, on trouve un chapitre sur les classiques québécois (du point de vue de leur réception), un sur les écrivains anglo-québécois et un sur la « littérature issue des communautés culturelles » (cette dernière expression me laisse un peu songeur : est-ce que moi, je fais partie d'une communauté *culturelle* ?) Ce qui frappe surtout, c'est l'aspect parcellarisant d'une telle répartition, comme si l'institution était incapable à l'heure actuelle de produire une histoire qui engloberait tout le monde. On peut comprendre... Lucie Robert le souligne dans ce même *Traité* : alors que la littérature anglo-québécoise « remet en question l'unité linguistique de la littérature québécoise », la littérature féministe et la littérature néoquébécoise « obligent à repenser la notion même d'identité collective[12]. » On observera par ailleurs un curieux effet de cette fragmentation du champ : les anglos et les migrants semblent représenter les jeunes générations d'écrivains, alors que seuls apparaissent dans le *Traité*, parmi les Québécois « de souche », les écrivains consacrés. Ce gommage de la jeune littérature québécoise « non migrante » et francophone me paraît inadmissible dans un *Traité de la culture* qui se veut *up-to-date*.

Il est trop tôt pour dire ce qui résultera de la situation présente. Personnellement, j'ai tendance à interpréter les crises symboliques comme des moments privilégiés de redéfinition. L'incertitude actuelle a cela de bon qu'elle témoigne d'une réelle tradition littéraire québécoise (francophone) et l'arrivée de courants intellectuels hostiles ou concurrents lui permettra d'opérer certains déplacements productifs à l'égard de culs-de-sac symboliques. L'un des principaux défis symboliques rencontrés par l'écrivain québécois depuis le XIXe siècle, défi que je dirais structurant, fut de fonder une littérature de langue française distincte de la grande littérature française. La question s'est posée à tous les écrivains du Québec, même aux plus francophiles d'entre eux, j'entends ceux qui, justement, ne désiraient pas se distinguer de leurs modèles français et définissaient leur

12. *Traité de la culture*, sous la direction de Denise Lemieux, Sainte-Foy, Les Presses de l'Université Laval, 2002, p. 358.

art à partir exclusivement d'esthétiques développées en France. Dans la conjoncture actuelle, cette définition de soi en regard du grand modèle français est en train d'être délaissée au profit d'une confrontation entre ce soi traditionnel québécois (plus ou moins identifié à la France) et un nouveau soi qui intégrerait non seulement l'étranger devenu néoquébécois, mais aussi l'antagoniste politique qu'a représenté jusqu'ici le Québécois anglophone. Ce déplacement des enjeux, il me semble, transforme complètement notre rapport à la tradition culturelle et littéraire. L'effet le plus immédiat est la coprésence désormais, en terre québécoise, d'écrivains qui, sans nécessairement « aimer » la littérature et la culture québécoises, se savent issus d'elles, et d'autres qui n'y réfèrent d'aucune manière et élaborent depuis d'autres sources leur univers imaginaire. Il n'en demeure pas moins qu'ils le font *ici*, à partir des structures symboliques déjà existantes, d'où l'obligation à eux aussi de croiser certaines questions.

(Note pour un développement ultérieur : mon analyse pourrait se complexifier par la prise en considération d'au moins deux éléments complémentaires : l'origine n'étant pas qu'un point situé dans le passé, elle agit également au présent à travers l'appareil institutionnel et au sein de l'horizon d'attente du lectorat québécois, facteurs qui interviennent bien entendu dans le processus de mise en valeur des textes d'écrivains immigrés.)

Vendredi

Dans *Spirale*, ce chaleureux témoignage de Michel Van Schendel : « Je n'étais pas venu ici, au Canada, pour y rester, mais seulement pour aider à régler certaines difficultés d'ordre familial. Je devais, nous devions, ma petite famille et moi, regagner la France après apaisement. Les circonstances m'obligèrent à rester. J'ai vécu alors comme volé de mes espoirs, de mon pays. J'étais en cale sèche, l'avenir s'annonçait gris, triste. Ce que j'écrivais n'était pas à cette hauteur, à cette profondeur. J'écrivais comme décalé, *sans le savoir*. Il aurait fallu le savoir. Gaston [Miron] me dit doucement ce qu'il en était. [...] "Tu vis l'exil. Je crois qu'on a le moyen de comprendre ça ici. Ton exil, c'est ici. Et c'est ici que tu dois le dire. Ton exil doit devenir un combat. [...] L'exil est un paradoxe, est ton paradoxe. Tu n'es pas d'ici, et tu n'es plus de là-bas. Nulle part, peut-être, es-tu, deviens-tu. Mais c'est ici que ce *nulle part* prend forme, peut prendre forme, peut devenir une écriture, ton écriture. C'est cela, ce qui s'en vient, ta poésie"[13]. »

Dimanche

Je ressens maintenant le besoin de préciser ce que j'entends par tradition québécoise. Il y a autour de ça matière à de nombreux malentendus. La tradition m'apparaît comme un dynamisme particulier, engendré par des contradictions historiques spécifiques, et non comme un « trésor » dans lequel on irait puiser de l'authenticité. Il y a tradition lorsqu'un artiste définit sa pratique à partir de prédécesseurs, fût-ce pour les contester (cette contestation étant une reconnaissance). Au moment où Nelligan écrivait, il n'existait pas

---

13. Michel Van Schendel, « Je me parle à voix basse voyageuse », *Spirale*, janvier-février 2004, n° 194, p. 7.

de tradition poétique québécoise assez riche pour qu'il se mette au monde à partir d'elle. Il alla donc chercher ses modèles en France et en Belgique, au risque de s'anémier (car la tradition, je l'ai noté plus haut, doit s'incarner dans des institutions, des réseaux de sociabilité). Par contre, cinquante ans plus tard, les poètes de l'Hexagone purent se donner comme précurseur immédiat un Alain Grandbois et rejeter du même coup l'héritage de Saint-Denys Garneau, ce qui montre bien que le jeu avec la tradition était rendu possible[14]. La référence québécoise n'empêchait pas des poètes comme Gaston Miron de s'inspirer d'auteurs français comme Rutebeuf, La Tour du Pin ou Éluard, qui sans doute ont joué un rôle plus grand que Grandbois dans l'élaboration de sa poétique – dans cette question de la tradition, l'essentiel n'est pas tant de savoir qui nous influence que de nous mesurer, depuis notre propre situation d'énonciation, aux forces qui font obstacle ou rendent possible l'inscription historique de notre signature propre. On n'est jamais poète par la simple assimilation d'effets et de vocables poétiques consacrés. Pour Miron, devenir poète signifia transfigurer les mots pauvres de la tribu en poésie – c'est-à-dire leur conférer une puissance expressive et une richesse symbolique jusqu'alors insoupçonnées. Il n'était pas le premier à tenter la chose : avant lui, DesRochers, Jean Narrache, Clément Marchand et bien d'autres dont Miron (et Godin) pouvaient apprécier l'effort, observer les maladresses, tirer profit des réussites.

---

14. La meilleure introduction à cet ancrage référentiel de l'écriture québécoise moderne me semble être l'essai de Pierre Nepveu, *L'Écologie du réel. Mort et naissance de la littérature québécoise contemporaine*, Montréal, Boréal, 1988.

Si vous lisez Mordecai Richler, il est facile de voir qu'il se mesure à des auteurs d'une toute autre tradition. Se faire reconnaître sur les scènes londoniennes ou américaines, voilà son combat ; il se débat aussi avec la tradition juive. Même si Céline, Camus et Malraux font partie de ses sources d'inspiration, ses *répondants* et *concurrents* ont pour nom Henry Miller, D.H. Lawrence, Saul Bellow ou Philip Roth. Avec ces deux derniers, il partage, dit-il, « le même héritage[15]. » Ces quelques raisons seulement, qu'on le trouve regrettable ou non, nous obligent à conclure que Richler ne peut être considéré, *dans l'état actuel des choses*, c'est-à-dire de l'institution, comme un écrivain québécois. Du reste, sa présence parmi les écrivains canadiens de langue anglaise a aussi quelque chose de particulier du point de vue référentiel et institutionnel, dans la mesure où le public de Richler, la *scène symbolique* où il évolue, ne sont pas tout à fait les mêmes que ceux de Robertson Davies, de Hugh MacLennan ou de Margaret Atwood. Cela dit, rien n'est définitif dans ce domaine et il se pourrait que des colloques soient organisés dans un avenir proche, qui aurait justement pour but d'intégrer Richler à la référence canadienne, voire québécoise.

Lundi

La tradition vit dans le commentaire critique ou interprétatif et, jusqu'à un certain point, dans la parole commune, dans un certain rapport que l'individu moyen entretient à l'égard de l'art et de l'intellect. La

---

15. « Mordecai Richler, un témoin honnête de notre temps », *L'Impossible*, n° 1, septembre 1992, p. 89.

tradition, pour un écrivain, est étroitement liée à son environnement, à ce qui permet à sa parole de résonner : une chambre d'écho, en quelque sorte. La tradition se cristallise aussi dans le monument – je ne pense pas ici aux statues mais aux monuments que l'on peut habiter, où l'on peut circuler –, on sait le rôle qu'ont pu tenir les cathédrales de France dans l'édification du projet proustien. J'ai l'impression qu'une partie de la mélancolie des Québécois cultivés vient du fait que leurs ancêtres ont laissé peu de monuments. On pourrait en dire autant des Amérindiens qui, eux, par ailleurs, peuvent se référer à un ensemble de traditions millénaires les distinguant absolument des peuples européens – ce qui est loin de régler leur problème, comme on le sait, ces rituels étant devenus en grande partie impraticables au sein du monde moderne. Privée de monuments, la mémoire historique des Québécois est fortement associée à des types d'hommes et de femmes dont les récits ont conservé la mémoire, à leur mode de vie pratiquement disparu avec eux. La tradition québécoise du roman historique repose sur cette nostalgie persistante d'un moment d'harmonie du sujet avec son environnement, moment avant la débandade où la force, la vertu et la volonté agissaient dans le travail de fondation d'un univers habitable (je pense aux récits de Léo-Paul Desrosiers et de Louis Caron). C'est dans cette atmosphère d'intense mélancolie que baigne aussi le film de Pierre Perreault *Pour la suite du monde*. Il reste que ce film est là et qu'il transmet un peu de la beauté et de la singularité de ces personnages désormais disparus de notre paysage social. Il rappelle que le fleuve, ce fluide et imprenable monument, fut déjà *fréquenté et humanisé*. La mélancolie peut se transformer en jubilation si nous considérons ces personnages d'un autre regard que celui de la perte. Le film est là, toute une littérature existe, de même qu'une histoire fort bien documentée. Si nous avons des monuments, ils sont là.

Mardi

Un jour, Jacques Ferron s'est rendu compte qu'essayer d'écrire comme Paul Valéry était parfaitement ridicule et stérile, qu'admiré ou non, ce poète ne pouvait rien pour lui. Naître comme écrivain, c'était en quelque sorte tourner le dos à Valéry, lui préférer des monographies de villages et d'obscures chroniques laissées par des religieuses du Québec. Voilà le jeu de la tradition et cette « préférence » ne tient en rien du jugement esthétique : Valéry, aux yeux de Ferron, est demeuré un « grand poète » et peut-être lui en est-il resté quelque chose d'impalpable (une structure rythmique, un trait, le goût de l'ellipse et de l'allégorie). Dans *La Charrette*, le narrateur observe qu'il n'y a personne avec qui *parler de* Valéry. Se profile donc la perspective du rapport de la communauté au fait littéraire : la valeur n'existe pas en soi, elle demeure liée aux impératifs de l'univers social, de son développement historique. La tradition acquiert de l'importance pour un écrivain à partir du moment où il pense sa propre situation dans le monde, ce qui veut dire : d'où il vient, à qui il s'adresse, l'état de la langue orale et littéraire de cette communauté. Inventer une littérature à partir de la non-littérature fut le grand défi des écrivains québécois des années soixante. Mettre en jeu la parole humble, rappeler l'oublié de l'histoire. L'insistance de Ferron sur l'origine des protagonistes de la culture me paraît liée à cette exigence : d'accord, tu peux me citer les auteurs que tu admires, mais qui es-tu, toi, au moment même où tu les donnes en exemple ? Que réussis-tu à faire dans le concret de ta situation ?

Mercredi

Les critiques et les journalistes se laissent abuser par l'ostensible *métissage* et ne perçoivent pas comment l'Autre se manifeste au sein même de la tradition. Je m'interroge : comment se fait-il que dans tous ces discours promotionnels sur l'interculturel, les transferts, l'éclatement du sujet, le métissage, l'hybridation, *name it*, on n'ait jamais eu un mot pour les romans d'Anne Élaine Cliche ? *La Pisseuse*[16], *La Sainte Famille*[17], *Rien et autres souvenirs*[18] sont parmi les dix meilleurs romans produits au Québec depuis vingt ans. Des romans qui conjuguent la mémoire québécoise aux signifiants hébraïques, romans doublés d'un splendide essai, *Dire le livre*[19], dont la profondeur n'a été reconnue publiquement que par le seul Serge Ouaknine – Dieu soit avec lui ! Curieux, n'est-ce pas, toute cette agitation autour d'auteurs de second ordre et ce silence sur une œuvre qui accomplit un saut hors du rang des bavards médiatisés. Il y a des réponses à cela : ces livres échappent aux

---

16. Anne Élaine Cliche, *La Pisseuse*, Montréal, Triptyque, 1992, 243 p.
17. Anne Élaine Cliche, *La Sainte Famille*, Montréal, Triptyque, 1994, 244 p.
18. Anne Élaine Cliche, *Rien et autres souvenirs*, Montréal, XYZ Éditeur, coll. « Romanichels », 1998, 324 p.
19. Anne Élaine Cliche, *Dire le livre. Portraits de l'écrivain en prophète, talmudiste, évangéliste et saint*, Montréal, XYZ Éditeur, coll. « Théorie littéraire », 1998, 244 p.

catégories qu'affectionnent les critiques, le dialogue interculturel y est omniprésent mais sur un mode qui déconcerte la vision raciale-folklorisante et sociologique de premier niveau à partir de laquelle la grande majorité des critiques – incluant les universitaires – réussissent à lire les livres.

« Tous mes vœux d'anniversaires se résument à bien peu de chose : que ma joie t'arrive. » « Je prie. Que la nuit du monde soit un poisson. » « Et je vois ta belle tête trépanée, emballée dans la robe, intacte, où rien ne s'est perdu, rien n'a fui. C'est fini. Ça ne fait rien. » Trois excipits en forme de don : amour intact dans la déraison du monde. Et peut-être aussi quelque chose que l'on pourrait nommer – en risquant le malentendu – la foi.

Bien qu'elle soit ma collègue, les livres d'Anne Élaine Cliche me transportent en un lieu qui n'a plus rien à voir avec les corridors de l'UQAM et la vie universitaire, ils me lacèrent personnellement comme seul l'Autre peut le faire. Entre ces livres et moi il n'y a rien de spéculaire, je ne m'y reconnais que transfiguré, relu, revisité, curieusement rendu étranger à moi-même. Et pourtant, des noms circulent en ces pages que je reconnais – Aquin, Beaulieu, Saint-Denys Garneau, les martyrs canadiens –, rejoués sur d'autres scènes, plus intimes et troublantes, que celles disposées par l'esprit national, curieusement accouplés à Beckett, Sade, Kafka. Ces livres redécouvrent et réinterprètent le catholicisme refoulé de l'histoire québécoise et, derrière lui, la doublement refoulée tradition judaïque que l'auteure, dans un geste hérétique, fait sienne. Mais tout cela n'est certes pas vendeur, tout cela laisse bouche bée les journalistes à l'affût de « nouvelles tendances ». Quant aux universitaires, ils cherchent trop eux-mêmes à se vendre auprès des organismes subventionnaires pour s'intéresser à un discours qui ferait voler en éclats leurs catégories.

Mais stop ! Aucune révolte ici, fi du ressentiment. Je te salue, ô minorité invisible !

Vendredi

Je n'ai pas de définition essentielle à donner du Québécois ou de sa culture. Par contre, je sais quels types de problèmes existentiels et formels se sont posés au *Québécois cultivé* à partir du moment où s'est manifesté en lui le désir de faire une œuvre de culture qui fut authentique. Et il me semble que les choses deviennent beaucoup plus claires lorsqu'on les aborde de cet angle particularisant. Car l'on s'égare toujours à vouloir rendre compte du Québécois « en général ». Au cours de l'histoire du Québec, quelque chose a achoppé dans le passage d'une société traditionnelle à une société bourgeoise. Quelque chose a achoppé en grande partie parce que le fond traditionnel s'est trouvé assez tôt dévalué par l'urgence de participer à la modernité. Rendue exsangue et folklorisée avant terme, la tradition populaire n'a pas offert à la culture bourgeoise un terreau suffisamment riche pour la nourrir.

Le plus grand traumatisme vécu par les intellectuels et écrivains québécois nationalistes n'est pas tant l'hostilité du reste du Canada ou des anglophones du Québec à la culture dont ils revendiquaient la « globalité » (Aquin), que le sentiment d'une césure profonde entre leur idée de culture et ce que désire une grande partie de la population francophone. Le constat, finalement, qu'un fossé énorme sépare le peuple québécois de ses intellectuels et écrivains. Cette proposition n'a rien de bien original, j'en conviens. J'y vois tout de même une sorte de nœud qui ne cesse de me préoccuper.

Samedi

On insiste beaucoup sur la notion d'identité. N'est-ce pas s'égarer ? S'enfoncer dans quelque chose de foncièrement indéfinissable ? L'identité individuelle est déjà assez difficile à cerner, alors l'identité collective… À mes yeux, il vaut mieux discuter à partir de notions contingentes mais plus labiles et moins suspectes d'essentialisme : la Référence, la provenance, la participation, la responsabilité, l'interpellation, la filiation, etc. Ferron : « L'important n'est pas de savoir qui je suis, mais d'apprendre dans quelle saumure je marine[20] ». «Apprentissage », c'est-à-dire travail, exercice du temps. Et l'objet de cet apprentissage n'est pas soi mais l'environnement, ce qui nous contraint à une certaine forme, ce qui nous imprègne à notre corps défendant, par exemple cette histoire d'où a surgi notre nom, là où nous avons été jetés dans le monde, tout ce qui se dit autour de nous à quoi nous sommes tenus de répondre, etc. Ferron est assez proche de Gombrowicz qui écrivait : « Le chemin qui mène à moi passe par les autres[21]. » Et aussi : « Je ne sais pas qui je suis, mais je souffre quand on me déforme, voilà tout[22]. » L'erreur que l'on commet la plupart du temps consiste à réagir à

20. Jacques Ferron, *Du fond de mon arrière-cuisine*, Montréal, Éditions du Jour, 1973, p. 186.
21. Witold Gombrowicz, *Journal*, tome 1, *op. cit.*, p. 103.
22. Witold Gombrowicz, *Varia I*, Paris, Christian Bourgois, 1995, p. 192.

l'offense en y opposant une pleine identité. On exige alors de l'adversaire qu'il la reconnaisse et qu'il cesse de raconter de mauvaises choses à notre sujet. Dans ces circonstances, il ne faut pas définir son identité et l'affirmer car ce geste même trahit notre immaturité, nous rend encore plus vulnérables. Dès qu'on s'attache à un socle, on devient vulnérable. Il faut au contraire faire en sorte que les coups de l'autre tombent dans le vide : là où il pensait nous trouver, il n'y a rien ! Non pas s'affirmer mais décomposer la prétention de l'adversaire à nous nommer. J'aimerais que Falardeau révise son art de la guerre, qu'il lise Ferron et Gombrowicz plutôt que le manifeste du FLQ.

On dit souvent que les Québécois ont un problème identitaire. Je crois plutôt qu'ils ont un problème de reconnaissance, d'estime de soi. Raphaël Draï, rencontré dans un colloque : « Je suis allé une fois à Montréal. Les Québécois m'ont paru avoir besoin d'être aimés... » Ce qui est une faiblesse, ai-je cru comprendre entre les phonèmes. Nombre de réactions défensives, de « sursauts identitaires », nombre de conneries aussi partent de ce besoin, de cette demande. Une méchanceté assumée est quelque chose de très rare ici. Nous ne connaissons, en fait, que deux formes de méchancetés : la hautaine, cette méchanceté élitiste et arrogante (celle que pratiquait un Victor Barbeau) ; la jappeuse, l'endolorie, la victimaire (Falardeau). Je songe à ce que serait une *pure méchanceté*, une méchanceté solitaire, sans attaches.

Samedi soir

J'entends le désir qui s'énonce ainsi : « Longtemps dominés et infériorisés, longtemps méprisés et jugés quantité négligeable, nous voulons enfin entretenir avec nous-mêmes, avec nos origines, avec notre identité, un rapport positif. Nous souhaitons nous reconnaître dans une culture qui nous ferait garder la tête haute, que nous ne craindrions pas de revendiquer devant l'étranger. Être fiers de nous déclarer "écrivain québécois" au même titre qu'un écrivain français est fier d'appartenir à cette illustre tradition, etc. etc. »

Dois-je donner crédit à ce discours qui parle en moi depuis des temps immémoriaux ? Je dis : non. Parce qu'un écrivain français qui se montrerait fier d'appartenir à cette illustre tradition ne serait en réalité à mes yeux qu'un niais. Vouloir imiter un niais ? Désirer me montrer *satisfait* de ma culture ? Me sentir puissant parce qu'elle est puissante ? Tirer ma gloire des efforts de ceux qui m'ont précédé ? Nenni ! Cette attente des conditions idéales est l'attitude la plus faible qui soit. Ne savez-vous donc pas que la gloire et la puissance d'une nation s'obtiennent par le meurtre et le pillage ? Ne savez-vous pas que tous ceux qui font la grandeur de la culture française ont passé leur temps à déplorer la bêtise de leurs compatriotes ? Et vous, vous espérez être « fiers » ? Et si vous l'espérez tant, c'est donc que vous ne l'êtes pas tout à fait. Que vous faut-il pour l'être ? Que les autres, ceux qui comptent, vous regardent avec admiration. Sérieusement, croyez-vous vraiment être séduisants à attendre ainsi que le bon maître vous fasse une flatterie ?

«Ce Québec des nationalistes, je le sens comme une chose qui veut mais ne peut pas *être*… qui veut mais qui n'arrive pas à s'exprimer… Cauchemar affreux ! Que d'insatisfaction autour de moi ! Et pourtant le matériel humain n'est pas mauvais, et nullement inférieur à n'importe quel autre ! Et pourtant, tous ces gens ont l'air d'être doués, encore que plantés en pleine pagaille, entravés par quelque chose d'impersonnel, de supérieur, d'*interhumain*, de collectif – et qui prend source dans leur propre milieu. Semblent sortir d'un songe, la pensée québécoise, la mythologie québécoise, la mentalité québécoise, toute cette "québécitude" mal dégrossie, mal équarrie, jamais efficace, « québécitude » qui, de sa vapeur subtile, imprègne l'héritage même qui nous détermine... Combien de nos écrivains se sont perçus comme transitoires, premières pierres d'un édifice dont la construction serait poursuivie par les descendants ? Mais un écrivain peut-il se contenter de boucher provisoirement les trous, de combler les lacunes, d'occuper temporairement et gauchement un espace avec l'unique souhait que la grandeur naîtra de ce cafouillage, que le Verbe québécois – enfin souverain – germera telle une graine dans des centaines d'années ?[23] »

Nuit de samedi à dimanche

Résumé très brièvement, le grand rêve n'est-il pas qu'on puisse dire un jour d'un écrivain québécois mondialement reconnu : « Ah ! votre Écrivain, seul le Québec pouvait en produire un semblable ! » Comme on dit : seule la France pouvait produire un Proust.

Ce à quoi il faut ajouter ces mots de Baudelaire : « Les nations n'ont de grands hommes que malgré elles, – comme les familles. Elles font tous leurs efforts pour n'en pas avoir. Et ainsi, le grand homme a besoin, pour exister, de posséder une force d'attaque plus grande que

23. Passage librement adapté de Witold Gombrowicz, *Journal*, tome 1, *op. cit.*, p. 357-358.

la force de résistance développée par des millions d'individus[24] ».

Lundi

Le récit canadien. L'impression de fausseté kitsch que procure la série télévisée *Le Canada : une histoire populaire*. Il est plutôt hasardeux de raconter en un point de vue unique l'histoire des Amérindiens, des colons français et britanniques (incluant les Irlandais et les Écossais), puis des immigrants qui ont achevé de peupler ce pays. J'ai ressenti la même impression à Halifax lorsque je visitais le musée de la citadelle. Sur le ton habituel de la fierté nationale, on y raconte comment se sont opérés le peuplement et le développement de ce territoire, le refoulement progressif des Français et des Micmacs qui, avant l'arrivée des Anglais, vivaient en harmonie. Je ne suis guère porté sur la dénonciation de torts perpétrés depuis plus de deux cents ans et jamais je n'aurais songé m'en prendre à ce sympathique militaire qui surveillait le musée et répondait à mes questions. Il baignait dans le récit de ses origines et il s'en montrait très fier. J'ai pu contempler un court instant le bien-être existentiel de qui se sent indubitablement fils de vainqueurs et propriétaire légitime des lieux qu'il habite. Et je me suis demandé en m'éloignant comment ce *compatriote* pourrait éventuellement partager avec moi un même récit national, à supposer qu'un tel récit soit chose souhaitable (ce que semblent croire

---

24. Charles Baudelaire, « Mon cœur mis à nu », fragment 7, dans *Œuvres complètes*, Paris, Seuil, coll. « L'Intégrale », 1968, p. 625.

les concepteurs de la série mentionnée ci-haut). Mais un récit peut s'élaborer, peut-être, à partir d'un projet commun et non en référence à un passé. Traditionnellement, le récit met en scène un héros qui concentre en lui plusieurs traits référentiels d'une communauté, traits alimentés par un système de valeurs largement partagé. Je ne vois pas pour l'instant comment pourrait se dégager de l'histoire du pays un *sujet canadien* qui permettrait aux citoyens de toutes les provinces de s'y reconnaître, ne serait-ce que minimalement. Cela ne me semble pas possible, même si le sujet en question est le Canada lui-même comme idée-force en devenir. Par contre, le sujet québécois, lui, me paraît envisageable, même dans l'optique d'une participation à sa définition de *toutes* les communautés. Cette histoire, je la voudrais sans idéalisation (cet œcuménisme sentimental que nous sert la série sur le Canada). Que des récits racontant des manières d'habiter l'espace, de se l'approprier, de le nommer. La *cruauté* de l'histoire serait au premier plan : le choc des ambitions contraires, les contradictions des protagonistes, la bêtise alliée à la bravoure, l'intelligence donnant la main à l'opportunisme. Ce serait aussi l'histoire des amitiés et des inimitiés, des alliances et des ruptures, des identifications et des contre-identifications. Le narrateur ? Qui serait le narrateur et quel serait son point de vue ? Souverain ? Aliéné ? Engagé ? Déchiré ? Rassembleur ? Philosophe ? Bouddhiste ? Catholique ? Hébraïque ?

Lundi soir

Une autre idée jaillit en moi, inédite : une histoire sexuelle du Québec. Non pas une histoire de la sexualité, mais une histoire envisagée du point de vue de l'Éros et du Thanatos. Textes littéraires à l'appui. Zones de jouissance et de frigidité. Structure du désir. Polarisations. Répressions. Perversions. Liens avec le pouvoir. Français et Amérindiens, Anglais et Canadiens, immigrants et Québécois... Une histoire physique, en somme, beaucoup plus stimulante que les propositions ratiocinantes de Jocelyn Létourneau ! Droit au cœur des choses ! Comme ça se dit, comment ça se raconte... Attraits et répulsions, manières d'habiter l'espace.

Mardi

Tout commencerait à Sainte-Agathe-des-Monts. Avec Gaston Miron, d'abord : « Je suis né à Sainte-Agathe-des-Monts, P.Q. Il y avait déjà un bon nombre de résidents anglophones à l'année longue. L'hiver, j'avais l'impression d'être relativement chez nous. Mais l'été, la densité démographique des anglophones augmentait dans la proportion de trois à un, ils se rendaient maîtres de la place et des environs. D'inévitables heurts survenaient, qui n'allaient pas jusqu'à l'affrontement, en vertu d'un obscur sentiment d'inégalité ; je les subissais plutôt, parfois avec une rage rentrée ou avec ambivalence pour ces gens si sûrs d'eux, de leur expression, de leurs biens et argents. Mais de façon générale, fidèle en cela aux attitudes et comportements que le groupe m'inculquait, je m'arrangeais pour écarter tout incident désagréable avec les anglophones. Il fallait se montrer empressé, respectueux, poli, ne pas leur déplaire, car ils représentaient une mine d'or comme clientèle et employeurs. Aussi, j'évitais le plus possible les lieux de leur présence. Ils m'étaient un autre monde, c'était le dehors. Intérieurement, je percevais ce dehors comme hostile et agressant. Je n'étais à l'aise que dans l'entourage immédiat de *la famille*, de *l'école*, de *l'église*, dans l'aire du groupe, quoi ! ces lieux du repli culturel, du dedans, et qui correspondent aux trois seuls pouvoirs que le Québec possède en entier (de plus en plus envahis), les autres étant mixtes ou relevant du pouvoir fédéral central[25]. »

Ensuite, il y aurait Mordecai Richler : « Mes parents ont divorcé en 1944, et après la guerre, ma mère contrainte de subvenir à ses propres besoins géra une série de petites maisons de pension d'été à Sainte-Agathe-des-Monts. [...] Le romancier québécois Harry Bernard [Richler semble ignorer que Bernard est né à Londres et qu'il a fait ses études primaires en France et aux États-Unis] déplore cette dernière vague d'immigration juive dans son roman intitulé *Dolorès* : "[...] Que dirait le curé Labelle, le bon gros curé Labelle, devant ces tranformations de son empire du Nord ?" [...] Je puis fort bien imaginer ce que le curé Labelle aurait pensé, parce que dans les années d'après-guerre, Sainte-Agathe était devenue un authentique paradis juif. Un Catskills en miniature. [...] Le samedi, en juillet, la rue Principale et la rue Tour du Lac se gonflaient de familles juives bruyantes qui paradaient, vêtues de leurs plus beaux atours, faisant résonner les avertisseurs de leurs Buicks neuves, faisant la queue devant le délicatessen local pour un sandwich au bœuf mariné sur pain de seigle. À l'époque, je trouvais surprenant que les Canadiens français et les Juifs ne

25. Gaston Miron, « Le bilingue de naissance », dans *L'Homme rapaillé*, Montréal, l'Hexagone, coll. « Typo », 1993, p. 219-220.

s'accordent pas mieux que cela. Nous avions certes beaucoup en commun. L'amour de la vie. L'amour de la parure. La crainte de voir disparaître la *name-loshn*, le français ou le yiddish, et la conviction intime que seule notre société était authentiquement distincte. Malheureusement, l'hostilité demeurait la règle[26]. » Richler évoque ensuite le cas de deux hôtels, l'un canadien-français, l'autre WASP, qui refusaient l'entrée à la clientèle juive. Et il conclut : « Après coup, il est maintenant évident pour moi que Sainte-Agathe-des-Monts, comme Oxford, était autrefois la championne des causes perdues et, en outre, ce qui est arrivé là-bas vers la fin des années 40 est une métaphore du problème canadien d'aujourd'hui » (p. 121).

Destins qui se croisent et ne se rencontrent pas, chacun suivant la voie réservée à son groupe social : « Duddy contemplait, pour la première fois, la partie de Sainte-Agathe où vivaient les Canadiens français moins fortunés, où jamais estivants ni touristes ne mettaient les pieds. Des maisons non peintes, délavées par la pluie et le vent. Des coqs qui chantaient dans des arrière-cours jonchées de débris, de pathétiques carrés de légumes »[27]. Richler manifeste à quelques reprises des regrets devant le malentendu qui a éloigné les Juifs comme lui des Canadiens français, là où une solidarité eût été possible : « Il est facile de comprendre, rétrospectivement, que la source réelle des difficultés, c'était le manque de dialogue entre nous et les Canadiens

---

26. Mordecai Richler, *Oh ! Canada ! Oh ! Québec ! Requiem pour un pays divisé*, Montréal, Éditions Balzac, 1992, p. 119-120.
27. Mordecai Richler, *L'Apprentissage de Duddy Kravitz*, Montréal, Bibliothèque québécoise, 1998, p. 148.

français. Nous nous repoussions des coudes ; c'était à qui gagnerait d'être accepté par les WASPS. Aux préjugés des Canadiens français, nous opposions nos propres préjugés. Si nombre d'entre eux étaient persuadés que les Juifs de la rue Saint-Urbain étaient secrètement riches, eh bien ! le Canadien français typique était pour moi mâcheur de gomme et faible d'esprit[28]. » Suit un portrait en pied de toutes les tares attribuées à ce Canadien français typique. Le jeune Miron entrait-il dans cette catégorie ? On pourra rire de tout cela bien sûr, car le propos de Richler n'est pas méchant – ne qualifie-t-il pas cette perception de « préjugé » ? Toutefois, il faut bien voir que la réciprocité de ces préjugés n'est pas en tous points symétrique : considérer l'autre « secrètement riche » est une manière de lui accorder d'emblée du pouvoir alors que le considérer « mâcheur de gomme et faible d'esprit », c'est tout simplement le mépriser. Je ne peux m'empêcher de me demander : mais comment le Canadien français de l'époque pouvait-il raisonnablement réagir à ce regard qu'on portait sur lui ?

Miron est né en 1928, Richler en 1931, on peut donc les imaginer tous deux, au même moment, dans les rues de Sainte-Agathe, pas encore devenus eux-mêmes et s'ignorant. Mais on n'en a pas fini avec ce village car un écrivain naissant, Jacques Ferron, se retrouvera lui aussi non loin de là, en 1949, au sanatorium des Anglais, le Royal Edward Laurentian Hospital. Sainte-Agathe devient le lieu d'une sorte de révélation proustienne qu'il a transposée dans *Les*

---

28. Mordecai Richler, *Rue St-Urbain*, Montréal, Bibliothèque québécoise, 2002, p. 81.

Confitures de coings : « Sainte-Agathe n'est pas seulement ce que j'en aperçois d'ici, un petit hameau, une scierie qui chôme parce que c'est dimanche et la gare où je suis descendu naguère pour monter directement au sanatorium comme si j'avais été pressé de mourir.// Voici de quoi je pars pour penser ainsi : l'angélus tout à l'heure m'a intrigué ; je n'en connais pas les clochers et pourtant le son des cloches, qui a ébranlé l'air et brisé les simulacres, m'a révélé qu'ils existent, réalité derrière la réalité. [...] Si mon euphorie ne dura guère, suivie d'une aggravation de maladie, elle laissa en moi le germe de la santé : je ne pouvais plus mourir. Aujourd'hui j'en ai la certitude, mais alors, quelle que fût mon exaltation, je ne savais pas trop ce qui m'arrivait. Tout au plus avais-je comme une appréhension du plaisir que j'éprouverai l'été suivant, quand je découvrirai, toute voisine de la première, une autre vallée de plaisance avec lac et villas, et, à la rencontre de ces deux vallées confluentes, la petite ville de Sainte-Agathe, d'autant plus belle que je l'avais devinée et qu'elle était ainsi, en quelque sorte, ma création.// Je rejoignis mon lit. Dans mon journal je notai en gros caractères, comme au début d'une ère nouvelle – tout ce qui précédait me sembla d'un autre auteur, d'un petit garçon sans personnalité, d'un anonyme –, je notai : LA VIE EST UNE FOI, SAINTE-AGATHE EXISTE. LA RÉALITÉ SE DISSIMULE DERRIÈRE LA RÉALITÉ. Et je signai : François Ménard[29]. »

Voilà comment on devient un écrivain québécois et voilà ce que pourraient être les premières phrases d'une histoire croisée *des* littératures du Québec.

---

29. Jacques Ferron, *Les Confitures de coings*, *op. cit.*, p. 49-50.

Vendredi

Dans *La Québécoite*, Régine Robin dresse une liste d'épicerie de ce qui fait son affaire dans l'histoire du Québec. Cette généalogie assez puérile – il suffit d'aligner tout ce qui peut correspondre aux positions prévisibles d'une gauche bien pensante – est très peu dialectique et a pour résultat de transformer la culture en marché d'alimentation. (Je suppose que c'était aussi une manière pour Robin, dans un livre qui manifeste si peu de sympathie pour la culture québécoise, de montrer que, *malgré tout*, elle est capable d'y percevoir du bon.) La pensée de la filiation de Ferron me paraît plus subtilement échapper au ton professoral et aux idées abstraites (j'ai toujours détesté les romans construits à partir de concepts et qu'on n'arrive à légitimer qu'en ayant recours à ces concepts).

Il n'est certes pas facile de renouveler le discours sur le Québec. Dans un article paru en 1996, Régine Robin se plaint de l'absence, chez les intellectuels québécois, d'une « pensée alternative » et jette le blâme sur le « nationalisme qui rend le discours public et particulièrement la scène intellectuelle monochrome, monosémique, répétitive[30] ». Malheureusement, ce n'est pas, comme elle le fait dans le même texte, en critiquant « l'indigence de la pensée » et la pauvre qualité du français d'ici que l'on ouvre de nouveaux horizons intellectuels. Cela, les intellectuels québécois

---

30. Régine Robin, « Vieux schnock humaniste cultivé et de gauche cherche coin de terre pour continuer à penser. Nationalistes s'abstenir. Répondre au journal *Spirale*. Discrétion non assurée », *Spirale*, septembre-octobre 1996, p. 4.

le crient depuis cent cinquante ans et plus. Régine Robin sait-elle à quel point elle trempe dans la saumure québécoise.

Dans *La Québécoite*, Robin donne l'impression qu'elle est arrivée au Québec autour de 1953, avant *Parti pris*, avant Aquin, Miron, Vallières, Ferron : « Elle préférerait les amitiés Québec-Cuba à la Société Saint-Jean-Baptiste, Fidel Castro à Duplessis, Guevarra à Lionel Groulx et Rosa Luxembourg à Marguerite Bourgeois – chacun ses mythes, ses symboles, ses signes[31]. » Il fallait écrire : chacun son aveuglement !

Régine Robin invente un discours national hégémonique qui couvrirait l'ensemble du Québec pour se donner le beau rôle de dissidente, d'être à part : « Je suis autre. Je n'appartiens pas à ce Nous si fréquemment utilisé ici[32]. » Je ne la crois pas lorsqu'elle se dit extérieure à toute communauté, « transversale », dans l'« entre-deux ». La notion de « littérature immigrante » qu'elle promeut dans *La Québécoite* et ailleurs est un point de ralliement qui a fait des adeptes, autour duquel s'est formé un « Nous les métèques » en compétition avec le « Nous » des Québécois soi-disant sédentaires et « identitaires ». Naguère, l'écrivain dit « migrant » (qui, en règle générale, recherche ici un peu plus de stabilité et d'aisance matérielle qu'il n'en avait dans son pays d'origine) s'« enquébécquoisait » ou se « canadanglicisait » ; aujourd'hui, il se trouve parqué dans une catégorie qui le met en conflit ou en compétition avec les écrivains de son nouveau pays. Est-ce bien mieux ?

---

31. Régine Robin, *La Québécoite*, Montréal, Québec Amérique, 1983, p. 139.
32. *Ibid.*, p. 24.

Samedi

Vous me jugez sévère ? Après le traitement que j'ai fait subir à Groulx, et même à Ferron, je serais tout miel devant Régine Robin ? Je dirais oui-oui à toutes ses lubies ? Je sentirais donc menacée ma culture d'appartenance devant cette messagère des « nouvelles identités hybrides et dérangeantes » ? Je me suis posé sérieusement la question et j'en ai conclu que ce n'était pas de la peur mais quelque chose comme de l'agacement. En un sens, ce n'est pas si mauvais d'être agacé, cela vous tient en éveil, vous force à sortir hors de vous-mêmes, hors de vos évidences. Et je suis prêt à reconnaître au moins un mérite à *La Québécoite*, c'est d'avoir joué ce rôle-là, d'avoir eu cette force d'impact, d'avoir entraîné l'intellectuel québécois du côté d'une révision de ses assises imaginaires. Ainsi, le « Je suis autre » de Robin, son refus d'adhérer, peut avoir du bon : cela nous oblige à considérer d'autres manières d'être que celles léguées par la tradition, à parcourir d'autres réseaux, à moins se laisser couler dans la complaisance. Par contre, l'espèce de dénigrement à l'égard de la culture québécoise qui se dégage de son livre comporte aussi un effet pervers, lié à un vieux et solide complexe des Québécois en ce qui concerne leur valeur : on risque ainsi de tomber dans une dualité polémique (écrivains québécois contre « les autres ») qui a pour première conséquence de mettre en opposition de pures idéalités et de perdre ainsi de vue la diversité et la complexité en jeu de chaque côté de la barrière. Car, notons-le bien, ce ne sont pas tant les *œuvres* d'écrivains immigrants qui font naître des résistances chez quelques intellectuels québécois, mais bien le *discours critique* qui valorise ce phénomène. Pour ma part, l'autre irritant majeur que j'y vois est que je n'arrive plus à nommer ma communauté d'appartenance, refusant de me décrire comme un « de souche ». Autre effet pervers créé par cet espace polémique : la culture « québécoise » y devient un bloc monolithique où sont gommées toutes les différences entre Gilles Vigneault, Robert Lepage et Pierre Falardeau.

À la limite, je peux considérer ces petits agacements comme des vétilles. Il faut savoir dépasser cela, me dis-je, se comporter avec style et non comme des névrosés en manque de reconnaissance. Ainsi, au delà de ça et comme j'aspire à une certaine cohérence, j'estime que je suis en droit de soumettre les textes d'immigrants aux mêmes exigences que je manifeste devant les textes d'écrivains originaires du Québec. Dans ce livre, j'ai tenté de définir ma posture à l'égard de la culture que j'ai reçue en héritage (dans laquelle, en tout cas, je *reconnais* un héritage). Si j'ai demandé à cette culture qu'elle réponde à mon désir de grandeur, ne puis-je exiger la même choses des œuvres de nouveaux Québécois ? Ainsi, s'est-on déjà demandé (comme Gilles Marcotte le fait devant l'œuvre de Ferron) si *La Québécoite* est un texte « universel », «exportable », à la hauteur de ce qui se fait de mieux dans le monde ? Pas vraiment, à ce qui me semble. Ce texte a, jusqu'ici, été lu dans une perspective socio-idéologique, exactement comme la plupart des romans québécois qui mettent en scène le rapport du sujet à la collectivité. On ne lit pas ce livre parce qu'il nous plaît mais parce qu'on le trouve « intéressant » (comme disent les étudiants à la recherche d'un sujet pour leur mémoire de maîtrise) : il nous permet à peu de frais d'articuler un certain discours sur la société québécoise. Si je posais à Robin les mêmes questions que celles soumises à Ferron ou à Groulx, je dirais qu'elle met de l'avant elle aussi ses propres origines et je ne suis pas sûr qu'elle sache en faire le deuil. Je dirais également qu'elle n'arrive pas vraiment à se dégager du discours programmatique pour entrer dans la logique de la fiction, que la fiction se limite chez elle à un usage convenu du conditionnel, qu'on est en présence d'un bavardage intérieur fondé sur la représentation de soi dans le monde. Je dirais par ailleurs que l'entre-deux n'est tout au plus qu'une pétition de principe chez Robin, une sorte de caution théorique pour aguicher les universitaires, qu'en réalité la narratrice ne se quitte jamais elle-même, ne se met pas en situation de péril, n'est pas assez amoureuse de ce qui la déchire pour que l'entre-deux impose son essence tragique. « Et puis à Montréal, on serait bien justement parce qu'on ne serait pas tout à fait "chez soi", un tiers-lieu, un hors-lieu, un espace pour pouvoir respirer sans se sentir totalement concerné, un dedans-dehors. [...] Et c'est aussi pour ça qu'à Montréal le vrai travail d'écriture pourrait se faire, la parole nomade, la parole migrante, celle de l'entre-deux, celle de nulle part, celle d'ailleurs ou d'à côté, celle de pas tout à fait là[33] ». Je suis partout... Je suis autre... Vous m'excuserez mais j'appelle ça du bavardage inconséquent, de la bouillie pour les chats ! En réalité, la narratrice robinienne (?) reste dans la bulle de son discours qui fait du surplace, ne s'expose jamais au regard de l'autre, n'entre pas vraiment en dialogue avec lui. Le multiple et le déplacement, dans ses livres, ne sont aucunement la garantie du dialogisme, ils apparaissent plutôt sous forme de recensements, de listes, de collages dont l'étalage est certes ludique (« à la

33. Régine Robin, *L'Immense fatigue des pierres*, Montréal, XYZ Éditeur, 1996, p. 40-41.

Perec»), mais tout de même sans effet sur la parole d'une narratrice qui ne sort guère des sentiers tracés par et pour sa classe sociale.

Samedi soir

Le plus ironique dans tout cela est que je partage sans doute de plus nombreux intérêts avec Régine Robin qu'avec la grande majorité des Québécois qui habitent mon quartier de banlieue. Qu'est-ce à dire sinon que le « nous » est un concept très labile, que plusieurs « nous » transitent par un même individu. Nous, les Québécois, mais aussi : nous, les intellectuels, nous les gauchistes, nous les croyants, nous les jeunes, nous les femmes, nous les partisans des Canadiens, etc. etc. Tous ces « nous » forment des identités partielles auxquelles on s'identifie de manière variable selon les contextes. Les choses se corsent lorsque l'affiliation en question nous est accolée par quelqu'un d'autre à notre corps défendant. Ces attributions forment la trame de plusieurs malentendus idéologiques.

Dimanche

J'en ai quand même un peu marre qu'on ramène toujours le projet national à une obsession identitaire. Cela fausse complètement le sens des efforts fournis par les meilleurs esprits que le Québec a pu produire le long de son histoire. Chez un Ferron et chez de nombreux autres, de Laurendeau à Bourgault, la *responsabilité* prend le pas sur l'identité. Responsabilité devant le « sort de la culture », pour reprendre l'expression de Fernand Dumont. L'écrivain-intellectuel québécois auquel je pense s'est depuis toujours préoccupé de la dignité du peuple auquel il savait appartenir : dignité sociale, économique, culturelle. Cet écrivain-intellectuel s'est senti responsable de la misère existentielle, linguistique, économique d'une serveuse dans un restaurant minable de l'est de la ville (Miron). Aujourd'hui, il se sent responsable aussi devant les statistiques alarmantes sur le suicide des jeunes au Québec, il se préoccupe des régions qui agonisent, désertées, des forêts détruites, du fleuve et des rivières qui ne respirent plus la vie. Responsable aussi devant le gommage de la culture amérindienne (je pense à Serge Bouchard), ou devant la création de ghettos ethniques qui morcèlent Montréal sans qu'aucune culture particulière n'en tire vraiment profit. Ces préoccupations existent, cela ne fait aucun doute, dans la mesure où il a au préalable associé son destin à l'ensemble de ces phénomènes, dans la mesure où il les ressent dans sa chair. En tant qu'écrivain et intellectuel, il sait que les meilleures productions de son esprit ont besoin qu'un certain niveau culturel soit atteint pour obtenir du *répondant*. Il ne s'agit pas de rechercher l'uniformité, bien au contraire – rien n'est plus déprimant, lorsqu'on voyage à travers le Québec, de retrouver dans chaque ville le même carrefour avec les mêmes stations services et les mêmes chaînes de restauration rapide. Le « régionalisme » d'un Ferron aura été aussi cet amour de la diversité au sein d'un paradigme dont le caractère commun n'a rien d'autarcique – c'est tout « simplement » (?) le désir du pays, le désir d'une culture riche et vivante permettant des passages entre le particulier et l'universel.

L'écrivain qui vient d'immigrer au Québec, on le comprend, ne porte pas immédiatement le poids d'une telle responsabilité à l'égard de la tradition d'origine spécifiquement québécoise : souvent, il doit lutter pour sa survie, affronter l'opacité parfois hostile d'un milieu étranger, tout en étant pourchassé par ses propres origines. Il n'a pas forcément le goût d'embrasser au surplus les problèmes de ses hôtes. Dans le premier roman de Dany Laferrière, le narrateur s'envoie en l'air avec des filles de riches qui fréquentent les universités anglophones. Il a repéré avec un flair certain les lieux du pouvoir symbolique. Au contraire de plusieurs écrivains-intellectuels québécois, il ne lui viendrait pas à l'esprit de se préoccuper des habitants d'Hochelaga-Maisonneuve. Il tire sa jouissance du contact (plein de malentendus, cela va de soi) avec ce qui s'offre de plus radicalement différent de lui : la blanche WASP riche. Ce contact avec l'altérité radicale, notons-le, l'étanchéifie contre toute contamination, lui permet d'accentuer son identité, alors que la fréquentation d'une Blanche francophone de condition modeste l'eût introduit dans un procès d'identification beaucoup plus périlleux. On se tromperait si l'on interprétait ces quelques observations comme un reproche quelconque. J'essaie seulement de broder autour de ce qu'implique la notion de responsabilité et le fossé que cela peut créer entre l'écrivain québécois et l'écrivain migrant. Au passage, je me permets de remettre en question la conception superficielle que l'on se fait du jeu entre le Même et l'Autre.

Le fait de substituer la responsabilité à l'identité est une exigence que je soumets à l'ensemble des intellectuels du Québec, incluant les « migrants ». Je ne formule pas cette exigence au nom et au bénéfice de l'identité ou de l'histoire québécoise. C'est le souci d'un échange stimulant et constructif qui me motive. En idéologisant le métissage et l'hybridité, on reste prisonnier de la logique identitaire ethnique, ce qui empêche par exemple de penser le social en termes de classes, de conflits entre intérêts divergents selon la position que l'on occupe dans la société. L'*errance* est un concept attrayant pour un individu (écrivain ou intellectuel) mais cela ne vaut rien sur le plan de la pensée sociale. L'errance est un mode de vie qui ne sied qu'à une minorité et ce n'est pas là-dessus que peut se fonder une culture. Quand un immigrant a des enfants, se pose à lui l'impératif de l'enracinement et avec cela la responsabilité : comment vivre en harmonie avec les autres ? Comment procurer une éducation de qualité aux enfants ? Quelles valeurs leur transmettre ? Etc. Dans le contexte québécois, qu'on le veuille ou non, se pose la question : quelle langue privilégier ? Le choix de la langue, on ne le répétera jamais assez, implique bien davantage que l'apprentissage et l'usage de cette langue : cela entraîne le choix d'un réseau social et d'institutions spécifiques, l'inscription dans une culture et donc la relation avec les agents de cette culture. Pour un écrivain, le choix d'une langue détermine le choix d'un lectorat. On peut certes, en tant qu'individu, écrire tantôt en français, tantôt en anglais, voire en polonais ou en yiddish : cela vous inscrit à chaque fois dans un espace de dialogue différent. La valeur et le sens d'un même texte se transforment selon le contexte de sa réception même si le texte ne passe pas par la médiation d'une traduction. Ainsi, l'œuvre de Dany Laferrière n'a pas la même portée symbolique en Haïti et au Québec.

Lundi

Les concepts d'errance, de marge, d'entre-deux ne valent rien sur le plan non seulement social mais aussi institutionnel. Nuançons : ils permettent au critique de cerner la posture de rares écrivains irrécupérables, capables dans leurs déplacements de visiter le refoulé des communautés (sociales, intellectuelles ou autres). Toutefois, on ne pose pas assez la question : mais le critique et théoricien de ces notions, qui est-il et quelle place occupe-t-il ? N'est-il pas indécent qu'il asseoie tranquillement son autorité sur l'expérience risquée vécue par d'autres ? N'y a-t-il pas un paradoxe cuisant à légitimer socialement et institutionnellement de telles postures, alors qu'elles devraient plutôt avoir pour effet de crucifier le critique, de le pousser jusqu'à ses derniers retranchements ? Voilà pourquoi j'affirme qu'on ne fonde rien sur de telles notions. Les critiques universitaires qui s'en gargarisent me paraissent quelque peu imposteurs, des écrivains manqués qui veulent s'entourer d'une aura de souveraineté sans assumer la solitude que cela suppose. N'y a-t-il pas quelque chose d'indécent à magnifier l'errance et la marge alors que l'on reçoit son chèque de paye toutes les deux semaines ? Ce joli mensonge est en réalité un symptôme de notre époque où ceux qui occupent une position de pouvoir sont enclins à dénier et à camoufler la fonction normative associée à l'autorité sociale dont leur parole est dotée. En *autorisant* l'errance, vous n'aidez pas les écrivains, vous les jetez au contraire dans une double contrainte. Il n'y a d'errance et de marge possible que s'il existe par ailleurs un centre solidement implanté, un chez-soi, un port d'attache. Sans une norme clairement définie, les transgressions d'un écrivain n'ont plus aucun sens. C'est bien ce qui arrive aujourd'hui et c'est pourquoi, à défaut de transgresser, on se contente de théoriser notre désir de transgression. C'est ce qui s'appelle se laisser abuser par les concepts. Quand la marge est payante, méfions-nous. Il est immoral selon moi de demander aux écrivains migrants, *globalement*, d'assumer le rôle de porteurs d'altérité. Comme il y a un prix à payer pour vivre la marge, on ne peut l'exiger de personne, cela relève du choix personnel de tel ou tel écrivain. Gombrowicz peut se permettre d'écrire : « Je suis, seul. C'est pourquoi *je suis* davantage[34] », parce que cette solitude est un fait avéré et qu'il en a payé le prix. Et lorsque moi, le commentant, je mets en valeur une telle posture, je ne peux honnêtement m'en approprier la valeur performative. Cette phrase de Gombrowicz est pour moi une gifle morale, elle met à mal tout discours fondé sur un pouvoir délégué.

Mardi

La responsabilité comme impératif moral, j'admets que cela manque un peu de *sex appeal*. Il existe un lieu où l'écrivain cherche à satisfaire sa jouissance égocentrique, et c'est souvent là où il devient le plus précieux pour la communauté. S'attendait-on à cela de Ferron ? «On écrit à un niveau qui n'est pas sujet aux lois de la société pour la bonne raison qu'on écrit en dehors de toute société et qu'on sera lu par un solitaire de même acabit, non par un citoyen : par un complice. C'est pour lui seul qu'on écrit. On ne l'oblige à rien[35]. » Contra-

34. Witold Gombrowicz, *Journal*, tome 1, *op. cit.*, p. 455.
35. Jacques Ferron, *Du fond de mon arrière-cuisine*, *op. cit.*, p. 175.

diction ? Pas vraiment : c'est sur cette frontière précise que l'écrivain se détache de l'intellectuel et fait cavalier seul. Mais la complicité, où se joue-t-elle au juste ? Tel est le cœur du problème, il me semble. Le complice est-il un ami, un écho, une voix amplifiante ? La complicité entraîne-t-elle un discours sur l'objet artistique ou se limite-t-elle à une forme de reconnaissance tacite ? Au fond, la seule et unique responsabilité de l'écrivain serait de travailler à une mise en circulation de cette complicité, pour faire en sorte que le texte vive à travers le lecteur qui se l'approprie et le transforme. Le « nationalisme » de Ferron, je pense qu'il a pris racine dans ce désir d'assurer l'existence d'un espace où cette circulation deviendrait possible. Ce faisant, la solitude du passeur se transformait en pensée du social. La contradiction qui apparaît ici forme le motif agonique de l'œuvre de Ferron. Responsable, Ferron l'a été jusqu'à mettre en péril sa propre écriture. C'est du moins ce que racontent *L'exécution de Maski* et l'histoire de *Rosaire*. Ce dernier livre fait état d'une écriture qui n'arrive pas à créer les conditions nécessaires à une complicité active. Le narrateur prend en main le destin d'un pauvre diable, Rosaire, que toute la société s'emploie à mettre au ban, le taxant de folie. Le narrateur combat ce diagnostic en soutenant l'hypothèse que la folie de Rosaire est le résultat d'une conjoncture socio-historique le privant du travail qui assurait sa dignité. L'action du narrateur s'avère un échec – Rosaire reste aussi sot qu'il l'était au départ – et il conclut son récit sur ces mots : « Alors, vous avez perdu patience et les avez envoyés à tous les diables, sa femme, une maudite folle, et lui, un maudit fou ! Depuis, vous n'avez jamais plus entendu parler de Rosaire Gélineau. L'eût-on fait que vous vous seriez bouché les oreilles. Et vous ne savez pas encore, même aujourd'hui, ce que vous avez fait de mieux, soit de lui avoir été utile, soit de l'avoir affranchi de toute dette envers vous en le traitant ainsi, de maudit fou »[36]. Je suis porté à interpréter le personnage de Rosaire – et de tous ceux qui contribuent à sa misère existentielle – comme la symbolisation du rapport de Ferron au peuple québécois.

Mercredi

Pierre Falardeau manque considérablement de jugement lorsqu'il refuse le statut de « Québécois » à des artistes comme Denis Marleau, Robert Lepage et Céline Dion, sous prétexte qu'ils font carrière à l'étranger. Pourtant, je pense comprendre où prend source son jugement. Je m'en tiendrai au cas de Céline Dion : ses derniers disques ont été pris en charge par les industries française et américaine, ce qui, rappelons-le, n'est pas allé sans soulever des réactions. Lorsqu'elle chante en anglais des chansons composées par des Américains qui répondent aux critères du marché étatsunien, est-ce que Céline Dion, *en tant qu'artiste*, est encore Québécoise ? Ce qui me mystifie dans ce genre de question, c'est que malgré son caractère foncièrement scolastique, elle soulève autant de passion. Est-ce dire que derrière son caractère formaliste, ou catégoriel, se cachent des enjeux réels ? Quels seraient-ils ? Il me semble que le principal touche une certaine angoisse inhérente aux institutions culturelles du

---

36. Jacques Ferron, *Rosaire, précédé de L'Exécution de Maski*, Montréal, Lanctôt Éditeur, coll. « PCL/petite collection lanctôt », 2003, p. 194.

Québec concernant leur *capacité à produire de la norme*. C'est le net sentiment, en d'autres termes, que malgré tout son talent et sa détermination, Céline Dion ne pouvait devenir une star internationale qu'à la condition d'obéir aux diktats de l'industrie américaine en matière de musique *pop*. Mais aussitôt une nouvelle question se pose : la chanson populaire que nous faisons ici est-elle, outre la langue utilisée et quelques thématiques, si différente ? Présente-t-elle des traits formels qui la distinguerait assurément ? Existe-t-il une tradition musicale spécifiquement québécoise ? On n'en a pas fini avec de telles questions. Quoi qu'il en soit, l'erreur de Falardeau est de confondre l'identité (ce qui *est* québécois) et la question de l'*autorité* (créer une norme), associée à celle de l'*industrie* (imposer nos produits sur le marché international). Falardeau interprète les carrières internationales de nos artistes comme des reniements de la norme et du marché québécois au profit d'une norme et d'un marché qui leur rapportera personnellement davantage. Il préfère donc des artistes qui sacrifient leurs aspirations personnelles à l'effort national. Cette position est intenable car je ne vois pas ce que le Québec peut gagner à exiger le sacrifice de ses artistes. Mais Miron ? Mais Ferron ? Ne les admire-t-on pas en partie pour leur effort à fonder une norme québécoise ? Sans doute, mais il ne faut pas oublier que la réalité d'un écrivain est différente de celle d'une chanteuse populaire, de surcroît simple interprète. Le choix de travailler dans l'optique d'une culture québécoise à construire était pour Miron et Ferron une manière de pari pour la survie de leur œuvre, et aussi un impératif qui assurait une signifiance à leur création. De plus, ils ont assumé ce choix de façon personnelle, sans l'imposer aux autres comme un diktat moral. Tout le contraire de Falardeau. Par ailleurs, l'analyse à courte vue de ce dernier lui fait mésestimer certains effets de retour des carrières internationales de Céline Dion ou de Robert Lepage. Ces artistes entraînent dans leur sillage de nombreux Québécois, créent une certaine émulation, mais par-dessus tout, ils inaugurent un espace de dialogue entre l'artiste québécois et le monde. L'artiste québécois veut rester lui-même, soit, mais en refusant d'exposer ce « soi-même » au regard de qui ne partage pas avec lui les mêmes présupposés, en refusant en quelque sorte l'épreuve de l'autre (indifférence, hostilité), il ne franchit pas le seuil qui le conduirait au delà du narcissisme et il empêche son art d'accéder à la pleine humanité.

La pensée de Falardeau sur ces questions, finalement, manque de perspective temporelle. Il ne saisit pas à quel point *sortir* du Québec, s'éloigner de la famille, la nier même, peut se renverser un moment donné en *don* : l'artiste émancipé peut renouer avec son origine et lui redonner un nouveau souffle.

Mercredi, soirée

Yann Martel. Cas intéressant. Comme il est célébré par les critiques du monde entier, plusieurs de nos compatriotes se montreront *fiers* de lui, le revendiqueront comme Québécois, un peu comme ils l'ont fait pour Jacques Villeneuve. On pourrait soutenir que plusieurs le lisent pour de mauvaises raisons. D'autres grommelleront : « C'est pas un Québécois, ça, il a été élevé ailleurs qu'ici, il écrit en anglais et parle français avec un mélange d'accent anglais et français de France, ses histoires ne se passent pas au Québec et ça parle de choses qui n'ont rien à voir avec nous. Bref, il n'est pas un pur produit du Québec, donc il n'est d'aucune utilité dans notre combat». Mon point de vue là-dessus? Mieux vaut lire pour de mauvaises raisons («C'est un Québécois primé à l'étranger!») que de ne pas lire pour des mauvaises raisons inverses («C'est pas un vrai Québécois»). Au moins, quand on lit, un travail se fait et nos mauvaises raisons initiales ont une chance d'être supplantées par autre chose. Une rencontre peut avoir lieu. Quand on ne lit pas, on reste prisonnier de soi-même. En choisissant de faire publier la traduction française de son roman par un éditeur québécois, Yann Martel a d'ailleurs posé un acte important dont on mesurera un jour l'impact symbolique et économique.

Jeudi

Lecture d'un article de Marc Angenot publié dans le sillage de «l'Affaire LaRue[37]». Pourquoi ne l'ai-je lu avant et mieux profité de ses lumières? Tout devient simple lorsqu'il se prononce, on sait du coup ce qu'il faut admirer et ce qu'il faut mépriser. Angenot possède le don de renvoyer dos à dos les chicaniers de bas étage et d'imposer un point de vue qui transcende les opinions issues de la mauvaise conscience et du ressentiment. L'article se résume facilement: le débat soulevé par la conférence de LaRue est un faux débat car il passe à côté de la seule question essentielle en littérature: la qualité esthétique des textes. Or, ce qu'il faut savoir, c'est que la littérature québécoise, exception faite de

37. Marc Angenot, «Littérature et nationalisme», *Tribune juive*, vol. 14, n° 5, juin-juillet 1997, p. 12-15.

Ducharme et de René-Daniel Dubois, est une littérature *médiocre*. Pourquoi ? Parce qu'elle s'est mise « au service partiel de cette abrutissante hégémonie nationalitaire qui pèse sur la vie québécoise » (p. 13). Fort d'une connaissance approfondie du corpus québécois, Angenot rappelle que « de Jacques Ferron à Yves Beauchemin », on ne trouve au Québec qu'une majorité d'écrivains « englués dans cette mélasse, ambivalents, dénégateurs parfois, interpolant sans cesse de l'idéologie dans le travail textuel » (p. 13). S'appuyant sur un ouvrage du critique le plus rigoureux et le moins partisan que le Québec ait produit, je veux parler de William Johnson, Angenot épingle « l'anglophobie comme passion inhérente et la nullité concomitante d'une bonne part de la littérature québécoise ». Heureusement, la littérature immigrante permet maintenant de renouveler la littérature du Québec en l'extirpant de sa fange nationalitaire.

Angenot sait s'entourer de bonnes références. Il est assurément du côté de Rimbaud, sur lequel prend appui son argumentation visant à démontrer qu'un grand écrivain, tout aussi enraciné soit-il, n'est pas le produit de son terroir ou de sa société. Pour soutenir son idée, Angenot n'a pas vraiment besoin de lire Rimbaud, il lui suffit de le brandir comme un insigne déjà consacré de la *valeur esthétique*. Il n'a pas besoin également de définir à partir de quels critères on peut reconnaître ladite valeur. Tout cela n'est-il pas évident à qui s'y entend ? Mais plongé comme je le suis dans la médiocrité, mon esprit affamé réclamait cette démonstration illuminante qui aurait pu succéder à ma trop longue saison dans l'enfer des œuvres québécoises. Tout de même, Angenot a le souci de nous rappeler à quelques reprises l'un de ces critères infaillibles pour juger de la valeur d'une œuvre : la « modernité ». Par exemple, Mordecai Richler est un grand écrivain parce qu'il est moderne. Il a aussi du « talent » et du « génie », observe Angenot, notions que les critiques littéraires québécois, abrutis par l'affirmation des valeurs nationales, négligent le plus souvent. Qu'à cela ne tienne, Angenot conclut généreusement sa diatribe en exhortant les Québécois à opérer un dépassement salutaire : « Écrivains québécois, écrivaines québécoises, encore un effort si vous voulez être modernes – ou postmodernes ! » (p. 15) Après Rimbaud, Sade. Décidément, Marc Angenot – toute sa vie et son œuvre en témoignent – est solidaire des écrivains les plus subversifs, de ces inclassables marginaux qui font, seuls, la grandeur d'une littérature. Il faudra un jour reconnaître notre chance qu'un tel esprit ait quitté un petit moment ses tâches colossales pour nous guider hors de notre grande noirceur.

Vendredi

Je me suis lancé dans cette réflexion en véritable écervelé et je m'y casse les dents et les ongles. Écervelé, oui, car il faut bien se rendre à l'évidence, il s'agit d'une question impossible ! Devant elle, les esprits les plus forts deviennent un peu bêtes, ils patinent en tentant d'éviter les trous, ils y vont d'assertions dont la sagesse est minée par des présupposés fragiles ou honteux. Tous les plans se confondent, on ne sait plus à quel impératif donner la priorité : les idéaux littéraires mordent les visées politiques, lesquels sont chatouillés à leur tour par des impératifs moraux qui, surexcités, heurtent ensuite de plein fouet les complexes identitaires. Il aurait été plus habile de ma part de passer outre, de ne pas trop soulever le voile. J'ai voulu aller jusqu'au bout de mes présupposés et j'y trouve une extrême confusion. Je me jugerais volontiers ignare et béotien si je ne voyais que cette confusion est le lot de tout le monde. Personne, je dis bien personne, n'est arrivé à démêler tous ces fils. La raison en est bien simple : personne ne peut prétendre donner une réponse définitive à la question : qu'est-ce que la littérature ? Dans ce domaine, toute réponse est une prise de position. Et ce qu'on attend de la littérature est aussi imprécis : on dira un jour qu'on veut y trouver une expression de soi, le lendemain qu'on aime qu'elle nous dépayse et déstabilise ; on la veut profonde et intelligente mais il faut aussi qu'elle nous divertisse ; elle doit nous faire pénétrer dans les arcanes du réel, non, elle doit libérer notre imaginaire ; il faut qu'elle révolutionne la langue et les formes, ou bien doit-elle mimétiser le langage courant ; les grands textes se distinguent de la masse, mais ils doivent quand même être accessibles au plus grand nombre sinon c'est de l'élitisme. Quelle fatigue ! Tout critique littéraire est appelé à jongler du mieux qu'il peut avec cet ensemble d'exigences contradictoires (dont je n'ai dressé ici qu'une liste sommaire). Il ne le dira jamais, mais la plupart du temps il se laissera guider dans ce travail par les textes qui lui servent de modèles. Il aime Proust ? Il va mettre de l'avant des critères qui légitiment cet attrait. Mais gare à lui s'il aime également L.-F. Céline ! Il sera alors forcé de trouver un critère supérieur capable de réunifier ces auteurs si dissemblables. Mais si, par-dessus le marché, notre critique est Québécois, il sera confronté à un nouveau problème : il se demandera si les critères qui lui ont permis de légitimer Proust et Céline peuvent aussi être appliqués au corpus québécois. Dans ses moments dogmatiques et idéalistes, il s'écrira : « Bien sûr que oui ! » Dans ses moments historicistes et relativistes, il se dira : « Ouais, mettons de l'eau dans notre vin car comment pourrais-je sérieusement exiger d'un contemporain québécois de Proust, mettons Adjutor Rivard, qu'il eût fait une œuvre aussi forte que celle de Proust ? » D'où une série de contorsions pour démontrer que la situation littéraire du Québec, compte tenu de son histoire, ne peut être comparée à celle de la France. Mais cela posé et démontré, notre critique ressent tout de même un malaise : il voudrait admirer un auteur québécois comme il admire Proust, mais il en est incapable. S'il est le moindrement doté d'autoréflexivité, il se demandera ensuite : « J'aime Proust, d'accord. Mais suis-je moi-même assez à la hauteur de Proust pour exiger que mes compatriotes écrivains le soient aussi ? En d'autres termes, est-ce que cet amour de Proust est assimilable et rejouable ici de manière originale ? » Fin de partie, notre critique n'a qu'une solution : tenter lui-même l'écriture. Et comme, en tant que Québécois du XXIe siècle, il n'a aucune expérience des salons mondains, comme de surcroît il ne peut pratiquer la langue proustienne sans devenir complètement artificiel (mais ce choix de l'artificialité assumée, après tout, n'est pas à exclure...), il devra choisir un niveau de langue (ce qui équivaut à se situer face à la tribu), déterminer s'il se collettaille à la grande tradition française ou bien, plus réalistement, s'il entre en dialogue avec la tradition littéraire québécoise ; enfin, plus ou moins consciemment, orienter son tir en fonction de l'horizon d'attente du lectorat pressenti. C'est ainsi que se posera à lui la question : qu'est-ce qu'un écrivain québécois ?

Samedi

À vouloir faire de tout citoyen du Québec un écrivain québécois, on dilue la notion jusqu'à la rendre insignifiante. D'ailleurs, pourquoi ? Pourquoi ne pas continuer à dire que Richler est un écrivain canadien ? Les Canadiens français ont revendiqué le nom de Québécois pour des raisons bien précises, justifiées linguistiquement et historiquement. Le choix était aussi politique et symbolique, il s'agissait de revendiquer une patrie culturelle globale distincte de celle que recouvrait la notion de citoyenneté. Mais Richler ou Cohen, quel intérêt auraient-ils à se définir Québécois plutôt que Canadiens ?

«Que faire alors de Gail Scott?» me demande Pierre Nepveu. « Elle est très proche des écrivains québécois francophones, elle les traduit et son pôle d'identification est vraiment le Québec (francophone et anglophone réunis), non le Canada ». La question est excellente et, en réalité, je n'ai pas de réponse simple à y donner, tout bonnement parce que ma démarche réflexive ne s'institue pas en dogmatisme. Je ne suis pas un agent de l'immigration qui se serait donné le mandat d'examiner tous les cas et qui leur apposerait un tampon : « Admis », «Refusé ». Il serait vraiment ridicule d'agir ainsi. D'ailleurs, être un « écrivain québécois » n'est aucunement un signe d'élection, une sorte de mention d'honneur. De quoi s'agit-il alors ? Il s'agit avant tout de réfléchir sur la manière dont on se raconte l'histoire, sur la manière dont se négocie cette mise en dialogue des traditions d'héritage canadien-français avec les traditions qui, sur le même territoire, lui font concurrence. Je ne brûlerai pas les ponts que veut jeter une Gail Scott entre les anglophones et les francophones du Québec, cela crée une nouvelle réalité qui prendra peut-être de plus en plus d'importance avec le temps, qui permettra de définir autrement l'« écrivain québécois ». Mais j'insiste pour dire ici que la réunion des deux solitudes ne s'effectuera pas sur la base de la seule sympathie mutuelle. J'en suis à me dire que la séparation du Québec favoriserait mieux que tout cette jointure de l'anglophone et du francophone dans le projet commun de fonder une culture originale, ce qui n'évacue pas l'épineux problème que pose le choix de la langue qui serait fédératrice (puisque je ne crois pas en une institution littéraire bilingue)...

Le cas de Gail Scott est différent de celui que présente Régine Robin. Avec cette dernière, la tradition québécoise se heurte à une négativité, à un refus d'adhérer ; mais ce refus s'écrit en français, prend place au sein de l'institution littéraire et intellectuelle québécoise, trouve ses lecteurs et ses commentateurs, renouvelle le discours sur soi et sur l'autre, s'intègre, en définitive, à l'histoire du Québec francophone. Le caractère antagoniste de l'œuvre de Robin donne une occasion à des gens comme moi de s'interroger sur la validité de leur propre héritage culturel, d'entrer en lice et d'affirmer avec plus de conscience ce à quoi ils tiennent. Avec Gail Scott, le rapport est inversé : pas question de polémiquer avec elle puisqu'elle nous manifeste de la sympathie, mais en même temps, pour des questions reliées à la langue, il est plus difficile de l'intégrer. Pour certains, cela ne pose aucun problème et s'avère même souhaitable. C'est le point de vue, je crois, de Sherry Simon[38] et j'avoue qu'elle me convainc passablement.

38. Sherry Simon, « Marco, Leonard, Mordecai et les autres », *Spirale*, mars-avril 2004, n° 195, p. 5.

Simon discute un point de vue émis par Marco Micone selon lequel la littérature québécoise serait formée par l'ensemble des œuvres publiées au Québec, « qu'elles soient écrites en français, en anglais ou dans l'une ou l'autre des langues autochtones ». Simon commence par souligner que ce point de vue, non seulement élude la question de l'institution littéraire (jusqu'à preuve du contraire monolingue), mais maintient aussi l'isolement des communautés distinctes, chacune fonctionnant dans le circuit que lui confère sa langue. Simon se lance ensuite dans un plaidoyer pour la traduction. Elle salue les efforts de certains qui font du français du Québec une langue de traduction, « une langue désormais capable d'assimiler une multiplicité d'histoires ». Elle déplore également l'absence de financement, au Canada comme au Québec, de cette activité créatrice. Je suis absolument d'accord avec elle et il y a longtemps que je dis à qui veut bien m'entendre que le Québec, toujours obsédé de vendre ses produits culturels à l'étranger, ne deviendra une culture forte qu'à partir du moment où il se donnera la permission de passer au filtre de sa langue la culture des autres. Une traduction, ce n'est pas qu'un « produit étranger », c'est aussi l'œuvre d'un traducteur, d'un éditeur, d'un imprimeur d'ici. Traduire de grands textes étangers, c'est hisser son propre langage au niveau de ces textes, c'est enrichir la langue d'ici et s'ouvrir au monde. À la fin de son article, Simon soulève la question : « Qu'en sera-t-il d'un ordre social où serait radicalement mise en doute l'idée d'une seule langue maternelle ? Qu'en est-il de l'avènement du texte bilingue, mixte, écrit à la frontière des communautés ? C'est peut-être là le scandale à venir ». Personnellement, je doute qu'une institution littéraire puisse se permettre d'être plurilingue, mais il est intéressant d'y penser. Simon mentionne l'existence de textes anglo-québécois qui intègrent des énoncés en français. Mais l'hybridité de ces textes est somme toute un effet de surface et l'anglais demeure leur support. De plus, il ne faut pas oublier qu'une institution est plus qu'un corpus de textes, qu'il s'agit aussi d'une série d'appareils couvrant toutes les étapes de la vie d'un livre de la production à la réception et à l'interprétation.

Dimanche

Est-ce que je me trompe en supposant que Gilles Marcotte aimerait qu'on reconnaisse Mordecai Richler comme un écrivain québécois ? Jacques Godbout, lui, a franchi la ligne en déclarant noir sur blanc que Richler était « le plus grand romancier québécois[39] ». La formulation n'a pas manqué d'étonner et certains y ont réagi[40]. S'il avait simplement écrit « du Québec » au lieu de « Québécois », les esprits ne se seraient pas tant échauffés. Marcotte, lui, est resté sage et n'a pas franchi la ligne. Heureusement, car il se serait alors mis en contradiction avec lui-même déclarant que la poésie française est *notre* littérature. Cette affirmation ouvre son compte rendu de l'*Anthologie de la poésie française* éditée dans la « Bibliothèque de la Pléiade » en 2000: «La voici donc, notre poésie, depuis ses lointains commencements jusqu'à ses plus récentes manifestations. Je dis bien notre poésie, puisque la poésie est affaire de

---

39. Jacques Godbout, « Les écrivains sont souverains », *Liberté*, n° 203, p. 41.
40. Voir en particulier Serge Cantin, *Ce pays comme un enfant*, Montréal, l'Hexagone, 1997, p. 57-92.

langue, et que la langue française, jusqu'à nouvel ordre, demeure la nôtre[41]. »

Je vais m'arrêter un peu sur les interrogations que soulève cette prise de position. D'abord, il faut observer ici l'utilisation d'un « nous » plein de présupposés. Marcotte n'est pas un nationaliste et il est ouvert, tout le monde le sait, à la diversité culturelle. Or, il dit « nous » exactement de la même manière que l'on reproche à plusieurs nationalistes, c'est-à-dire en ne songeant qu'aux francophones du Québec. Il est bien évident qu'en évoquant « notre » poésie, il songe à une communauté dont ne fait pas partie Mordecai Richler. Pour distinguer la position de Marcotte de celle des nationalistes définis comme chauvins, il n'existe qu'un seul argument : le « nous » de la poésie française-québécoise n'est pas le « nous » politique des citoyens du Québec. Je suis parfaitement d'accord. Mais alors, nous revenons à la contradiction que j'ai déjà soulevée, à savoir qu'au Québec il existe une dichotomie entre le culturel et le politique. Pour Marcotte, cette dichotomie pourrait facilement être contournée si l'on revenait, pour parler de la littérature, à l'appellation « canadienne-française » au lieu de « québécoise ». Dans cette optique, toutefois, il serait exclu que Mordecai Richler tienne un rôle dans l'histoire de « notre » littérature. Il serait aussi absurde que l'on dise de lui qu'il est le meilleur romancier québécois puisque cette catégorie n'aurait de validité qu'à l'intérieur du champ politique. À moins que la question de la langue soit moins déterminante dans le cas du roman que dans le cas de la poésie ?

---

41. Gilles Marcotte, « Notre poésie », *Le Devoir*, 23-24 septembre 2000.

En tout cas, si l'on suit la logique du critique, le dilemme de Pierre Nepveu ne se pose même plus : pas question d'inclure Gail Scott ou tout autre anglophone dans son *Anthologie de la poésie québécoise*. Toutefois, il pourrait la refondre dans le sens suivant : *Anthologie de la poésie québécoise, de Marie de France à Hélène Dorion* (Oh ! piège des catégories, on croira qu'il s'agit d'une anthologie de poésie féminine). Pour être plus juste envers Marcotte, je dois préciser qu'il inverse le modèle d'inclusion et souhaiterait une poésie québécoise *incluse* dans la grande poésie française : « Il existe aussi des poètes de langue française qui nous appartiennent plus particulièrement, et qui auraient mérité une petite place (ils ne l'ont pas) dans l'Anthologie de la Pléiade »[42]. Si les directeurs de l'anthologie ne l'ont pas fait, c'est qu'ils avaient en tête de publier la poésie des Français et non la poésie de langue française.

Il reste que, de François-Xavier Garneau à aujourd'hui, nous avons manqué d'esprit devant le mot de Durham. Il eût fallu répondre du tac au tac : « T'as menti, Durham ! Pas de littérature, nous autres ? Ben voyons : Villon, Rutebeuf, Racine, Molière, Voltaire et Diderot, ça te dit quelque chose ? » J'aimerais ne pas commenter une telle proposition, la laisser rayonner avec toute la force de son absurdité. Je vais quand même mettre les points sur les « i » : il ne suffit pas, pour « avoir une littérature », de disposer d'un ensemble de textes, il faut également que ces textes imprègnent la vie sociale, qu'ils naissent de la communauté et retournent à la communauté. Je parle ici d'un dialogue actif impliquant les membres de la communauté en question, pas simplement d'une relation spéculaire entre le texte et la

42. *Idem.*

société. Cette vie littéraire devient effective au moment où apparaît une institution animée par des individus actifs (productifs, réceptifs, critiques, normatifs, sélectifs...).

L'écrivain québécois, quelles que soient ses prises de position, s'inscrit dans la dynamique qui concourt à créer, au Québec, une vie littéraire. Ouf ! Suis-je au bout de mes peines ?

Mardi

Je doutais au départ de la pertinence de ma question initiale. Force m'est de constater que la catégorisation des textes forme l'enjeu implicite de nombreuses discussions sur la littérature. N'est-il pas étonnant, par exemple, qu'un esprit cosmopolite comme l'est Guy Scarpetta juge opportun et significatif de clamer que Milan Kundera est désormais un écrivain *français* ? On comprend vite le pourquoi de cette assertion : Kundera non seulement vit à Paris, mais il a choisi depuis quelques années le français comme langue d'écriture ; de plus, il enracine sa production dans la tradition française des Lumières. Ces arguments ont certes du poids, mais en quoi devient-il important de dire que Kundera est un écrivain français ? Au profit de qui ou de quoi cette affirmation est-elle faite ? Scarpetta est le promoteur du roman contemporain *mondial*. Dans ses essais, des romanciers de tous les pays sont rassemblés pour former une sorte de communauté « spirituelle » opposée à l'idéologie spectaculaire dominante. Ils sont les témoins de la singularité. Les critères de Scarpetta n'ont rien de « nationaux » et il se préoccupe peu des questions linguistiques (il lit la plupart de ces romanciers en traduction). Pourquoi donc devient-il important de dire que Kundera est un écrivain français ? Et pourquoi pas Anne Hébert, au temps où elle vivait à Paris ?

Cela ne fait aucun doute pour moi, la question ne peut être que politique et symbolique. Je délaisse les raisons de Scarpetta et je reviens à celles de Marcotte dans l'article précédemment cité. Ses propositions ayant été contestées par Noël Audet, Marcotte revient à la charge pour préciser sa pensée : « Je ne suis absolument pas d'accord avec M. Audet lorsqu'il attribue à la littérature québécoise une "nature propre, qui la distingue absolument". Il s'agit là d'une affirmation de nature politique et idéologique, qu'aucune analyse proprement littéraire ne pourrait soutenir[43]. » Qu'est-ce qui distingue au juste le « proprement littéraire » du (salement ?) politique et idéologique ? Marcotte croit-il se situer en dehors de l'idéologique lorsqu'il fait de la poésie française « notre poésie » ? Toute forme de « nous » implique un « eux » et nous situe d'emblée dans le champ du politique ou de l'idéologique. La relation entre « nous » et « eux » peut prendre des formes diverses, de l'antagonisme à l'amitié. Il reste que la distinction existe. Je ne dirais toutefois pas, à l'instar de Noël Audet, que la littérature québécoise est de l'ordre d'une « nature » et qu'elle existe dans « l'absolu ». Pour moi, le socle de la littérature d'une communauté est l'histoire de son institution. Toute institution nécessite une fondation à la fois matérielle et symbolique. Aucun sujet d'écriture ne peut apparaître sans référence à cette fondation, ce qui ne veut pas dire que l'on doive nécessairement rejouer la fondation dans chaque texte que

43. Gilles Marcotte, *Le Devoir*, 5 octobre 2000.

l'on écrit (on peut se contenter d'être porté par la vague sans trop se questionner sur ce qui nous permet de surfer à de telles altitudes). Les grands textes, ceux qui font l'Histoire, sont la plupart du temps des textes qui revisitent les fondations et permettent de les redéfinir. En Italie, par exemple, Dante a permis de fonder l'italien vernaculaire en langue littéraire légitime, mais il n'a pas tout résolu (et il n'était pas le seul non plus à travailler dans ce sens) : le « sujet littéraire italien » a été progressivement confronté à de nouvelles contradictions, si bien que les Italiens ne sont arrivés à fonder une écriture romanesque qu'au milieu du XIXe siècle avec Manzoni. Pourtant, d'autres romans avaient été écrits avant le sien, sauf qu'ils s'étaient avérés inadéquats considérant la réalité historique et linguistique de l'Italie. Tout fondateur qu'il soit, le roman de Manzoni n'est pas définitif pour autant et il ne concentre pas en lui toute l'Italie, loin de là. De fait, on le critiquera abondamment par la suite, on tentera de le dépasser, on renversera ses perspectives et c'est précisément cette référentialité obligée qui fait des *Promessi sposi* un texte fondateur : c'est à partir de là que le sujet italien a pu commencer à penser de manière productive le rapport entre la fiction et l'histoire, entre la langue et l'unité nationale. C'est dans cette optique que j'ai lu Groulx et Ferron. On pourrait ajouter Aquin, Ducharme, Tremblay. Et aussi *La Québécoite*, qui introduit un nouveau paradigme au sein de la pensée du collectif.

Je suis Québécois et pourtant cette aventure de la littérature en Italie m'intéresse, m'interpelle, tout comme le polonais Gombrowicz m'interpelle, me parle au plus près de mon désir. Est-ce que cela fait de moi un Italien ou un Polonais ? Gombrowicz a beau m'imprégner de part en part, plus que Flaubert, plus que Céline, davantage même que Michel Tremblay, il reste que si, un jour, je me mets à l'écriture du roman, je ne pourrai pas me contenter d'imiter Gombrowicz, tout comme Manzoni a dû, pour composer un texte fondateur, se porter au-delà d'une simple imitation de Walter Scott. Il a dû en premier lieu penser sa propre langue d'écriture et la communauté où il s'inscrivait.

Où est-ce que je veux en venir avec toutes ces considérations ? Le fait qu'on se « nourrisse » (dixit Marcotte) d'écrivains français au point de les percevoir comme des intimes ne fait pas de la littérature française *notre* littérature. Et vous aurez beau détester la littérature québécoise, c'est tout de même *votre* littérature, à un point tel que malgré toute la hauteur avec laquelle vous la regardez, vous éprouverez beaucoup de difficulté à faire mieux que ce qu'elle, son institution et toute la société qui la soutient, vous permettent de faire. Qui plus est, ô ironie, plusieurs de ces contraintes pèsent également sur les écrivains immigrants dans la mesure où ils publient ici. « Pour moi, en effet, la portée de l'œuvre dépend de celui qui lit autant que de celui qui écrit[44]. »

Vendredi

Dans une étude sur le passage de la tradition à la modernité dans *Trente arpents*, Jacques Cardinal cite un passage significatif du roman : « [...] une famille au nom bizarre : les "Six". Ce n'était pourtant pas là un surnom, mais bien leur propre nom transmis de père en fils et qui n'était que la corruption de leur véritable

44. Witold Gombrowicz, *Journal*, tome 1, *op. cit.*, p. 86.

patronyme. Ils descendaient d'un de ces soudards allemands qui traversèrent la mer avec le général Riedesel et dont quelques-uns se fixèrent au pays de Québec, retenus par leur mariage avec des filles du cru. De Schiltz, trop difficile à prononcer, on avait fait "Six". Dans quelques générations, qui se souviendrait qu'un peu de sang différent coulait dans leurs veines ? Ils étaient aussi Canadiens que quiconque, puisque comme les autres ils peinaient sur la terre laurentienne et vivaient d'elle. La patrie, c'est la terre, et non le sang[45]. » Commentaire de Cardinal : « Le sentiment d'appartenance à un lieu (la patrie, la terre) supplante tout discours idéologique fondé sur le biologique (le sang). Le métissage apparaît plutôt ici comme un processus fondateur de la communauté québécoise. Le roman révèle ainsi discrètement sa modernité, qui reconnaît le métissage culturel comme constitutif du processus identitaire des collectivités[46]. »

Simon Harel assigne une fonction plus polémique au métissage et aux immigrants en général dans sa réflexion intitulée « La littérature issue des communautés culturelles »[47]. Dans la perspective de mon collègue, l'« enquébécquoisement » des Schiltz en Six équivaudrait à une transformation de l'Autre en Même. Ainsi, ce qui sous la plume de Cardinal paraît un signe d'ouverture et d'accueil de la société québécoise (« Ils étaient aussi Canadiens que quiconque ») deviendrait pour Harel la marque d'une hégémonie qui annule le

---

45. Cité dans Jacques Cardinal, « Le poids des choses. Tradition et modernité dans *Trente arpents* de Ringuet », *Religiologiques*, 27, printemps 2003, p.159.
46. *Ibid.*, p. 160.
47. *Traité de la culture*, *op. cit.*, p. 439-456.

jeu des différences. Après tout, le roman insiste sur l'assimilation de la famille allemande mais ne dit rien sur l'apport de cette famille à l'identité québécoise, outre que leur nom s'impose comme « bizarre ». Cette identité semble au contraire immuable et rien ne vient troubler son homogénéité.

Dans l'étude que j'ai produite sur Jean Basile (voir chapitre 5), je définis comme souhaitable un type de relation entre l'immigrant et le Québécois qui mettrait en place une dialectique entre l'accueil et le don : le Québec intègre l'autre dans sa dynamique mais se laisse aussi transformer par lui. Le cas de Basile me semblait exemplaire à cet égard : sans pour autant effacer ses origines, il a décidé de prendre part au « discours québécois », il l'a travaillé de l'intérieur, y mettant en jeu ce qu'il était. Ces « transferts culturels » ne sont pas allés sans heurts, ai-je noté, surtout vers la fin de sa vie où Basile, moins euphorique qu'à son arrivée, insiste davantage sur sa marginalité. Qu'à cela ne tienne : ce n'est pas son adhésion à l'idéal national qui fait de Basile un Québécois à part entière, mais bien le fait qu'il ait pensé son travail d'écrivain et de critique à partir du contexte québécois, qu'il ait accepté de s'inscrire (polémiquement ou non, là n'est pas l'essentiel) dans la tradition institutionnelle, culturelle et littéraire d'ici.

Je sais que Simon Harel aime bien Jean Basile mais je ne suis pas certain qu'il partagerait la lecture que j'en fais. Si je me fie à son article, il verrait, dans ce que je viens de décrire, le modèle de l'« assimilation volontaire » : si l'on transporte avec soi son bagage originaire, c'est pour l'intégrer au grand trésor commun qui se retrouve ainsi enrichi par un surplus de diversité, mais n'en continue pas moins de former un tout homogène, non marqué par une radicale extériorité qui l'obligerait à un constant décentrement. Harel n'écrit-il pas que la littérature des communautés culturelles « interroge l'impossible devenir d'une communauté fondée sur l'illusion d'une culture commune[48] ». Tout se joue ici sur la conception qu'on se fait d'une « culture commune »: si c'est l'adhésion massive à un même ensemble de valeurs, il est bien certain qu'il s'agit d'une illusion, mais s'il s'agit de partager la référence à une histoire qui s'enrichit et se complexifie avec l'arrivée de populations immigrantes, le fait de présenter cette perspective comme illusoire me laisse un peu songeur. Tout au long de ce livre, j'ai soutenu l'idée d'un rapport créatif et vivant à l'histoire, j'ai présenté la « tradition » non comme la répétition d'un même, mais plutôt comme un parcours signifiant faisant en sorte qu'un écrivain entre en dialogue avec ceux qui l'ont précédé, que ce soit pour les récupérer ou pour les contester. J'ai présenté comme important dans l'histoire littéraire du Québec ce moment à partir duquel les écrivains ont défini leur pratique, leur langage, leur projet en référence à d'autres écrivains québécois. Harel, cela me semble évident, donne pour fonction à la littérature des communautés culturelles de couper court à cette historicité ; il vante les mérites d'une littérature qui tournerait le dos à cette tradition, qui la rendrait pour ainsi dire obsolète et indésirable. Il présente cette littérature comme un cheval de Troie lancé dans le complexe national[49]. Un Caccia, par exemple, veut « dénationaliser » le français, c'est-à-dire que son choix du français ne sera plus déterminé par la volonté de définir le Québec comme culture francophone en Amérique. Ce

---

48. *Ibid.*, p. 454.
49. *Ibid.*, p. 444.

cheval de Troie, notons-le, n'est destiné qu'à la culture québécoise francophone ; étant la langue de tout le monde, l'anglais n'a pas à être dénationalisé (voilà, me semble-t-il, un point aveugle dans la proposition de Caccia).

L'article de Simon Harel, très dense, pose à peu près toutes les questions envisageables à l'égard du phénomène nouveau – et inquiétant pour certains – des écritures d'immigrés (je n'aime pas l'expression « littérature des communautés culturelles »). Harel, je le vois, prend beaucoup de précautions, signale des pièges, les contourne, avance pour ensuite reculer, se défile comme une anguille. Il n'est pas nécessairement facile de saisir où il veut en venir, sauf en certains passages plus directs que d'autres : « L'interrogation est somme toute fort simple : peut-on envisager que la présence active des communautés culturelles au Québec modifie la constitution autoréférentielle de l'identité québécoise ? La tradition et l'historicité de ce corpus national seraient alors remises en question au profit de la novation que représenterait la littérature des communautés culturelles[50]. » En fait, un tel passage est clair et ne l'est pas en même temps, à cause des présupposés qui le soutiennent.

Premièrement, que veut dire « constitution autoréférentielle de l'identité québécoise » ? Il faudrait d'abord savoir de quoi l'on parle ici, de littérature ou de culture au sens large ? Cette confusion entre le fait sociologique que représente l'immigration et le rôle que joue la littérature produite par des immigrants au sein des représentations collectives est d'ailleurs l'une des lacunes de l'article d'Harel. Si l'on s'en tient à la lit-

---

50. *Ibid.*, p. 454.

térature, l'autonomisation (toute relative) de ses normes est un phénomène récent. Pendant longtemps, la littérature québécoise a été jugée à l'aune des modèles français. Encore aujourd'hui, ils sont peu nombreux les écrivains qui déclarent prendre pour Référence l'histoire littéraire québécoise. Mais on peut supposer que Harel pense plutôt à l'identité culturelle au sens large, à « l'être-québécois historique » et, corollairement, à la littérature porteuse d'un mandat national, celui de représenter le destin de cet être. Discours téléologique qui s'enracine dans une origine partagée. Bon, on sera d'accord là-dessus : la littérature des immigrants, forcément, ouvre une brèche dans ce Grand Récit, fait surgir de la différence, parfois même de l'hostilité. Pour moi, la question est de savoir si cette différence inaugure un dialogue. Il me semble que le modèle de Harel, largement inspiré du discours de Régine Robin, crée plutôt un espace de confrontation. L'ennemi à abattre semble être la tradition québécoise. La dynamique don/accueil ne fonctionne que dans un sens : le Québécois doit accepter de se remettre en question, doit s'ouvrir à l'autre, tandis que l'immigrant, lui, peut se contenter d'être « le différent », si ce n'est l'indifférent. Il n'est pas tenu de connaître l'histoire du Québec, ce qui s'est joué là depuis quelques siècles, pour ensuite se demander de quelle manière il peut intervenir (je traduis ici l'impression que me laisse le discours de Harel et non ce que les écrivains immigrants font réellement). Parfois, comme chez Régine Robin, si cet immigrant démontre une certaine connaissance de l'histoire québécoise, c'est pour mieux l'invalider, montrer sa médiocrité. Rien de bien bon pour le dialogue. Aussi, lorsque Harel écrit : « La tradition et l'historicité de ce corpus national seraient alors remises en question au profit de la novation que représenterait la littérature des communautés culturelles »[51], je ne peux m'empêcher de conclure qu'il manifeste un parti pris contestable. Présenter la littérature des communautés culturelles comme essentiellement novatrices, n'est-ce pas un peu gros ? Ne succombe-t-on pas dans une dualité polémique en utilisant ainsi la tradition québécoise comme repoussoir ou antimodèle ? N'est-ce pas ranger la littérature des immigrants dans une classe à part et empêcher ainsi la mise en circulation *dans un espace commun* des différentes origines ? Pourtant, il le répète à maintes reprises, Harel veut éviter la ghettoïsation et il ne veut pas, à l'instar de Robin, d'un « acte de nomination qui fait de l'écrivain un porte-parole des communautés culturelles[52] ». En réalité, je pense percevoir l'immense malentendu dans lequel toutes ces réflexions nous plongent. De manière insistante et non questionnée, Harel interprète la mise en commun dans le sens d'une homogénéisation identitaire. Or, *être-en-commun* n'a rien à voir avec le fantasme d'un *être-commun*. Il n'est pas demandé à l'immigrant qu'il oublie ses origines et qu'il intègre une culture immuable et homogène ; même les nationalistes ne demandent pas ça. Et si on leur demande de parler français, c'est bien pour s'assurer qu'il y aura rencontre et partage. La loi 101, contrairement à ce qu'on a pu colporter contre elle (allant jusqu'à la définir comme une mesure fasciste), est justement la condition initiale pour éviter le parquage en ghettos, pour mettre en contact les différentes communautés : loin de n'être qu'une formule visant à assimiler

51. *Ibid.*, p. 444.
52. *Ibid.*, p. 446.

les étrangers dans le Même, elle force le Québécois à côtoyer dans un espace linguistique commun – ce qui en fait des égaux – des individus qui portent une autre histoire que la sienne. Et cette langue même n'est pas immuable, elle évolue sous l'influence de toutes ces manières de la parler ou de l'écrire.

Enfin, le dernier problème que soulève pour moi le texte de Harel est celui qu'occasionne la généralité de son propos : la « littérature des communautés culturelles », c'est beaucoup trop large comme regroupement, cela nous entraîne du côté de la spéculation. Non que Harel manque du sens des nuances, bien au contraire, il détecte parfaitement toutes les apories que peut créer la notion et il pousse l'autoréflexivité sur sa pratique jusqu'à interroger la situation historique qui l'amène à parler de ce type de littérature dans un *Traité de la culture*. J'accorde à Harel d'avoir pris la mesure avec exactitude du poids politique que peut receler cette catégorisation. Il n'empêche que son analyse débouche sur un manifeste prétendant parler au nom de tous. Je préférerais personnellement que l'on quitte la zone des généralités et qu'on regarde ce qui se passe sur le terrain : comment tel ou tel texte est-il reçu et pour quelles raisons ? Comment tel ou tel texte articule-t-il le rapport avec l'origine ? Quelle posture tel ou tel auteur adopte-t-il à l'égard de l'histoire québécoise ? Comment s'établit chez lui le rapport entre sa culture d'origine et la culture du pays d'accueil ? Quelles sont ses références littéraires, dans quelle tradition s'inscrit-il ? La *posture topologique* que Harel oppose à la traditionnelle *posture topographique* est certes une idée intéressante, mais ça demeure une vue de l'esprit. La question qu'il faudrait maintenant poser est la suivante : est-ce que cela a vraiment lieu dans les textes ? Est-ce que cela n'a lieu que dans les textes d'immigrants ? Quelle forme cela prend-il ? Il me semble que ce genre d'approche permettrait un dialogue plus authentique : on se retrouverait devant des individus, non devant des catégories. L'article de Harel, au contraire, a pour effet de me bâillonner, de me rendre en tout cas terriblement timide et complexé devant cet objet intouchable et sacré qu'est tout à coup la « littérature des communautés culturelles ».

Dimanche

Simon Harel est un diable d'homme, il prévient à l'avance toutes les critiques, il en devient inattaquable. C'est ainsi qu'après avoir écrit ce qui précède, je tombe sur un article plus récent dans lequel il semble avoir changé son fusil d'épaule : « La littérature québécoise est devenue cette antimémoire qui oppose de manière violente l'impact de la tradition à la pulsation postmoderne de l'effacement. C'est toute la littérature québécoise qui fait fi désormais de l'identité et embrasse dans sa démesure la donne publicitaire postmoderne, croyant de cette façon trouver un supplément d'âme[53] » Et plus loin : « La notion de littérature des communautés culturelles me semble convenue, par moments hypocrite. Semblable à l'idéologie multiculturaliste, promue au Canada, chaque sujet se voit offrir un lieu de résidence restreint, communautaire, dont il pourra faire bon usage. L'éloge du multiculturalisme est une façon polie, pour cette raison détestable, de faire le vide sur la question de l'universalité, comme projet

53. Simon Harel, « Une littérature des communautés culturelles *made in Québec* ? », *Globe*, vol. 5, n° 2, 2002, p. 60-61.

culturel singulier, et d'affirmer un relativisme culturel mou qui reposerait sur l'expérience vécue de chacun. Pour des raisons différentes, l'écriture migrante est aussi quelquefois la forme doxologique d'un exotisme qui permet à la communauté des lecteurs de contempler la forme stéréotypée d'un déplacement qui reste lisible. L'étrangeté mise en scène a alors valeur de breloque publicitaire : le sujet migrant est le personnage d'un discours de consommation de masse. On ne cesse de célébrer au Québec les formes diverses d'une écriture migrante qui nous fait éprouver une altérité autrefois interdite. Mais n'est-ce pas un leurre que de s'imaginer une altérité interdite pouvant soudainement faire l'objet d'une communication directe ? Sur ces questions, je considère que l'écriture migrante n'a pas à devenir un site touristique ayant pour fonction d'accréditer une politique identitaire que l'on ménage par la mise en place de marges exotiques[54]. » Et encore ceci, qui le prévient contre les critiques que je lui adressais plus haut : « La valorisation de l'écriture migrante, au détriment des formes dites désuètes de la tradition, ou de l'enracinement, n'est-elle pas un dispositif rhétorique pernicieux ? La littérature québécoise y trouverait une nouvelle jeunesse qui se traduirait par la mise au ban de son historicité[55]. » Pour finir, Harel insiste sur l'essentiel : « La littérature n'est pas l'objet d'une affirmation communautaire[56]. » La littérature migrante a servi pendant un temps le « désir de dénouer l'impasse ethniciste[57] », mais il ne faudrait pas pour autant en

54. *Ibid.*, p. 64-65, note 5.
55. *Ibid.*, p. 74.
56. *Ibid.*, p. 68.
57. *Ibid.*, p. 73.

faire « cette agréable aporie postmoderne qui permet à tout un chacun de se dire vivre partout et nulle part ». Harel, tout à coup, affirme ce que je suggérais plus haut : il faut lire les textes singuliers pour ce qu'ils sont et non pour leur représentativité à l'égard de telle ou telle communauté : « La littérature migrante est un art de faire : elle n'est pas consensuelle, n'a pas valeur de témoignage descriptif, sauf pour les appareils de pouvoir qui intègrent ces récits dans un discours de légitimation institutionnel[58]. » Je suis bouche bée.

Mardi

« Qu'est-ce qu'un écrivain québécois ?» Que puis-je conclure de toutes ces discussions ? Suis-je capable d'en tirer une position claire ? D'abord, il faut observer que la question change de sens selon le point de vue à partir duquel on la considère. La perspective de l'écrivain n'est pas celle du critique et de l'historien, qui diffère également de celle qu'auraient les gestionnaires politiques de la culture (ceux qui attribuent les prix et les subventions). Le point de vue qui a été le mien dans ces pages est celui avant tout d'un intellectuel critique (qui se donne pour but d'élucider une question, d'en tirer un enseignement pour la communauté), mais un critique sollicité à l'occasion par la posture de l'écrivain (qui cherche avant tout à mettre en jeu sa subjectivité). J'ai aussi assumé le point de vue d'un Québécois issu de la tradition francophone et héritier de cette histoire particulière. Dans un ultime effort de systématisation, j'ai dressé l'ensemble des critères qui pourraient permettre de répondre à mon interrogation initiale.

---

58. *Ibid.*, p. 75.

1) Identification par le lieu de naissance et les années de formation. Ce critère peut être évoqué mais il demeure insuffisant : il exclurait tous les immigrants (incluant quelqu'un comme Gabrielle Roy, née au Manitoba) et il inclurait les anglophones du Québec, de même qu'un écrivain comme Saul Bellow, né à Lachine. Cela nous donnerait un Nobel ? Malheureusement, les dictionnaires le désignent comme un « écrivain américain », ce qui me conduit à poser la question : le même individu, resté Canadien (Québécois) aurait-il pu devenir un prix Nobel ? Il me semble que ce genre de question, futile en apparence, peut guider notre réflexion sur ce que cela signifie, concrètement et symboliquement, participer à l'élaboration d'un ensemble appelé « littérature québécoise ». Cela devrait nous mettre en garde, en tout cas, contre la tentation d'hypostasier le travail de l'écrivain du contexte de production et de réception de son œuvre.

2) Identification par la langue. Le français, cela va de soi, ne définit pas le Québec. Alors que le choix du français n'inscrit pas automatiquement l'écrivain dans la tradition québécoise (il est libre en effet de se définir imaginairement par rapport à la grande tradition française), ce choix le distingue par ailleurs d'autres écrivains du Québec qui ont choisi l'anglais (parfois même des langues tierces comme le yiddish ou l'italien). En d'autres termes, le Québec ne détient pas l'exclusivité du français et, d'autre part, il n'est pas que français. Cela signifie en

clair que la langue seule ne peut faire office d'ancrage pour la culture québécoise, qu'elle n'est pas le seul signe par lequel un écrivain du Québec exprime sa volonté ou son désir d'être québécois. À moins, bien sûr, de soutenir que le vernaculaire québécois procure à la langue des écrivains d'ici une coloration qui les distingue des autres écrivains de la francophonie. Si l'on soutient un tel point de vue, André Langevin autant que Monique Bosco cessent d'être des écrivains québécois. Il faut autre chose, mais quoi ?

3) Identification par la citoyenneté. Ce critère paraît plutôt objectif mais il gomme toute spécificité culturelle, notamment en ce qui concerne la distinction entre les traditions francophone, anglophone et autres. De ce point de vue, non seulement Mordecai Richler serait-il reconnu d'emblée comme écrivain québécois, mais aussi Sholem Shtern (citoyen québécois de 1927 à sa mort, en 1991), auteur d'une œuvre en yiddish et en hébreu (traduite, du reste, en français), Stanislaw Michalski (émigré dans les années 1950), poète qui a publié à Montréal des livres en polonais et Manuel Betanzos Santos (émigré en 1959) qui a publié à peu près toute son œuvre poétique en Espagne dans sa langue maternelle. Sherry Simon semble dire que cette diversité linguistique ne pose pas problème, qu'elle pourrait même devenir la spécificité, l'originalité de la littérature québécoise. Le projet mérite certainement d'être examiné, mais il ne faut pas non plus se bercer d'illusions : ce n'est

pas chose faite et il ne suffit pas de le proposer théoriquement pour que cela soit. Pour l'instant, la vie culturelle québécoise est loin d'être structurée en fonction du plurilinguisme et les institutions littéraires qui se côtoient fonctionnent de manière autonome, d'où le prochain critère.

4) Identification institutionnelle. Ce critère m'apparaît comme le plus objectif de tous car il ne renvoie pas à des notions biographiques ou psychologiques (identificatoires), mais bien au site culturel d'énonciation : l'écrivain québécois serait avant tout un écrivain dont l'œuvre est prise en charge, publiée, diffusée, commentée et légitimée par l'institution québécoise. Ici, la distinction entre les œuvres francophones et anglophones est claire et c'est la tradition francophone du pays qui définit pleinement ce qui est québécois. En ce sens, un Dany Laferrière est considéré comme un écrivain québécois à part entière, même s'il ne se reconnaît pas pleinement, en tant qu'individu, dans la tradition québécoise, sa référence originaire étant avant tout haïtienne. Il y a un *hic* cependant : fera-t-on de Réjean Ducharme un écrivain français sous prétexte qu'il est publié chez Gallimard (ouf ! on trouve son théâtre chez Leméac !). Imaginons aussi le cas encore inédit d'un écrivain québécois francophone qui, désireux de vivre de sa plume, écrirait un best-seller en anglais et le publierait aux États-Unis : accepterait-on de le reconnaître comme Québécois ? Ici, d'autres facteurs entrent en jeu :

d'une part, la volonté même de l'auteur (Ducharme a beau publier chez Gallimard, il demeure tout de même au Québec et son langage comme ses références font appel en grande partie au fond québécois), d'autre part la réception par le public-lecteur qui peut décider que telle œuvre lui appartient prioritairement (c'est un peu ce qu'on fait avec Yann Martel ; après tout, de nombreux nationalistes québécois arrivent aussi à s'identifier au Canada durant les Jeux olympiques…). Certains cas sont particuliers, comme celui de David Homel : né aux États-Unis, il est publié à Toronto, en anglais. Toutefois, ses livres sont très rapidement vendus en français au Québec du fait que Homel vit à Montréal. De plus, il prend part activement à la vie culturelle *francophone* du Québec, à la radio, dans les journaux, à la télé. L'œuvre de Homel est finalement adoptée par les lecteurs québécois parce que signifiante eu égard à certains enjeux débattus en ce moment au Québec.

5) Inscription dans la tradition culturelle du Québec. J'entends par là une démarche artistique qui prendrait appui et se définirait, soit à partir des œuvres des prédécesseurs, soit à partir d'une situation historique spécifique au Québec (je ne pose pas ici la question de la valeur esthétique de ces œuvres, ni même de leur capacité, partant de la tradition, à rejoindre l'universel). *Maria Chapdelaine*, roman négligeable au regard de la tradition française, occupe une place importante dans la tradition

québécoise. Jean Basile, avec *Joli tambour*, relit à sa façon un morceau de l'histoire du Québec. J'ai défini déjà ce que j'entends par tradition, inutile donc de revenir là-dessus sinon pour dire qu'il s'agit avant tout de fonder le passé québécois comme Référence et de s'inscrire consciemment dans le dynamisme interne, au sein des rapports de force qui animent le Québec d'aujourd'hui. Dans un article convaincant, Jean-François Hamel analyse par exemple comment la figure de l'enfant-poète crée une filiation souterraine entre Nelligan, Ducharme et Gaétan Soucy, filiation qui est beaucoup plus que thématique en ce qu'elle témoigne de la manière dont, au Québec, les écrivains se sont débattus avec l'origine de leur parole, leur mémoire littéraire, dans ce qu'elle pouvait présenter d'étranger à leur situation concrète d'existence[59]. Dans les chapitres précédents, j'ai aussi analysé certaines figures de transmission propres à la littérature québécoise. La question consiste maintenant à se demander si l'écrivain québécois est celui qui emprunte nécessairement ces chemins. Force est de répondre : non. L'effort magistral fourni par Fernand Dumont pour interpréter la genèse de la société québécoise et, de là, la genèse de certaines manifestations symboliques, trace certainement divers motifs de ce qu'il est

59. Jean-François Hamel, « Tombeaux de l'enfance. Pour une prosopopée de la mémoire chez Émile Nelligan, Réjean Ducharme et Gaétan Soucy », *Globe*, vol. 4, n° 1, 2001, p. 93-118.

convenu d'appeler l'univers référentiel de la culture québécoise. On aurait tort toutefois de transmuer l'analyse sociohistorique en modèle comportemental pour les générations à venir, d'autant qu'on ne peut désormais plus éluder la nécessité présente d'associer les immigrants et les fils d'immigrants à la construction d'une nouvelle Référence (sans même parler de la mondialisation qui fait son œuvre et relativise de nombreux problèmes internes). Refuser d'imposer aux immigrants la Référence québécoise telle que Dumont et d'autres penseurs ont pu la définir n'empêche pas toutefois cette Référence d'exister. En d'autres termes, il ne s'agit pas de la rejeter pour « passer à l'avenir ». Inversement, il est peu opportun de s'y barricader car c'est refuser d'affronter la réalité et se condamner à périr d'assèchement. Même pour un Québécois d'héritage canadien-français, la Référence québécoise, si tant est qu'on puisse la cerner, ne constitue pas un impératif. Celle-ci fait son chemin d'une manière qu'on ne peut contrôler mais qui demeure néanmoins effective. J'en ai la confirmation dans la lettre que Christian Mistral envoyait à *La Presse* en réponse à l'intervention de Victor-Lévy Beaulieu sur les jeunes romanciers québécois (Beaulieu se plaignait justement, entre autres, de leur manque de sens historique et de leur ignorance de la tradition québécoise) : « C'est notoire, mais je réitère en conclusion toute l'affection et l'admiration que j'ai pour toi, mon frère Beaulieu. Jeune, je ne pouvais pas le dire : moi aussi, je citais plutôt Buk et Kundera. Ça n'engageait à rien. Or, ces premiers romanciers dont tu parles, ils me lisent, je le sais, donc ils te lisent un peu aussi, et ils pourront le dire un jour, quand leurs propres noms seront faits[60]. » Et ce jeune auteur, Philippe-Jean Poirier, qui dit avoir été « jeté sur le cul » par les expériences langagières de Beaulieu, notamment par la manière dont il francise les mots anglais. Beaulieu doit bien rire dans sa barbe, lui qui a piqué le truc à Ferron, lequel l'a peut-être volé à Jacques Renaud... Bref, une transmission a lieu, la tradition est là dont on peut s'emparer. Les écrivains québécois n'ont pas à se donner le mandat de la perpétuer. Toutefois, en tant que lecteur et critique en quête de signifiance, je me réserve le droit de penser l'historicité des pratiques et de ce qui, dans les nouveaux textes, se présente comme réécriture et réinterprétation des textes précédents. Qu'un auteur vienne du Japon ou du Pérou, c'est dans les termes du Québec qu'il sera lu et interprété, ce qui est justice puisque *c'est ici que nous vivons et trouvons nos principaux lieux de dialogue*. Contrairement à plusieurs intellectuels désireux de ne pas passer pour dictatoriaux, je soutiens qu'il revient à la tradition littéraire québécoise d'héritage canadien-français de servir d'ancrage référentiel à toute nouvelle définition de la littérature québécoise (du reste, cette tradition inclut *déjà et depuis fort longtemps* bon nombre d'écrivains immigrants). Je le soutiens car il ne peut en

60. Christian Mistral, « Nos jeunes sont si seuls au monde », *La Presse*, 2 mars 2004.

aller décemment autrement, dans la mesure où ce nom même de « québécois » est né d'une volonté d'affirmer la spécificité d'une culture francophone au Canada. Cela dit, je n'écarte pas l'éventualité d'une inscription dans cette histoire de certaines œuvres d'auteurs québécois anglophones. Rétrospectivement, un Richler peut fort bien prendre place dans cette histoire, en autant qu'on n'efface pas la position antagoniste qu'il a pu occuper, en autant qu'on ne gomme pas non plus le ou les ancrages référentiels qui le distinguent de ses concitoyens francophones. Curieusement, c'est la publication du controversé *Oh! Canada! Oh! Québec! Requiem pour un pays divisé* qui marque selon moi l'entrée de Richler dans le corpus québécois. Même si le livre a d'abord été écrit en anglais et traduit en français par un franco-ontarien, il place Richler en situation de dialogue avec le Québec. Richler, soit dit en passant, traite la culture québécoise dans cet essai comme si elle lui était extérieure, ce qui est honnête et permet *a priori* de le situer. Le tenir en dehors de l'histoire littéraire québécoise ne serait donc pas un acte d'intolérance idéologique. Il n'en demeure pas moins qu'avec la publication de ce livre, Richler s'est fait connaître aux Québécois comme un citoyen anglophone du Québec. On a aussi publié des traductions de certains de ses livres dans la collection « Bibliothèque québécoise », c'est dire qu'il prend sa place dans le corpus national. Dans l'avenir, rien n'empêchera des écrivains québécois de le prendre comme référence. Ce processus ne se produira pas sans conséquence, la première étant qu'il deviendra pertinent de confronter Richler à des écrivains québécois d'héritage canadien-français.

Lorsque je situe l'héritage canadien-français au fondement de la littérature québécoise de l'avenir, je n'établis pas une domination mais ne fais que respecter l'histoire. Cela ne me donne aucune priorité ou supériorité sur les intellectuels ou écrivains venus d'ailleurs. Qu'il y ait nécessité pour eux de passer par le deuil d'une partie de leurs origines, on ne saurait le nier, encore que, l'œuvre de Laferrière le prouve, ce deuil ne soit pas privé d'une certaine fidélité à la culture natale. Il faut comprendre toutefois que l'expérience de l'écrivain québécois d'héritage canadien-français comporte aussi sa part de deuil. Lisez Ferron, regardez les films de Perreault, le deuil est partout sensible. Être un écrivain québécois n'est aucunement un signe d'élection. Il s'agit avant tout d'un choix et ce choix, on y est confronté même si on est Québécois « de souche ». On me dira qu'un écrivain se choisit d'abord lui-même et j'acquiescerai. N'ai-je pas longuement médité le parcours de Gombrowicz, qui écrivait : « Je n'aspire même pas au titre d'écrivain polonais. Je veux seulement être Gombrowicz, c'est tout[61]. » Mais je n'oublie pas non plus que le même Gombrowicz se mettait en scène dans ses romans sous le nom de « Witold Gombrowicz, écrivain polonais », que

61. Witold Gombrowicz, *Journal*, tome 1, *op. cit.*, p. 570.

dans ces mêmes romans il parodiait Mickiewicz et réactualisait la tradition polonaise de la *gaweda* et qu'il a, malgré vingt-trois années en Argentine, écrit toute son œuvre en polonais. Cet exemple pour préciser, en bout de ligne, qu'assumer la qualité d'écrivain québécois n'a rien à voir avec l'assomption d'un *être* et d'une identité, mais a tout à voir avec la reconnaissance d'une histoire, la mise en circulation et en orbite des signifiants d'une communauté donnée.

Un autre jour

Laferrière à Marie-France Bazzo : « Ce qu'il y a d'intéressant dans la culture, c'est la manière dont elle nous permet de vivre. Moi, ce que j'ai retenu d'Haïti, c'est tout ce que j'ai eu d'Haïti qui m'a permis de traverser les premières années passées à Montréal, qui m'a permis de garder la tête hors de l'eau. C'est quelque chose d'actif, de matériel, de vivant[62]. » Ce serait sans doute un exercice intéressant pour un écrivain québécois que de vivre l'exil volontaire, d'éprouver sa fidélité à l'essentiel (ce qu'ont déjà fait certains, comme Anne Hébert, Marie-Claire Blais et Jacques Poulin). Partir tranquillement, sans déchirer sa chemise comme René-Daniel Dubois, sans déclaration fracassante du genre « le Québec me tue », partir non pour renier mais pour s'éprouver autrement, seul. Voir jusqu'où ta culture arrive à te nourrir une fois que tu as cessé de vouloir la défendre contre des agresseurs. La laisser se

---

62. Dany Laferrière, *Entrevue citée*.

déposer au fond de toi, la laisser vivre *en secret* sans souci de l'affirmer. Ne plus prononcer le nom de Québec en vain, mais jouer avec les référents de ta culture, les théâtraliser, reprendre les mots de ses écrivains et les faire résonner dans un contexte autre. Je rêve.

Aller et retour : partir mais revenir. L'expérience solitaire d'un écrivain ne devient réalité que s'il lui fait passer l'épreuve de la communauté, que s'il brise ses résistances et rompt ses pactes honteux ou simplement inconscients. Longtemps obsédés par le désir d'être *reconnus* de l'autre, plus récemment soucieux de l'*accueillir*, nous n'arriverons à vivre que si nous accédons au stade du *don*, un don qui aurait l'humanité pour destinataire. Que pouvons-nous offrir au monde ? Que nous a appris notre histoire qui nous permettrait d'affronter les problèmes actuels de l'humanité et proposerait sur ceux-ci une perspective viable et transmissible ? Existe-t-il quelque chose comme une tradition à quoi l'on pourrait faire référence dans l'acte de penser et de rendre habitables l'ici et le maintenant ?

Oui, le « nous » que j'utilise ici est bien celui de la collectivité dite québécoise. Je m'adresse en particulier à tous ceux qui pensent leur pratique en prenant pour référence ou point d'ancrage l'histoire culturelle du Québec francophone. Ce « nous » n'a rien d'unanime et le lien que j'entretiens avec lui, comme avec l'histoire en question, n'est pas fait que d'amour et d'amitié. On utilise le « nous » comme si cela allait de soi et, si l'on n'y prend garde, il peut en venir à désigner quelque chose de complètement irréel. Il me faut donc reconnaître que le « nous » élaboré ici a une pure fonction d'appel ; je ne suis en outre aucunement assuré que ma lecture de la culture québécoise saura trouver des complices. Définir mon attitude à l'égard de cette culture a été mon premier souci. Je ne propose donc rien qui définirait un type particulier de Québécois ou qui instaurerait un modèle identitaire. J'ai seulement revendiqué – et mis en pratique – la liberté de me déplacer dans la mémoire de cette culture, de la faire mienne totalement, voire de m'en jouer. J'ai ainsi cherché à créer des passerelles entre le passé et moi, comme on revisite certains lieux d'enfance et leur dépôts sur notre conscience. J'ai dépassé le stade de l'amour et du rejet, ce qui veut dire que je n'ai pas hésité à faire entrer dans mon champ de vision des expressions culturelles médiocres ou inachevées. J'ai au contraire puisé dans cet inachèvement le courage d'aller de l'avant et une humilité que je juge plus productive que l'autosatisfaction. Un esprit fort, en effet, ne se détourne pas de ce qui lui fait honte et peut se jouer de sa faiblesse comme de la commune médiocrité ; méprisables sont par contre ceux qui n'osent jamais avancer un mot sans s'être préalablement mis à l'abri sous leurs titres ou à l'ombre de quelque figure autorisée. J'ai préféré épouser l'histoire de mon peuple sans négliger ses misères, ses complexes, ses moments d'aveuglement et de bêtise. Ce peuple, je ne songe pas un instant le représenter dans ces pages, mais c'est à lui que je m'adresse, l'invitant à s'inventer en connaissance de cause ! Au moment où il doit se penser *avec* d'autres, j'ai fait émerger pour lui des accès d'origine, pour qu'il connaisse un peu mieux la teneur des diverses tentatives de fondation qui ont ponctué son parcours historique. Je me suis aussi adressé aux « autres », à ceux qui occupent avec nous ce territoire et ses institutions politiques, culturelles ou autres, mais sans nécessairement se réclamer de la même histoire. Pour eux, j'ai posé quelques conditions pour que soit rendu possible un « nous » que l'on pourrait partager. En prenant la littérature pour objet, j'ai voulu par ma réflexion les faire accéder à certaines subtilités que gomment souvent les travaux des historiens et des sociologues. J'ai tenté ainsi de rendre palpable et audible la matérialité énonciative et pulsionnelle d'une pensée québécoise de l'origine, de la tradition et du vivre-ensemble.

Aux uns et aux autres, je veux dire que si ce livre marque pour moi une étape décisive, il n'est pas pour autant l'affirmation d'un point de vue définitif, car il est avant tout une invitation au dialogue, même dans la confrontation !

De l'entrevue de Laferrière, je retiens aussi cette phrase qu'il dit avoir apprise d'un professeur de mathématiques et appliqué tout au long de sa vie d'écrivain : « Considère dès le départ le problème comme déjà résolu ». Pour moi, le départ a lieu maintenant, au moment où je laisse ce livre vivre sa propre vie. Où irai-je ? Je ne le sais pas encore.

La tradition est un travail de réception, d'interprétation. Ne se souvient pas qui veut, mais qui met en circulation les signifiants de son histoire.

Anne Élaine Cliche

Bibliographie sélective

ANGENOT, Marc, « Littérature et nationalisme », *Tribune juive*, vol. 14, n° 5, juin-juillet 1997, p. 12-15.

BAUDELAIRE, Charles, « Mon cœur mis à nu », fragment 7, dans *Œuvres complètes*, Paris, Seuil, coll. « L'Intégrale », 1968, 625 p.

CANTIN, Serge, *Ce pays comme un enfant*, Montréal, l'Hexagone, 1997, 212 p.

CARDINAL, Jacques, « Le poids des choses. Tradition et modernité dans *Trente arpents* de Ringuet », *Religiologiques*, 27, printemps 2003, p. 149-186.

CLICHE, Anne Élaine, « L'imitation de la Torah. A. M. Klein, *The Second Scroll* : lecture talmudique », *Études françaises*, vol. 37, no 3, 2002, p. 29-51.

—, *La Pisseuse*, Montréal, Triptyque, 1992, 243 p.

—, *La Sainte famille*, Montréal, Triptyque, 1994, 244 p.

—, *Rien et autres souvenirs*, Montréal, XYZ Éditeur, coll. « Romanichels », 1998, 324 p.

—, *Dire le livre. Portraits de l'écrivain en prophète, talmudiste, évangéliste et saint*, Montréal, XYZ Éditeur, coll. « Théorie littéraire », 1998, 244 p.

FERRON, Jacques, *Du fond de mon arrière-cuisine*, Montréal, Éditions du Jour, 1973, 292 p.

—, *Les Confitures de coings*, suivi de *L'Appendice aux Confitures de coings ou le congédiement de Frank Archibald Campbell*, Montréal, l'Hexagone, coll. « Typo », 1990, 208 p.

—, *Rosaire, précédé de L'Exécution de Maski*, Montréal, Lanctôt Éditeur, coll. « PCL/petite collection lanctôt », 2003, 264 p.

GAGNON, Nicole, « Comment peut-on être Québécois. Note critique », *Recherches sociographiques*, vol. XLI, n° 3, 2000, p. 545-566.

Godbout, Jacques, « Les écrivains sont souverains », *Liberté*, (203), vol. 34, n° 5, octobre 1992, p. 39-42.

GOMBROWICZ, Witold, *Journal*, Gallimard, coll. « Folio », 1995, tome 1, 702 p.

—, *Varia I*, Paris, Christian Bourgois, 1995, 226 p.

HAMEL, Jean-François, « Tombeaux de l'enfance. Pour une prosopopée de la mémoire chez Émile Nelligan, Réjean Ducharme et Gaétan Soucy », *Globe*, vol. 4, n° 1, 2001, p. 93-118.

HAREL, Simon, « Une littérature des communautés culturelles *made in Québec ?* », *Globe*, vol. 5, n° 2, 2002, p.57-77.

LAFERRIÈRE, Dany, *Je suis fatigué*, Montréal, Lanctôt Éditeur, coll. « PCL/petite collection lanctôt », 2001, 144 p.

—, *Comment faire l'amour à un nègre sans se fatiguer*, Montréal, Typo, 2002, 192 p.

—, « Entrevue avec Marie-France Bazzo », *Indicatif présent*, Radio-Canada, 5 janvier 2004 : <http://www.radio-canada.ca/radio/indicatif present>

LEMIEUX, Denise, dir., *Traité de la culture*, Sainte-Foy, Les Presses de l'Université Laval, 2002, 1089 p.

MARCOTTE, Gilles, « Notre poésie », *Le Devoir*, 23-24 sept. 2000.

MIRON, Gaston, « Le bilingue de naissance », dans *L'Homme rapaillé*, Montréal, l'Hexagone, coll. « Typo », 1993, p. 219-233.

MISTRAL, Christian, « Nos jeunes sont si seuls au monde », *La Presse*, 2 mars 2004.

NEPVEU, Pierre, *L'Écologie du réel. Mort et naissance de la littérature québécoise contemporaine*, Montréal, Boréal, coll. « Boréal Compact », 1988, 256 p.

RICHLER, Mordecai, *Oh ! Canada ! Oh ! Québec ! Requiem pour un pays divisé*, Montréal, Éditions Balzac, 1992, 310 p.

RICHLER, Mordecai, « Mordecai Richler, un témoin honnête de son temps », *L'Impossible*, n° 1, septembre 1992, p. 87-95.

—, *L'Apprentissage de Duddy Kravitz*, Montréal, Bibliothèque québécoise, 1998.

—, *Rue St-Urbain*, Montréal, Bibliothèque québécoise, 2002, 192 p.

ROBIN, Régine, « Vieux schnock humaniste cultivé et de gauche cherche coin de terre pour continuer à penser. Nationalistes s'abstenir. Répondre au journal *Spirale*. Discrétion non assurée », *Spirale*, septembre-octobre 1996, p. 4.

—, *La Québécoite*, Montréal, Québec Amérique, 1983, 200 p.

—, *L'Immense fatigue des pierres*, Montréal, XYZ Éditeur, coll. « Étoiles variables », 1996, 189 p.

SIMON, Sherry, « Marco, Leonard, Mordecai et les autres », *Spirale*, mars-avril 2004, n° 195, p. 5.

VAN SCHENDEL, Michel, « Je me parle à voix basse voyageuse », *Spirale*, janvier-février 2004, n° 194, p. 7.

Premières versions des chapitres du livre

Chapitre premier. Fut d'abord une communication dans un séminaire organisé par le Centre d'études québécoises de Bologne (Bagni di Lucca, 17-19 juin 1993). Publié dans *La deriva delle francofonie : Mythes et mythologies des origines dans la littérature québécoise*, Bologne, CLUEB ed., 1994, p. 33-72. Je remercie feu Franca Marcato-Falzoni, Carla Fratta et Manon Riopel.

Chapitre 2. Fit d'abord l'objet d'un travail dans un cours de sémiotique ; il s'agissait alors de démontrer ma maîtrise du schéma actantiel. Devint ensuite un chapitre de ma thèse de doctorat en littérature comparée (Université de Montréal) ; il consistait à analyser la polémicité d'une œuvre narrative. Se retrouva enfin dans *Voix et images*, n°55, automne 1993, p. 11-38 ; il s'agissait de contribuer à un numéro sur Groulx écrivain. Dans le présent chapitre, on retrouve quelques passages tirés d'un autre texte : « La politique éditoriale comme contrat de lecture », *Préfaces et manifestes littéraires* (Actes du colloque organisé par l'IRLC de l'Université de l'Alberta), Université de l'Alberta, 1990, p. 1-17. Je remercie Amaryll Chanady, Walter Moser, Pierre Hébert, Ed Blodgett et Anthony Purdy.

Chapitre 3. Article publié dans les *Cahiers d'histoire du Québec au XXe siècle*, n°8, octobre 1997, p. 130-150. Je remercie Stéphane Stapinsky.

Chapitre 4. Publié sous le titre « Par-delà le régionalisme et l'exotisme » dans *L'Europe de la culture québécoise* (actes du séminaire international tenu les 28 et 29 mai 1999 à Udine, Italie), Udine, Forum ed., 2000, p. 97-131. Une version abrégée du même texte est parue dans *Brasil-Canada no terceiro milênio*, Feira de Santana-Bahia-Brasil, 2000, p. 97-107. Actes du 5e Congrès international de l'ABECAN tenu à Salvador de Bahia du 7 au 10 novembre 1999. Je remercie Alessandra Ferraro, Jean-Paul Dufiet et Zila Bernd.

Chapitre 5. Paru dans *Palinsesti culturali : Gli apporti delle immigrazioni alla letteratura del Canada*, Università degli Studi di Udine, 1999, p. 125-139. Je remercie Alessandra Ferraro et Jean-Paul Dufiet.

Chapitre 6. Paru dans *Jacques Ferron : le palimpseste infini*, Actes du colloque international tenu à Montréal en septembre 2000, édité par Brigitte Faivre-Duboz et Patrick Poirier, Montréal, Lanctôt éd., coll. « Cahiers Jacques-Ferron », 2002, p. 51-67. La finale du présent chapitre réaménage un article intitulé « Penser la communauté n'empêche pas d'être unique », *Spirale*, n°196, mai-juin 2004, p.11-12. Je remercie Brigitte Faivre-Duboz, Patrick Poirier (deux fois plutôt qu'une !), Ginette Michaud et Pierre L'Hérault

Chapitre 7. Inédit

J'adresse un remerciement spécial à Nicole Gagnon et Jacques Allard.

Table des matières

Achevé d'imprimer
en octobre deux mille quatre, sur les presses
de l'imprimerie Gauvin, Gatineau, Québec